W9-CHC-205

〔美〕刘广京 朱昌峻 编

陈 绛 译校

Li
Hung~
chang and
China's
Early
Modernization

上海古籍出版社

中国近代化的起始

李鸿章在天津。(采自立德夫人:《李鸿章的生平及其时代》;伦敦:卡塞尔,1903)

海军衙门大臣。从左至右: 善庆、醇亲王、李鸿章。(采自立德夫人:《熟悉的中国》;伦敦: 哈钦森, 1899)

李鸿章在伦敦, 1896年。(采自立德夫人:《 李鸿章的生平及其时代 》;伦敦: 卡塞尔,1903)

中 译 本 序

　　这部书的缘起是 1987 年美国史学会太平洋岸分会年会关于李鸿章的研讨会。当时有六篇论文提出。后来笔者和朱昌峻兄计划筹印一部关于李鸿章的论文集,希望能涵盖李鸿章事业的主要方面,由笔者提出论文三篇(其中旧作两篇),梁元生兄及朱兄各提供一篇。这五篇连同原有的六篇,应美国《中文历史论文选译》(Chinese Studies in History) 季刊之邀,在该刊 1990、1991 年分三期刊印。该刊虽经常刊载中文历史论文之英译,但亦偶辟专号或专栏登载原以英文撰写之论文。嗣后有两位美国朋友凭他们原撰专书之根底,各著文一篇,连同前述的十一篇,共十三篇,汇为专书,由纽约州阿曼克市的 M·E·夏普出版社于 1994 年 3 月出版。复旦大学陈绛教授有兴趣翻译此书并主持中译本的工作,上海古籍出版社表示有兴趣出版。这对于原编辑人及撰稿人都是可以引以为荣的盛事,谨向陈教授及上海古籍出版社道谢。

　　本书的前身,即上述刊物所载的十一篇论文,总题目为 Li Hung-chang: Diplomat and Modernizer, 可译为"李鸿章的外交政策与其对中国近代化的贡献"。本年 3 月出版专书时,则以 Li Hung-chang and China's Early Modernization 为题,可译为"李鸿章与中国的早期现代化";如译为"李鸿章与中国近代化的起始",则似更达意。此次出版中译本,题目改用"李鸿章评传",惟仍以"中国近代化的起始"为副题,似亦不失本书原旨。

李鸿章于 1901 年逝世于北京。严复曾撰挽联曰:

> 使生平尽用其谋,其成功或不止此;
> 设晚节无以自见,则士论又当何如?[1]

这一副挽联语意颇为含蓄,但严复对李鸿章的一生在某种限度之内予以肯定,似无疑义。本书对李鸿章的晚节,并无详论,仅朱昌崚兄所撰第十三章附带论及。本书对于李鸿章的自强思想及其倡议的自强、变法方案则深具同情。李氏于同治年间及光绪初年提出的方案,仅一部分得到清廷的准许,其他建议如变通科举制度、大规模建筑铁路等皆被漠视。严复说:"使生平尽用其谋,其成功或不止此"——这个看法是可采的。

研究李鸿章的事业,似乎可以从先后不同的两个角度着眼。其一是从鸦片战争后民族丧失了二十年的光阴来看,李鸿章能认识中国乃面临"三千年来未有之变局",并提出自强变法的方案,这是非常可贵的。但是史家从中日甲午战争惨败的观点来看李鸿章战前二十多年的政策与事业,对李氏亦不能无苛责。[2] 本书评述李氏的创新政策与事业,乃自同治初年讲起;接着又对光绪初年李氏政治势力的范围与限度反复讨论。本书并提供李鸿章外交政策与自强事业的实例,希望能以个案研究为评判李鸿章业绩的基础,似乎在史学方法上略有贡献。

关于李鸿章及其时代的研究,近年有兴趣的学者渐多。目前且有系统地搜集李氏未刊文稿,准备编印新版《李鸿章全集》的庞大计划。有关李鸿章的新著作,方兴未艾。这一部在海外选编的《李鸿章评传——中国近代化的起始》目前似仍有出版中译本的价值。但是关于这个题目的研究,将来必超越本书的视野,则殊无疑问,将来必有更深入、更周到的李鸿章全传之出现。这是笔者可以预知并为史学界及出版界预先祝贺的。

刘广章

1994 年 4 月 29 日
于戴维斯加州大学

注 释:

[1] 严璩:《侯官严先生年谱》,收入王栻主编:《严复集》(北京:中华书局,1986),册五,页 1549。

[2] 请参阅刘广京:《经世思想与新兴企业》(台北:联经, 1990),页1至22;刘广京、司马富:《西北与沿海的军事挑战》,收入《剑桥中国晚清史,1800—1911》(北京:中国社会科学出版社, 1985),下卷,页 231—312。

目　录

说 明 与 志 谢

本书大部分论文最初提交美国史学会太平洋岸分会(AHA—PCB)1987 年年会关于李鸿章的两次专题小组讨论,会上两位小组评论人,康念德和司马富,很大地丰富了我们努力的成果。随后不久,刘广京向台湾"中央研究院"近代史研究所自强运动研讨会提交了他的导论一章中文本,他从与会者的意见中受益很多。

梁元生一章是根据刘广京的建议增加的,而朱昌峻则建议加入刘先前的两篇论文。论文在《中文历史论文选译》发表时,我们请康念德与司马富和我们一起参加本书的结集出版,如果他们愿意的话。他们作出了反应,我们有幸得到了他们撰稿。

本书编成,许多人给予我们鼓励和帮助:我们的老师,他们最早给予我们专业的训练,并且为我们作出了典范,谨将本书呈献他们;我们的同事,我们的学生,和我们的亲友,还有其他学者以各种方式帮助我们改进本书,他们包括傅佛果(Joshua Fogel)、关捷、熊杰、入江昭(Akira Iriye)、马里厄斯·詹森(Marius Jansen)、吴赵凤琬(Bonnie Oh)、戚其章和韦慕庭(C. Martin Wilbur)。

下列刊物和机构惠允重刊以下各篇论文,谨此志谢: 第2章——《哈佛亚洲研究杂志》(*the Harvard Journal of Asian*

Studies, 卷 3 [1970 年], 第 5—45 页)；第 3 章——加州大学出版社（费维恺 [Albert Feuerwerker] 等编：《中国近代史研究》[*Approaches to Modern Chinese History*], 第 68—104 页)；第五章——汉学研究中心（台北)（《汉学研究》, 卷 4 [1986 年], 第 315—31 页)。台北中央研究院近代史研究所发表导论的早先文本（《清季自强运动研讨会论文集》[1988 年], 第 1121—33 页）和结论（《中国近代史研究通讯》, 第 6 期 [1988 年], 第 120—35 页)。我们感谢该所惠允这两章以修订形式重新发表。

由于本书若干章先前已经问世，编者不想对全书采取统一的格式，而仅求各章内部前后一致。

书稿准备中，玛乔里·哈弗纳（Marjorie Haffner）在简尼斯·加尔克（Janice Gulker）协助下，为许多篇文稿打字。我们感谢她们两位。康斯坦斯·伯罗特兰（Constance Berroteran）、吴小琪和辛西娅·福勒（Cynthia Fowler）也作了技术和文书的处理工作。

最后，合编者愿在此向《中文历史论文选译》编辑李又宁的支持表示感谢，他邀约我们担任该刊李鸿章专号的客座编辑；我们也向我们的出版者 M·E·夏普出版社的道格拉斯·默文（Douglas Merwin）、安娜·欧莉克（Ana Erlic）、安吉拉·皮利奥拉斯（Angela Piliournas）和丽塔·伯恩哈德（Rita Bernhard）的支持，表示感谢。他们都使这部著作得到改善。书中仍有讹误与不足之处，全部由著者和编者各自负责。

谨将这本书献给费正清、何廉、陈荣捷和韦慕庭，以志纪念。

刘广京

戴维斯加州大学

朱昌崚

俄亥俄州立大学

撰 稿 人

朱昌崚　美国俄亥俄州立大学历史系教授
Samuel C. Chu, Professor of History
Ohio State University

康念德　美国华盛顿州立大学历史系教授
Thomas L. Kennedy, Professor of History
Washington State University

金基赫　韩国浦项理工大学历史系教授、教养科主任
Key–Hiuk Kim, Professor of History and Director of
　　General Education
Pohang Institute of Science and Technology, Korea

黎志刚　澳大利亚新英格兰大学历史系讲师
Chi–kong Lai, Lecturer in History
University of New England, Armidale, New South
　　Wales, Australia

梁伯华　美国西顿·霍尔大学亚洲研究系教授

Edwin Pak-wah Leung, Professor of Asian Studies
Seton Hall University

梁元生　美国洛杉矶加州大学历史系副教授
Yuen-sang Leung, Associate Professor of History
California State University, Los Angeles

林明德　台北"中央研究院"近代史研究所研究员
Ming-te Lin, Research Fellow
Institute of Modern History, Academia Sinica

刘广京　美国戴维斯加州大学历史系荣休教授
Kwang-Ching Liu, Professor of History Emeritus
University of California, Davis

庞百腾　美国特拉瓦州大学历史系教授
David P. T. Pong, Professor of History
University of Delaware

司马富　美国赖斯大学历史系教授
Richard J. Smith, Professor of History
Rice University

王家俭　台北台湾师范大学历史系教授
Chia-chien Wang, Professor of History
National Taiwan Normal University

编者、译者

刘广京,福建闽侯人,1921 年生。昆明西南联合大学肄业,1945 年美国哈佛大学毕业,获该校硕士(1947 年)、博士(1956 年)学位。历任耶鲁大学、哈佛大学访问教授,戴维斯加州大学教授。发表历史论文 40 余篇,专著有《英美轮船航运在华竞争,1862—74 年》,《美国人与中国人》,《经世思想与新兴企业》等;编纂有《美国教士在华言行论丛》,《剑桥中国史》第 11 卷(与费正清合编),《明清时代之礼教》及《明清时代之异端》(已付印)等。1966—69 年任美国《亚洲研究杂志》副总编辑。1968 年获美国古根海姆基金会学术奖,1973 年获美国学术团体联合会学术奖,1976 年当选台湾"中央研究院"院士,1982 年获美国科学院杰出学者访华学术奖。1985 年任夏威夷大学贝恩斯讲座,1986—87 年任美国史学会太平洋岸分会会长,1988 年任香港中文大学钱宾四先生文史讲座。1993 年、1995 年两次任台湾大学历史学讲座。现已退休,惟仍在戴维斯加州大学教授研究班。该校中国史博士班出身的学者在美洲、澳洲任教者共有十五六人。

朱昌峻,美国俄亥俄州立大学历史系教授。1929 年生于上海,1941 年赴美国,1951 年达特默思学院毕业,哥伦比亚大学硕士(1953 年)、博士(1958 年)。曾在耶鲁大学作研究,在纽约

大学、宾夕法尼亚州巴克纳尔大学、匹兹堡大
学任教,并任匹兹堡大学亚洲研究委员会主
席。1969 年起在俄亥俄州立大学任教迄今,
历任东亚研究项目主任、历史系副主任。作
为富布赖特研究学者赴台湾(1961—62 年)、
日本和朝鲜(1981 年),作为美国社会科学研
究会交换学者在台湾(1965—66 年)从事研
究讲学。1975 年参加美国固体物理学访华代表团。1981—82
年获富布赖特基金和美中学术交流委员会奖金来华作研究讲
学。1982 年兼任乔治敦大学孙中山讲座教授,1994 年兼任广东
佛山大学访问讲座。主要著作有《近代中国改革家张謇(1853—
1926 年)》(1965 年)、《走向金门之路》(1967 年)及其他论文、书
评多篇。

陈　绛,上海复旦大学历史系教授、上海研
究中心研究员、上海市文史研究馆馆员、市地
方志编纂委员会特约编审。1929 年生于福
建省福州市。上海圣约翰大学毕业(1949
年),复旦大学经济研究所毕业(1950 年)。
曾在中国科学院上海经济研究所、上海社会
科学院经济研究所从事中国近代经济史研
究,1978 年起在复旦大学任教迄今,曾任中国近代史教研室主
任。1983—84 年作为富布赖特资深学者在美国哈佛大学费正
清东亚研究中心、伯克利加州大学中国研究中心作研究讲学。
现为中国经济史学会、全国中美关系史研究会理事、英国剑桥国
际传记研究中心荣誉顾问、国务院发给有突出贡献专家政府特
殊津贴获得者。著有《旧中国买办阶级》(合著,1984 年)等,参

加撰写《中国近代企业的开拓者》(1991 年)、《上海近代经济史》第一卷(1995 年),译有《帝国主义工业资本与中国农民》(1984年);论文有《洋务运动与儒学传统》、《在华西人与中国早期近代化》(获 1986—93 年上海市哲学社会科学优秀成果奖)等以及书评多篇。

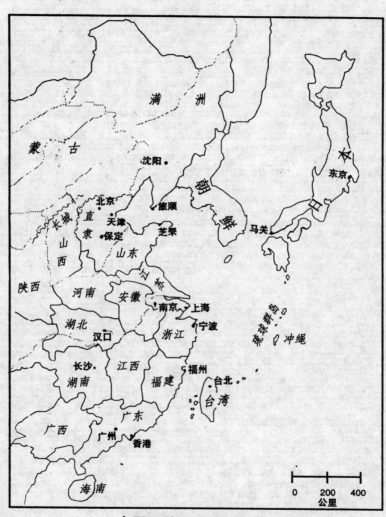

满洲

蒙　古

沈阳

朝

北京
直隶
天津
保定
山东
芝罘
旅顺

长城
山西

陕西

河南
安徽
南京 上海
宁波
湖北
汉口
浙江

长沙
江西
福建
福州
台北
台湾
湖南

广西
广东
广州
香港

海南

鲜

日本
东京

马关

琉球群岛
冲绳

0　　200　　400
公里

中国沿海、朝鲜与日本

此图系原书示意图——译者

中國省圖 　中國沿海日本

第 一 编

导　论

1

中国近代化的开始

刘 广 京

中国近代化在什么时候开始？回答这个问题，当然要看对近代化如何定义。社会科学的不同部门（如政治学和经济学）对近代化的定义各不相同。一套从不同省份或若干省份考察中国近代化的重要著作，将近代化解释为进一步走向社会平等化、政治民主化和经济自由化的过程。[1] 这样一种关于近代化的偏于理想的包罗一切的定义，难以拒绝接受。然而，学术上毋需运用普遍的价值判断。在比较历史中，也许可以认为，近代化的本质在于从商业到工业的转变过程——换句话说，也就是工业化。本文先讨论 19 世纪中国历史上"经世"与"自强"的具体概念。然后进一步考虑 19 世纪中国引进以蒸汽驱动机器的主要企业。我想按这样循序作历史考察，有助于对中国近代历史的了解。

3

本文系作者据中文论文《经世、自强、新兴企业——中国近代化的开始》第一部分扩写而成，该文载《清季自强运动研讨会论文集》（台湾"中央研究院"近代史研究所，1988），1121—33。中文本包括关于晚清近代化运动成败的评价。[译文参照中文原作，谨此志谢。——译者]

经世

"经世"一词许多历史学者曾经用过，英文著作中多译为
statecraft，* 在晚清历史背景下，它的含义是什么？"经世"按通
常的说法，可以说是做官，但是在中国的思想传统中，它的涵意远
远不止是做官。"经世"还含有服务的意义——为国家和人民服
务的理想。它含有理想主义的目的，同时却十分注重实效——亦
即注重知识分子对国家和社会富有成效的具体贡献。[2]

　　魏源（1794—1857 年）等晚清时期一些人士认为，有一门学
问和研究形而上学的宋学与考订经书的汉学同样重要，那就是
要求直接面对国家和社会实际需要的"经世之学"。魏源说："自
古有不王道之富强，无不富强之王道。"[3]生产和财用的问题无
法讳而不言；功利和效果必须予以强调。经书固然要读，但从中
引伸出来的教训必须见证于当前的需要。典章制度同样必须经
得起实际的检验。魏源充任贺长龄（1785—1848 年，1824 年江
苏按察使，1825—26 年同省布政使）和陶澍（1779—1839 年，
1825—30 年江苏巡抚，1830—39 年两江总督）的幕友** 时，参
与筹划漕粮海运（取代仅靠运河运漕）和票盐改革，允许大约
2,000 名商人运盐销售（取代仅有十余名世袭的盐商）。这些改
革既切合实际，又十分适时。提倡不仅可取而且可行的改革，正
是经世治国的特色。

　　与魏源并世的经世学者包世臣（1775—1855 年），不但对
漕、盐等问题极有兴趣，而且是黄河水利的专家，在浚河筑堤的

---

　　* 　statecraft，治国才能，治国之术。——译者
　　** 　原文作"顾问"（advisor）。——译者

技术方面有丰富的知识。他还深谙农业技术,是一部农业指南*的作者。与包世臣相比,魏源更加彻底地提出对商人企业有利的政策。他要依靠商人的财力和管理能力,帮助解决政府的问题。有关漕粮北运问题,他写道:"官告竭,非商不为功也。"[4]魏源绝不低估政府的作用,不过他认为允许商人积累财富,将有裨于国家的富强。国家一旦富强,就应当施仁行善:"无不富强之王道。"魏源还说:"后儒特因孟子义利王伯[霸]之辨,遂以兵食归之五伯[霸],讳而不言。亦曾思足民治赋皆圣门之事,农桑树畜即孟子之言乎?"[5]

　　经世学者这样注重实效,他们对于能够增进国家和人民富强的机器技术,便完全不会漠不关心。就以魏源来说,他从1820年代提倡用江苏沙船运漕,到1840年代对西方轮船表示兴趣,只不过是一个小小的跃进。他既然主张允许2,000名左右的投资者施行票盐法,那么,他赞同商办企业,便完全是前后一贯的了。魏源于鸦片战争爆发后两年内刊行两部多卷本的著作——《圣武记》和《海国图志》。他在《圣武记》中,不仅记述清代武功的历史,而且还提出关于有裨于国计民生的财经政策的建议,其中就有鼓励私人企业开采金银矿。但"官不禁民之采","官特置局,税其什之一二,而不立定额,将见银之出不可思议,税之入不可胜用"。[6]

　　魏源的《海国图志》是一部世界人文地理著作,它部分根据钦差大臣林则徐在广州收集的资料。魏源在一篇关于海防的导论中,建议兴办水师,以西法造船制炮——"师夷长技以制夷"。魏源注意到西方生产技术应用于生产的价值——"无非竭耳目心思之力,以为民用"。[7]不过他相信中国人在这方面能够赶上

5

---

　　*　指《齐民四术》。——译者

西方,而且不会比西方逊色。

　　魏源为即将到来的自强运动勾画出一个轮廓。左宗棠(1812—85年)后来于1876年为重刊《海国图志》作跋,称魏源的"方略可行,而大端不能加也"。[8] 19世纪初期经世思想与自强运动之间,显然有前后的连续性。

自强

何谓"自强"? 自强的观念是怎样产生的?《易经》有这样著名的话:

　　　　天行健,君子以自强不息。

6　　《宋史》董槐(1213年进士)传记载,皇帝问边事,亦即中国北方同女真的关系,董槐回答说:"外有敌国,其计先自强。自强者人畏我,我不畏人。"[9]

　　正是在华夷关系这一背景下,乾隆皇帝(1736—95年在位)在一部历史著作关于东汉(公元25—220年)"款塞"一段批语中云:"能自强者外侮不敢窥;不能自强者,虽谨守而外侮亦将伺其隙。"[10]魏源在他的一篇关于鸦片战争与和议的简要文章* 中,赞颂他认为林则徐所曾经企望的政策——中国在"自修自强"的同时,继续同欧洲人进行除鸦片以外的贸易。[11]

　　英、法占据北京退出后,恭亲王和文祥于1861年1月奏请采取包括设置总理衙门在内的新政策时,使用"自强"一词就有类似的含义:

──────────

　　* 指《道光洋艘征抚记》。——译者

　　臣等酌议大局章程六条,其要在于审敌防边以弭后患,
然治其标未探其源也。探源之策在于自强,自强之术必先
练。[12]

　　恭亲王和他的同僚在同年 7 月一份奏折中解释,他们"曾奏
请饬下曾国藩等购买外国船炮,并请派大员训练京兵"——这一
切都是为了自强的目的,"不使受制于人"。[13] 在中国对外关系
中,这种不受制于人的观念,它的传统上的意义至少可以上溯到
宋代。

　　然而,在晚清时期的背景下,"自强"一词有它深一层的含
义——亦即必须采用西方技术,以便在对外关系中居于优势。
李鸿章于 1864 年春致总理衙门函中写道:

　　　　夫今之日本,即明之倭寇也。距西国远而距中国近。
我有以自立,则将附丽于我,窥伺西人之短长。我无以自
强,则并效尤于彼,分西人之利薮。[14]

在同一封信中,李鸿章认为西方力量的源泉在于"技艺",建议中
国学会制造"制器之器"。总理衙门将李的这封信录呈朝廷,它
总结过去两三年来关于这一政策同各省督抚的讨论,奏称:"查
治国之道,在乎自强;而审时度势,则自强以练兵为要,练兵又以
制器为先。"[15]

　　这样的新政策在同治初年就已出现。1860 年以后同西方
接触扩大,要求政府的活动扩展到一个新的范畴——就是所谓
"洋务",处理外交事务和设立兵工厂与造船厂,这两方面都被称
为"洋务"。

　　但是,"自强"和"洋务"的范围并不限于造船制炮。至少有
一些省的官员已看到欧洲的技术应用于非军事方面的价值。

1865 年 9 月,李鸿章上奏请准设立江南制造局时,表示希望制造局终将生产对农业和工业有用的机器——"耕织、刷印、陶埴诸器"。李预见数十年后,中国人将能掌握西方技术,"富农大贾必有仿造洋机器制作以自求利益者"。[16]

　　追溯起来,李鸿章这样一个建议正是将魏源 1842 年的预示付诸实践。李正是对 1860 年代初他在上海亲睹西方武力的挑战作出反应,当时他的军队依靠西方武器,甚至依靠西方兵将的帮助,成功地同太平军作战。[17] 然而李并没有背离那种支持经世思想的假定——捍卫以儒家的忠为根据的正统的政治权威。在提出设立江南制造局的同一奏折中,他否认将采用技术看成比其他"经国之学"更为重要。李虽未使用"体用"这一公式,但实际在这一点上他明白指出机器制造不如良好的政府重要——技术如"医病治标"或"防洪筑堤",尽管必不可少,然而却非根本之图。[18] 这样一种观点和 19 世纪初期一直力图维护帝国结构和家庭伦理的经世思想并致。

8　　　然而,另一方面,自强时期的经世运动已经超越了 19 世纪初期的思想。魏源尽管认识到西方对中国挑战的严重性,他却没有谈到中国作为世界各国中一个国家的主权问题。他仍然是从使四夷宾服的中华帝国的角度进行思考。可是李鸿章却有从 1861 年至 1863 年居住上海外国租界的经历;他认识到欧洲人不仅军事方面优越,而且除依靠军事技术外,还通过外交代表和施加压力,野心勃勃地谋取商业扩张。李鸿章比魏源更加认识到"利权"(经济控制,字面上即获取利润的权力,含有经济主权之意)的重要性,"利权"一词不宜与"权利"混淆,后者是很久以后才引入的新词。李鸿章虽然出于直觉,将清廷和中国等同起来,但是他也时常在将国家同王朝加以区别的意义上,使用"中国"或"中土"等词。李尽管十分现实,接受了在他上台之前就已存在的条约制度,他还是意识到中国作为一个主权国家的权利。

行政完整的概念也许是在李鸿章以及继丁日昌(1832—82年)以后历任上海道台的政策中形成的,丁是广东人,由李邀其来上海,于1864年就任上海道。[19]李鸿章必须对付像巴夏礼这样富于挑衅性的英国官员。在李泰国和赫德两人中,李喜欢后者,因为他的举止像一个中国官员。李虽然赞赏常胜军的效率,却坚持必须予以裁遣。在江苏处理对外关系的阅历,使李鸿章锻炼成为一名外交家。从1870年开始,在直隶大约25年间,他是一位事实上的外交大臣,列强的代表如遇问题就去找他。

外交史是一个复杂的领域,加以概括并非易事。李鸿章作为中国对外政策的一个制定者,他的成败还未得到充分的重估。可以设想,从1860年代开始,李就有一个始终一贯的目标——在条约制度下,尽可能维护中国的领土和行政的完整。保护朝鲜,使其免遭外国统治,也是他的目标。[20]李认识到外交的成功最后依靠国家的军事和经济力量。是李鸿章——也是中国的命运安排,使他面对一个异乎寻常成功的国家日本。也许早在1860年代,肯定在1870年代初,在中国同日本缔结最早的条约的谈判时,李鸿章就已认识到日本的挑战。然而李尽管致力于自强,他却注定要看到中国日益落后于日本。正如王家俭教授谈到中日战争前夕中国海军的弱点时所指出:"李忠于清廷,但是他还负责处理许多紧迫的事务,他此时已成为全国督抚的领袖,集内政、外交、洋务、海防于一身。在1880年代末、1890年代初,他忙于应付每日遇到的政治问题,以致不能对北洋海军诸多问题给予充分的注意。"王教授得出结论说:

李鸿章的任务比起今天人们所能想象到的要艰巨得

多,因为他面临向北京政府寻求资金、说服各省官员争取他
们合作、同时又要抵挡来自各方的不断的批评这多重的任
务。北京中央政府的弱点众所周知。清政府从整体上看给
李鸿章增加了许多障碍。它充满官僚主义陋习、地方主义
观念和派系的明争暗斗。北洋海军本身也因组织不健全、
装备陈旧过时而深受其患。在这样的环境下,对李鸿章创
建海军的努力,不应从不可能实现的理想,而应当从当时内
部情况的整个背景作出评判。[21]

新兴企业

李鸿章显然未能获得中日战争的胜利,或者防止这场战争发
生。可是他的事业却充满开拓者的精神;他建设国家的努力,不
但包括军事措施方面,而且也包括经济政策方面,仍然有待学者
作出恰当的评判。1872—73 年李鸿章创办轮船招商局时,他的
目的不仅在于拥有轮船,将漕粮运往华北,而且还在于同外国商
行的轮船进行竞争。到那时为止,轮船运输业全归这些商行经
营。李注意到条约口岸的中国商人每将资金投于西方企业,他
的政策就是向那些愿同外国企业竞争的中国商人提供政府的保
护。李希望中国轮船公司将"为中土开此风气,渐收利权"。[22]
李关于开采矿山和设立织布厂的计划,也都有类似的目的。自
1870 年代中叶以来,李支持在直隶和其他地方开采煤铁的计划
时,已想到煤铁大量输入,造成国家财源枯竭。李还注意到煤矿
和铁矿是英国工业成功的基础:

> 中国金、银、煤、铁各矿胜于西洋诸国,只以风气未开,
精华闷而不发,利权之涸日甚一日,复岁出巨款购他国煤

铁,实为漏卮之大宗。[23]

1882年李鸿章奏请设立上海机器织布局时,强调财富作为国家强大基础的重要性。他相信不采取西方技术发展机器制造工业,便不可能促使国家强大:

> 臣维古今国势,必先富而后能强,尤必富在民生,而国 10
> 本乃可益固。各国制造均用机器,较中国土货成于人工者,
> 省费倍蓰;售价既廉,行销愈广。自非逐渐设法仿造,自为
> 运销,不足以分其利权。[24]

学者迄今尚未充分认识到,李鸿章像魏源一样,指望商人不仅为官督企业提供资金,而且提供管理人才。1872年轮船招商局创办和1877年开平煤矿开工时,李依靠以唐廷枢(唐景星)和徐润为首的一批广东籍买办——商人负责企业。他提出富于独创性的"官督商办"方案,要求商人尽管接受政府低息贷款,在组织资本和经营管理方面仍承担完全责任。招商局最初章程载明,虽然政府保持控制,但是"盈亏全归商认,与官无涉"。[25]李的政策是依靠条约口岸的商人承担企业的风险,同时也由他们负责企业的经营管理。他虽曾札委盛宣怀在湖北开办煤铁矿,但却怀疑盛对这个任务是否胜任。至迟在1882年,李在盛宣怀一份禀词中,提及德国工业史上的克虏伯家族,他作了如下批示:

> 克虏伯以茅屋三间,熔铁起家,是有大本领人,非该道[盛
> 宣怀]等所能学步。招商局以旧船四号运漕试办,虽局面日渐
> 扩充,利权未能全收,亦非荆局[铁矿与煤矿]* 所能比例。[26]

---

* 即荆门矿务总局。——译者

这一段话以及其他资料表明,直至 1884 年,李鸿章对唐景星等广东籍买办—商人,比起对盛宣怀这样的官员,更是信赖有加。

还必须强调指出,李鸿章倡导和支持下近代化的努力并非没有成功。招商局的确以 4 艘旧船起家,但在以后 3 年中,它以新募商人资本和政府贷款,购得新船 9 艘,局船在中国水域运输业中作有力的竞争。1877 年初,招商局依靠政府贷款,盘购美国人经营的旗昌洋行全部船只,它的船只名册上新增了 16 艘。1877 年,招商局共有轮船 29 艘,而它的两家竞争对手怡和洋行和太古洋行营运轮船分别为 6 艘和 5 艘。[27]招商局开始在中国水域运输业中居于优势地位若干年,即使 1885 年后唐景星和徐润不再担任总办和会办,盛宣怀被派为督办,起初情况也是如此。

开平煤矿继续由唐景星和他的同事经营管理,一直到 1892 年唐去世。那一年中国输入洋煤 300,000 吨,开平的产量已达 187,000 吨,足以满足天津口岸及其以外地区的需要。一条自开平至附近水路的短短的铁路于 1888 年展筑至天津,最终通至北京。尽管招商局同在它船上工作的外国船长和轮机师时有龃龉,而唐景星管理开平煤矿,却得到他所聘用的英国工程师和工匠富有想象力的服务,受到他们的赞佩。[28]

官督商办企业引进新制度、新方法的背景是条约口岸国际市场熙熙攘攘,带来曾受过欧洲训练的技术人才。但是出现在这些企业的近代技术引进,当然应当多归功于李鸿章的眼光和政治支持,使企业的引进早日实现。

李鸿章在 1870 年代初便深信中国已面临三千年来"未有之变局":中国现在遭遇的外国侵略,不仅来自内陆边疆,而且来自海上,不是来自文明稍逊的游牧部落,而是来自掌握令人望而生畏的军事和经济力量的跨海而来的国家。毫无疑问,李鸿章要

继续增强他在帝国官僚政治中的地位;他必须固守自己的政治
后卫。但是他的人生目标并非仅仅在于个人成功。他也不仅仅
是张之洞于 1898 年在其著名文章* 中所系统阐述的"中学为
体、西学为用"的提倡者。正如李国祁在最近的研究中所强调,
李鸿章实际上是以极小的努力用于中学,他在形式上对旧式书
院的赞助并不热心;他的注意力真正放在他早在 1862 年曾经戏
谑地说过的"用夷变夏"上面。[29]

必须再次强调的是,尤其自 1870 年代以来,他经常又要将
注意力放在错综复杂的北京政局上面,李作为全国性的官员,肩
负中国外交和战备的责任。不仅如此,他还带头提倡工业时代
的经济企业。他在其富于独创性的"官督商办"企业的方案中有
关商人作用的眼光,也许堪与经世学者魏源早在 1830 年代所作
"官告竭,非商不为功也"[30]的看法媲美。官督商办企业值得作
进一步研究。中国 19 世纪晚期近代化的记录,有许多比较成功
的事例,足以对于那种认为它们是 20 世纪初中国经济重大发展
的先驱的看法,作出适当的评价。

除了倡导工业化所起开拓的作用,李鸿章的经世治国还包括提
倡他自己时常称之为"变法"(制度变更)的改革。正如第 2 章所
讨论的,李于 1864 年向总理衙门提议在科举考试制度中专设一
科,使那些关心西方技术的读书人(士)将他们毕生工作都奉献
于"制器之器"。[31]此外,正如第 3 章所讨论,李在 1874 年 12 月
一份奏折中,抨击那种要求小楷试帖无用技巧的科举制度。他
建议与海防直接有关的各省设立"洋学局",献身于这类学问的
士人可以和科举出身的人同样取得功名。[32]为了避免引起进一

---

* 指《劝学篇》。——译者

步非难,损害自己的政治地位和他艰辛建立的开创性的事业,李鸿章并不竭力推动科举的改革。他必须靠他所能控制的札委无功名人员的权力;由一些没有真实功名的候补官员任临时设置的"局"的总办、会办。[33]1875年2月,他给原淮军统领、时任江西巡抚的刘秉璋的一封信中写道:

> 试帖小楷毫无与时务,此所已知者也。……近人条陈变通考试亦多术矣,皆被部驳。吾始发其端,以待当路之猛醒而自择。其执迷不悟,吾既言之,无可驳也。[34]

在现存李鸿章朋僚函稿中有许多类似的资料,对于研究中国19世纪近代化的政策和问题极有裨助,价值极高。关于李鸿章在晚清时期经世和改革作用的研究,现在只是开始而已。

注 释:

[1] 参阅台湾"中央研究院"近代史研究所出版题为《中国现代化的区域研究,1860—1916年》的丛书:苏云峰:《湖北省》(1981);张玉法:《山东省》(1982);李国祁:《闽浙台区》(1982);张朋园:《湖南省》(1982);王树槐:《江苏省》(1984)等。

[2] 这里关于19世纪初期经世思想的讨论,是以下列拙作为基础:《19世纪初期中国知识分子:包世臣与魏源》,载《"中央研究院"国际汉学会议论文集》(台北,1981),历史考古组,2.9951007;《魏源之哲学与经世思想》,载《近代中国经世思想研讨会论文集》(台湾"中央研究院"近代史研究所,1984),359—90。

[3] 引刘广京:《魏源之哲学》,372—73。

[4] 《魏源集》(北京:中华,1976),卷1,411。

[5] 引刘广京:《魏源之哲学》,372—73。

[6] 同上,369。

[7] 同上,370。

13

[8] 见王家俭:《魏源年谱》(台北:"中央研究院"近代史研究所, 1967), 96。

[9] 关于董槐的引文, 见《宋史》, 卷414。

[10]《御批历代通鉴辑览》(石印本, 1904), 22 :54b。

[11]《魏源集》, 187。

[12] 引蒋廷黻:《中国外交史资料辑要》, 上册, 1934(台北重印:商务, 1959), 351—52。

[13] 同上, 352—53。

[14] 同上, 365—66。

[15] 同上, 363—64。

[16] 李鸿章:《李文忠公全集》(南京, 1905; 以下作《李集》), 奏稿, 9 :34b; 见以下第 2 章和第 3 章。

[17] 亦见司马富:《雇佣军与官员:19世纪中国常胜军》(纽约, 米尔伍德: KTO 出版社, 1978)。

[18] 见以下第2章。

[19] 见以下第5章; 亦见吕实强:《丁日昌与自强运动》(台湾"中央研究院", 1972)。

[20] 见以下第7—9章。

[21] 见以下第12章。

[22] 见以下第3章和第11章。

[23]《李集》, 奏稿, 40 :41。

[24] 同上, 43 :43—44。

[25]《李集》, 译署函稿, 1 :39b—40; 见以下第11章。

[26]《盛宣怀档案资料·湖北开采煤铁总局; 荆门矿务总局》(上海: 人民, 1981), 456; 又见 51—53, 244, 370。

[27] 见拙文《中英轮船航运竞争, 1873—1885年》, 载C·D·考万编:《中国与日本的经济发展》(伦敦: 艾伦与安温, 1964), 49—78。亦见以下第 11 章。

[28] 埃尔斯沃思·C·卡尔森:《开平煤矿, 1877—1912年》, 第2版(麻省坎布里奇: 哈佛大学东亚研究中心, 1971); 见拙文摘要:《一个中国企业家》, 载玛吉·凯瑟克编:《蓟花与翡翠: 怡和洋行 150 周年纪念》(伦敦: 章鱼书局, 1982), 103—27; 266—68。

[29] 李国祁:《同治年间李鸿章应变图新思想》, 中央研究院第二届国际汉

14

学会议论文(台湾中央研究院,1986 年 12 月)。

[30] 见以上,注[4]。

[31] 见以下,33—34。

[32] 见以下,65—66。

[33] 见以下第5章。

[34] 《李集》,朋僚函稿,15 :4。

第 二 编

李鸿章的崛兴

第 一 章

光學的基本概念

2

儒家务实的爱国者：李鸿章事业的形成

阶段，1823—1866 年

刘 广 京

凡熟悉 19 世纪中国历史的人，于中国大多数士大夫对前所未有
的外部危机盲目自满，必定有深刻的印象。的确，意识到西方侵
略事实的中国人充满愤慨的情绪。但是他们即使意识到西方侵
略，传统文化的熏陶却使他们迟迟未能具备应付新的挑战所必
需的革新和改革的思想。相反地，日本人一旦知道西方的武装
力量，便很快产生了危机意识。除了具有武士的背景，日本人思
想开阔，虽然他们许多人曾长期接受严格的儒家修身伦理，但日
本文化，整个说来，并没有阻止他们寻找新的方法，以迎接西方
的挑战。

　　虽然大多数中国士大夫对于这一挑战的态度，如果不是忿
恨不平的话，便是麻木迟钝，但是目睹危机而态度现实足以看到
世局剧变的人，并非完全没有。事实上，在 19 世纪中叶士大夫
中存在着动荡不安的情绪。尽管清朝上层阶级众所周知囿于过
分的文字训练和学究习气，但是仍有许多有功名的人，在太平军

起义爆发以后投身兵戎。他们同太平军作战取得的胜利,证明了他们的务实精神和才干。这些人中如果有机会认识到西方的侵略本性,却没有以紧迫感和现实感作出反应,那倒令人感到惊奇。

李鸿章(1823—1901 年)正是这样一个人。他出身于士人家庭,在太平军起义时,显示出自己在军事和行政方面的实际才干,但是当他于 1862 年到上海出任江苏巡抚,领导同太平军作战时,他平生第一次面对西方武力和侵略的威胁。他非凡的务实品性,以及有不平常的机会深刻了解西方武器和西方军事人才,使他在对西方作出反应中居于一种无可匹敌的地位。他是一个杰出的官员,他能够提请朝廷注意革新和改革的建议。从1862 年开始 30 多年中,他成为中国自强的首要倡导者,自强政策要求以采用西方技术为主,发展中国武力和财力,以便能够应付西方侵略。由于他担任直隶总督和北洋大臣期间(1870—95年)的作为,他时常被同时代的作家看成是中国的伊藤博文,甚至是"东方俾斯麦"[1]——这不仅由于他在清朝外交中的作用,而且还由于他通过军事建设和工业化,追求国家的强盛。

虽然李鸿章事业的许多方面已有过论述,[2] 但他所倡导新政策的缘起及其性质——这些政策建议如何提出,它们同传统的中国经世模式有什么不同,至今还未有足够的研究。本文将试图通过如下的考察,弥补我们认识上的不足:考察李鸿章作为政治家的事业形成阶段,他从一个成功的士人成为军事战略家的早年生涯,1862—66 年间管理江苏民政和军事,以当时中国最有勇气和胆识的革新和改革的倡导者出现的关键岁月。这段历史使我们注意到儒家传统内部的灵活性——一个通过最高等级科举考试的人能够毫不费力地进入爱国的军事和教育改革倡导者的角色这一事实。但是本文的研究也明显表明,李鸿章所提倡的改革在性质上是有限度的,——他不可能成为伊藤博文或俾斯麦,因为使这个年轻的中国政治家认识到必须实行新政策的务实精神,也促使他同现存的军事和行政的惯常做法妥协,这种惯常做法从长远看,是同他的目的不一致的。虽然李所鼓吹的政策在他的时代的中国影响深巨,而且对于中国近代化的曲折历史的研究意义重大,但是他所作出的妥协纵使事实上代表了一种对儒学原则的损害,却不能说是已具有近代的精神。

在回顾李鸿章的早年事业时,[3] 必须强调,他所受的教育和社会关系,都是完全属于传统模式的范围。他于 1823 年生于安徽庐州(合肥)一个上层的家庭。他的祖父和曾祖都捐资取得低级的功名,李年轻时,全家过着贫俭的生活。然而李的父亲李文安于 1838 年应试考中进士,成为一名京官,1850 年代初升至刑部郎中。[4] 李本人以优异的成绩顺利通过科举考试,21 岁中举人,3 年后,亦即 1847 年,中进士。他被选派为翰林院庶吉士,并于 1851 年擢升编修。[5] 李在 20 多岁便是这样一个十分成功的士人,开始顺利登上仕途。

大约从 1843 年起,李鸿章同曾国藩结成师生关系,曾与李的父亲同科进士,当时住在北京。曾后来追忆早在 1845 年,他便已认识到李的才能,[6] 但应指出,李并不像曾国藩那样倾心学问。尽管人们设想李鸿章曾经从曾受学,但是从他的后人出版的文集所收他早年著述中,我们没有发现他对"汉学"或"宋学"有任何感兴趣的迹象,而这两者正是曾国藩当时所潜心钻研的。事实上,我们在李鸿章早年著述中,也没有看到他对"经世之学"有任何兴趣的痕迹,而这也正是曾所专心致志的。至今保存下来李的早年著述,[7] 主要包括两类: 诗与赋。诗主要关于友情和思亲的固有的主题。如果其中有什么不同的话,那也许是偶尔明显流露出对于飞黄腾达前程的热望。李的词赋以这类体裁所常用的绚丽文笔写成,显示出他驾驭文字的熟练技巧和对经书与文学的精湛造诣。诗文的内容则多未能摆脱俗套,除了赞美自然,李还强调诸如"文以载道"之类的主题,以及与忠君相称的道德修养。但他早年诗词中,却可以发现一种雄健的风格,一种不受任何迂腐思想干扰、技巧臻于完美的得心应手的大手笔。李鸿章自己曾告诉我们,"鸿章弱冠时,颇有志为学"。[8]但是现存他的早期著作至少表明,他并非有学者才具的人。像中国过去产生的许多文人一样,他受过经书和文章写作的严格训练,但是他在本质上却是一个实干家。

无论如何,李鸿章很快就显示出,比起文学或学问的追求,他认为行动更为重要。太平军打到江南,给了他特殊的机会。1853年春,他作为工部侍郎、安徽籍人吕贤基的助手,回到原籍安徽,吕是由朝廷派往该省组织地方防务对付太平军的。除了李在诗中写到他对于效力朝廷和保卫家乡的急切心情外,我们对于他加入吕贤基营幕回到安徽的动机并无所知。[9]不管怎样,我们知道他从此开始了军事和行政的事业。在1853年末吕贤基去世前,李就已由安徽巡抚李嘉端指派独立指挥军事。早在1853年6月,这个前翰林院编修手下已拥有1,000人,这些人大约是他自己从地方团练和其他部队征集来的。8月,李鸿章的军队在安徽北部巢县附近第一次战胜太平军。李看来很快就以他所指挥的小小兵力,使自己声誉雀起,因为我们知道,这些年一直同他保持接触的曾国藩于1853年末就从湖南写信给他说:"闻足下所带之勇精悍而有纪律。"[10]

此后3年,李鸿章作为战场指挥官和安徽巡抚的战略顾问,忙于全省的军事工作。1854年初,他的父亲李文安奉朝命回省,在临淮附近组织团练,但是父子起初似乎是各自工作。李鸿

章到当时新任巡抚福济处供职(福济是满人,他恰巧是李 1847
年应试进士的考官)。福济 1854—55 年的奏折表明,李是他最
信赖的一名指挥官,时常亲自率领部队攻取太平军占据的城镇,
将部队推进到城墙下。[11] 1855 年初,李鸿章在他的父亲参加下,
在清军对他的故乡庐州进攻中起了关键的作用。7 月他的父亲
去世不久,他不得不中止丁忧守制,帮助福济击退太平军一次猛
烈的进攻。他获允重新家居守制只有 100 天,又受命在福济营
务处工作,并且协助指挥巢湖一支水师船队。1856 年,他在制
订几次陆上作战的计划中起了重要的作用,这些战役以收复巢
县而告结束。[12]

　　虽然有关李鸿章 1853—56 年生活的资料十分匮乏,但是他
在福济之下担任组织和指挥以及参谋工作,则是毋容置疑的。
李获赏擢升。1854 年赏加知府衔。1855 年升为记名道府,1856
年攻克巢县后,赏加按察使衔。[13]

　　1856 年底,李鸿章请假葬父,在家终制。1859 年初,福济离
安徽巡抚任后几个月,李应曾国藩的邀请,加入曾幕,曾当时是
江西和安徽南部攻打太平军的主要指挥官。[14]李鸿章任曾国藩
私人幕友 3 年多,曾和其他人信函中时常提到他,从中可以看出
他的能力所及各方面,以及他的某些个人特点。当时他已 30 多
岁,却有卓越的表现。

　　曾国藩无疑将李鸿章看作他的一个门生,而且信赖他的才
干。李一到达曾设在江西的总营,便成为他的助手之一。曾国
藩要他制订征募新军队的计划,1859 年 6 月,又要他去协助曾
的弟弟曾国荃指挥攻打太平军在景德镇的据点(该地一个月后
从太平军手中收复)。李巡行视察,提出关于提高湘军战斗力的
建议。曾十分信任李的判断,此后便由李充任他的文案。从
1859 年 8 月至 1860 年 9 月,曾放手让李草拟信函和奏章。[15]

21

至迟到 1860 年,曾已深信李力能胜任省一级的政务官员和首要军事指挥官。1860 年夏,曾国藩计划将他的兵力向江苏北部扩展时,向朝廷推荐李出任两淮盐运使,驻在扬州,为长江下游的战事筹措资金,组织水师。[16] 然而这一任命未得朝廷批准,李继续留作曾的幕宾。

从曾国藩和其他人的评论中似可看出,李鸿章在这一时期给人的印象是一个胸怀抱负、极有个性、有能力的人。他身长 6 英尺许,仪表堂堂。曾国藩形容他"才大心细"。胡林翼(李在一次因公赴湖北途中遇晤他)为李的外貌所惊讶,感到他"如许骨法,必大阔,才力又宏远,择福将而使之,亦大勋之助也"。[17] 如果曾国藩曾经委婉批评过李的话,那是因为后者自负太高,功名心切。有一次李在旅途中,曾国藩写信给他,表示深信他必定成为"匡济令器",但是爱护地提醒他,高官厚禄乃是天命所定,并非人力所可强致。李鸿章复信说,他近来力求做到"守分知命"。[18] 尽管他的抱负相当明显,李鸿章给予当时与他相识的官员印象则是一个有原则的人。1860 年 11 月,曾国藩的将领、也是李鸿章朋友的李元度由于并非本人的过失而战败,对于应否奏请朝廷予以惩处,李为李元度表白,李、曾两人意见不一致,李因而离开曾幕,曾对李的行动并不怨恨。李前往江西首府南昌,他很快便成为曾国藩同江西署理巡抚* 之间的联络人,替曾办事。曾国藩一再劝李重新入幕,1861 年 7 月,曾在安庆攻打太平军获得重大胜利以前约两个月,李鸿章回来作为他的文案,负责草拟信函奏稿。[19]

李鸿章不久便得到反对太平天国战争中一个关键性的任

---

* 李桓。1862 年 1 月江西巡抚毓科革职,由沈葆桢继任,沈未到任前使李桓暂署。——译者

命。当时作为贸易和赋税主要中心的上海正受到失败后重起的太平军部队的威胁，朝廷敦促曾国藩采取措施保卫这个城市和镇江。1861 年 11 月，曾国藩接见在上海的江苏重要士绅的代表，他们请求他出兵上海。一度因湘军士气衰落、军纪松弛而深感忧虑的曾国藩，由于无兵可派，要李鸿章去他的故乡庐州所在地的皖北征募一支新军队，率领到安庆训练。

22

　　李鸿章利用自己熟悉当地一些团练首领（练长）的条件，（这些人自 1850 年代中期以来，便同政府军队合作。）选聘五六名部将，并且通过他们征募约 3,500 人。这些人，连同从湘军新部选派的 2,000 人，组成以湘军组织为模式的初期淮军。原先计划这支新军由陆路派往镇江。但是 1862 年 3 月，上海士绅派出向一家英国洋行雇佣的 7 艘轮船到安庆，运送这支新军队沿江到上海。曾国藩决定派李鸿章前往，于是李便率领首批淮军部队于 4 月初到达上海。朝廷根据曾的建议，于 4 月 25 日任命李鸿章署理江苏巡抚，同年 12 月补授江苏巡抚。[20]

李鸿章在清代官场中惊人的升迁，是由于在太平军威胁下异常的情形，以及他自己具备受人赏识的才干——也就是他在当时的形势下能胜任军事和行政工作的能力。但是现有的迹象并不表明，他在功成名就时，已偏离了儒家的准则。李在福济处工作的 3 年，必定使他深谙清代官场中世故之道。他同这个满族巡抚交往，以及他同粗野无文、追逐私利的皖北团练首领共事，也许给他的思想添入一种善于迁就的儒家务实主义的成分。[21]但是没有理由认为，他的一般看法已经明显偏离了曾国藩和其他同治时期官员所定下的模式。现存的李鸿章于 1856 年至1860 年间写的 60 多首诗，都是关于对不断骚动和叛乱的焦虑，对已故父亲和同太平军作战阵亡朋友的悼念，以及接受艰巨任务途中所见到的自然美景的主题。虽然李鸿章本人没有留下这一时期的政治著述,但是没有理由相信,他的经世思想同曾国藩不一致,曾国藩于 1859 年至 1861 年间写的许多奏折和书牍都是由李拟稿。[22] 然而在上海,李却面临曾国藩所未面临的形势。他在危机的氛围中,对于西方人的挑战以及他在新的职位上所遇到特殊的军事和行政问题作出了反应。他为西方对中国的明显侵略和西方的武力所震惊,尽管他注重实际,但是他发展了一种新的爱国精神。

23　　　　从李鸿章给曾国藩和其他同僚的信函中(他到江苏以后几年的信函都完整保存)可以明显看出,几乎在他乘英商轮船沿江而下,经过太平军占领地区抵达上海时,他就已开始意识到西方的挑战。没有征象表明,在此之前李鸿章曾经对于中国外部危机有过太多的思考,或是确有充分的了解。历经 1860 年秋联合占据北京的英法战争,在他的诗中从未涉及。虽然我们知道有些清朝军队在同太平军作战中曾经使用从香港或上海输入的新式“洋枪”,[23] 但是不论曾国藩还是李鸿章都没有认识到近代西方武器的含义。在上海,李突然面临这一挑战。1862 年初,上海是由大约 3,000 名英国、英属印度、法国人组成的军队和一支中国武装防卫的,后者约有 3,000 人,以来复枪和榴弹炮装备,在美国人华尔指挥下,由西方退役军人充任军官,这支武装最初于 1860 年组成,是由中国地方士绅和商人出钱的外国雇佣军,但是由于它的发展壮大,1862 年 3 月清廷颁令承认,并给予“常胜军”称号。[24] 李鸿章一抵达上海,便感到自己被这些势力团团围住,而且发现他们由于拥有令人惊叹的武器,在各方面都远胜他自己的部队。李鸿章抵达 3 个星期后,于 4 月 30 日向曾国藩报告英国和法国最近一次依靠枪炮的威力取得对太平军的胜利:“洋兵数千,枪炮并发,所当辄靡,其落地开花炸弹真神技也!"[25] 在李之前,这样的武器就已给中国官员留下深刻的印象。前任江苏巡抚薛焕及其主要顾问、布政使和上海道吴煦的政策是怂恿和乞求英国人和法国人为防卫上海而承担更大的责任。[26] 然而,与薛焕和吴煦不同,李鸿章以藐视的态度对形势作出反应。他决意维持自己部队的地位,不许他们依赖欧洲人,也不依赖华尔指挥的中国军队。正是在这样的背景下,李第一次使用"自强"一词,意指不断增强自己部队的战斗力,以与外国或外国训练的部队相对应。

早在 4 月 23 日,李鸿章写信给曾国藩说,他计划用所带部队在上海四周防线上专防一处,"力求自强,不与外国人搀杂"。[27] 在随后几个星期和几个月内,李极力通过精选军官担任不同职务、以西式武器装备部队,并坚持新法训练和操演,以改进淮军的战斗素质。到 1862 年 6 月,李的一名军官程学启组织了有 100 支来复枪的洋枪队;9 月,淮军各营已有来复枪共 1,000 支。1863 年 5 月,这支军队吸收了新从安徽征募的士兵和投降的太平军,发展到 4 万人,装备有 1 万支以上来复枪和许多门使用 26 磅炮弹的大炮。[28] 与此同时,李鸿章的淮军在重要战役中获得胜利。李利用常胜军的帮助,有时也让他的军队和常胜军共同作战。从 1862 年 7 月开始,他甚至支持常胜军着手从水上出兵进攻太平天国首都南京的计划,这一想法后来没有下文。但是李鸿章由此了解常胜军是在中国人有效的控制和战略指挥之下的军队。[29] 李决意防止欧洲人扩大他们在军事上的直接作用。他于 1862 年 8 月写信给曾国藩,提到在上海的英、法军队:"无论军事如何紧急,鸿章却未求他出队帮忙……鸿章亦不敢求他,既输下气,且老骄志。"[30] 1862 年 10 月,他接受了海军中将何伯关于英、法军队参加进攻嘉定的建议,但是李坚持这些军队必须留在上海租界周围半径 30 英里以内,而嘉定却是

24

在此范围之外。[31]

　　总的说来,李鸿章力求用西式武器装备他的军队,对清朝镇压太平军作出了重大的贡献。淮军的战斗力有助于上海的防卫,并且使向西进攻成为可能。太平军许多最精良的部队(其中有的也有西式来复枪)被箝制,同时商业繁盛富庶的上海地区税收对于长江上游曾国藩部队和淮军本身又都极为重要。[32] 不过李鸿章需要竭尽全力改进部队的武器,还有进一步的理由,因为他面临着反对太平军战争中西方干涉可能引起的政治后果。李的总部靠近上海外国租界,他敏锐地觉察到外国人在上海所享有的特权和权势;他对于中国人,不仅商人,而且还有像吴煦这样的官员艳羡外国人,心甘情愿秉承他们的意旨,尤其愤恨。1862 年 8 月初,他写信给左宗棠说:"上海虽隶版图,官民久已归心,洋人若不知中国人尚能办事,中国之兵尚能办事者。"[33] 李十分怀疑英国人和法国人图谋在上海和宁波附近多占中国领土。8 月中,他在给左宗棠的信中提到当地西文报纸(它们经常译成中文给他)曾发表过一项关于太平军威胁减少时,上海必须全部,而不仅仅外国租界置于西方控制之下的建议。李向曾国藩报告,"鸿章前复总理[衙门]公函云,难保无他日[外人]占据[上海]……履霜坚冰,殊为隐患"。[34]

　　李鸿章 1862—63 年的信函表明,他身上正在滋长一种不同于中国传统的以天朝和历代承袭的文化自豪的新的爱国精神。他必须经常同欧洲各国领事和海陆军官员打交道;他不能不注意到这个世界是由不同力量的竞争者所组成,西方在武力和技术方面都比中国优越。当然,正如李毕生所信奉的那样,他继续将清皇朝认同于中国。但是当他使用"中国"或"中土"一词时——他时常使用这样词语,他所想到的,无疑又不仅仅是皇朝,而是中国的土地和人民。李于 1862 年 9 月末写信给曾国藩,提到正由英、法军队防守的宁波的形势,信中说,必须派强大的中国军队到这个口岸,以便"尽去"正同欧洲人合作的广东商人的影响,"庶粤人之权可渐分,此城终不致竟为异域耳"。[35]李在信中一再提到未来欧洲人在中国的作用,"仍视我兵将之强弱为向背",如果中国不能自强,"后患不可思议也"。[36]

如果李鸿章新的经历因此使他意识到中国受到外部的挑战,那么,在他看来,除了用西式武器装备淮军之外,中国还必须采取什么措施呢?不过在讨论这个问题之前,我们必须看一下其他紧急的事件,李鸿章务实的才干曾对这些事件作出反应。作为曾国藩的助手,他十分熟悉这位前辈政治家为管理军队和国家岁入而制订的制度。[37]但是李在他的新职位上所面对军队和征税方法方面的某种具体情况,使他不得不采纳与曾国藩有所不同的管理方法。李鸿章所采取的权宜之计,并非始终同儒家原则保持一致,而且如我们将看到的那样,也会损害他的革新和改革的建议。

军事方面,除了获得西方武器外,李鸿章的迫切任务是组织并扩充淮军,以便除守卫上海外,还能够发动一场对苏州的进攻,这一战略对于反太平天国战争必定会起重大的作用。[38]李鸿章担负的是一项艰巨的任务,因为淮军中的成分各有渊源,他们仓促结合起来,带来指挥和军纪方面的棘手问题。从表面上看,淮军严格仿效曾国藩的湘军。军队的招募和统带,都托付少数统领,他们管辖营官,每个营官统带 500 人左右。部队都必须接受与湘军一致的训练,采用湘军的营制和营规。[39]但是淮军的成分远比湘军复杂。后者于 1852 年在湖南相对平静的地区组成,大多由书生出身的人领导,在营官中至少占 24%,13 名统领中 8 名有科名。而且湘军中虽然有些人当过乡勇,但主要是由农民组成。[40]而另一方面,淮军却是由两种类型的势力组成:

26

(1)皖北强悍的非正规部队,这个地区经历战乱几达十年;(2)新近由湘军各部组成,由并非书生出身的官员率领。虽然淮军最早的9名统领中两人有功名——一名举人,一名生员,但是其余7人都未受过教育。1861年,7人中有3名是皖北非正规部队的首领,4人是湘军和其他部队中的非文人出身的官员(虽然4人中有一人以"武举"自豪)。[41]在李鸿章的部将中,越是粗野,越是善战——刘铭传和周盛波是庐州附近西乡的土豪,从1853年起便一直断断续续地同太平军作战;程学启原是太平军,后来投降湘军,为湘军军官;郭松林是未中举的湘军军官,似是木工出身。来自落后的西乡地区的农民,尤其由于他们浓厚的宗族性质组织,形成了团结的战斗单位。[42]但是淮军却不易保持作为湘军特点的思想训练,这也许不足为奇。渴求财利成为李鸿章部队大多数人的主要动机,尽管这些人也许是好战士。

李鸿章的方法是尽可能按照湘军制度改造这些部队。部队定期发饷,每日唱以"爱民"为主题的歌。[43]但是在必须迅速补员和扩充部队的紧急状态下,他不得不将从皖北招募的新兵未经适当的训练,便编成新营。他至少聘请一名以上中过科举的人,如翰林院编修、与李认识多年的刘秉璋,担任统领。但是为了应付迫在眉睫、不断扩展的战役,他还得依靠强悍骁勇的刘铭传(西乡一名土豪)、用兵方略高明的程学启(前太平军)和骁勇能战但却贪赃好利的郭松林(原为木工,据一份报告称,他在一次军队出征中曾携5妾随行)。[44]李鸿章在给他的部将信中,时常劝告他们管好军队,遵守纪律,不得扰民。李告诉他的一个朋友,* 他取"不爱钱、不怕死"作为自己的信条,以此为他的部将树立榜样。他自己时常在作战时骑马到前线,他个人的勇敢表

27

---

* 孙观(省斋),道光二十七年进士。后曾任广东按察使。——译者

现甚至赢得了西方观察者的赞赏。[45] 但是,坦白说,对于他的部将和属官的贪财行为,他不得不开一眼闭一眼。当曾国藩就淮军纪律不良的报告写信给他时,李仅仅回答说,他正作函尽力禁诫诸将,并且即将作一次巡行。[46]

　　筹划收入来源,是仅次于部署军事战役的一个迫切任务,李鸿章面临一个必须同现状妥协的类似问题。这从他对厘金的管理方法上可以十分明显地看到,厘金是在太平天国叛乱初年制定的税项,长期以来在商业富庶的上海地区,征收税率特别高。李于 1862 年 4 月初次到达时,江苏东部厘捐系统由贪赃恶名昭彰的布政使和上海道吴煦包揽。吴每月征收厘金 10 万至 20 万两,根据李给曾国藩的报告,我们知道他私挪用于军事目的的款项多达 40%。[47] 李打算在可以不需要吴工作、尤其毋须他担任李与常胜军之间的联络工作时,就将他调离。吴煦实际上于 1862 年末离职。李鸿章曾请著名的湖南士大夫郭嵩焘代替他,出任上海地方主要的财务官员。然而,郭婉辞这一约请,而出任李手下的苏松粮储道(不久迁两淮盐运使)。李最后安排黄芳为上海道,黄原署上海县,了解当地情况,并且是由曾国荃推荐给李。[48] 有的学者曾引李鸿章这些举措作为他在江苏建立一个私人“官僚机器”的证明。实际上在当时环境下,人事更动是必要而且可取的,不论郭嵩焘还是黄芳,都不能证明他们是在李鸿章僚属的小圈子之内。[49] 无论如何,李鸿章在吴煦调动前后,在上海实行了财政改革。薛书堂,一个河南籍进士,前江苏常州府知府,李鸿章向曾国藩称赞他“敦悫廉谨”;王大经,浙江举人,曾在皖北军营,李鸿章认为他“办事实心”;他们两人于 1862 年 7 月被指派办理上海捐厘总局,包括冯桂芬在内的一些著名士绅,也接受任命在局内工作。[50] 至于江苏布政使一职,李提名由原该省按察使、有“朴实爱民”称誉的刘郇膏兼理。[51]

28

虽然李鸿章的确曾将一些他称为"君子"的人[52]引进江苏财政管理机构,然而实际上他不得不同在厘金征收制度中发展起来的既得利益者妥协。李鸿章的目的在于将"[厘局]委员之侵蚀朦混"革除净尽,他将许多人从各捐局斥退。[53]但是他感到他不得不保留像金鸿保这样声名狼藉的人员,因为金同地方上有许多联系,而且他发挥了这种后来成为必不可少的专长。正如李在一封信中向曾国藩所解释:"金鸿保黠而酷,专管货捐局,月入七八万,责任綦重,难得替人。其才智当随风气为转移。"[54]1862年7月后两年间,李着手许多种新的厘金征收,而且一般都提高了税率,随着城镇和商路从太平军占领下收复,新的厘卡建立起来。1862年秋李鸿章管辖下的厘捐月入增至20万两,1863年全年都在稳步增加。[55]这一收入使淮军的扩充和李定期给曾国藩部队汇拨款项成为可能。但是像一些江苏士绅最终抱怨的那样,随着厘金税负和卡所成倍地增加,征收制度的种种弊端也与之俱增。[56]

李鸿章是否自己就有攫取私利的意图,成为一个有组织的贪污系统的首领呢?从他后来所掌握的资金来看,有关他积攒大宗财产的传闻是不可避免的。李自己写信给他的朋友* 说:"鸿章以窭人子当暴富之名"。[57]不过他的信函表明,他手边经常拮据,不仅为了要满足他所管辖地区日益增加的军事需要,而且还要援助曾氏兄弟,送给他们武器和银锭(由官有轮船运送)。[58]淮军在战争中大肆劫掠,看来李本人并未参与。在给潘鼎新的密信中——潘是非书生出身的淮军统领,从1850年代以来一直是李的朋僚,我们知道李一再劝诫潘约束士兵,不得"扰民";两人之间从未有过金钱往来的任何细微迹象。[59]除了由李

---

* 曾国荃(沅甫)。——译者

委派为厘局主管的薛书堂是他在 1862 年才遇识的一名江苏官员外,我们迄未发现李同他的厘金征收人员之间关系的情况。不过,在这时期在江苏厘金局工作的已知 10 名官员中,有 5 人是李的原籍安徽人。[60] 在太平天国战争结束以后,时任京官、并且是大学士倭仁守旧派一员的江苏著名士绅殷兆镛,曾上疏指责李办理厘捐所用的人都是"官亲、幕友、游客、劣绅"。[61] 李鸿章本人是否和他的一些厘金征收人员一样受贿贪赃,是一个争论未决的问题。但是无论如何,他没有试图对厘金制度和淮军进行更彻底的改组,则是他的过失。在当时特定的情况下,李也许别无选择。但是他对眼前现实的承认,对他关于中国所需实行的政策的构想,有重大的影响。

李鸿章虽然忙于组织战役和募集款项的紧迫任务,他仍挤出时间就国家大政方针提出许多建议。和同治时期其他士大夫一样,李注重恢复农业经济,并且坚持历代相承的治理原则。不过,他最突出的贡献在于他的旨在增进国家"富强"的建议,随着中国外部危机的加深,他日益关注国家的富强。李的一些建议——关于传统的行政管理问题和"自强"这两方面——受到由李招请入幕的著名经世学者冯桂芬(1809—74 年)的影响。但是李并未接受冯的全部思想,他在建议中所强调的只是他自己的想法。

李鸿章并未忽视备遭战争创伤地区的赈济和善后工作。1862—63 年冬,他在上海以西取得一系列胜利后,设立"善后抚恤局",向收复地区无家可归的农民发放钱米。官员受命向士绅筹捐,以应紧急的赈济,并且购买种籽和耕织工具发放。据称省一级政府此项费用每年不下"数十万缗",但是仍然指望地方官员和士绅作更多的捐献。[62] 李鸿章还向朝廷提出豁免或减轻田赋。豁免限于各府县收复后第一年,由于他的军事需要和朝廷要求大米运京,在未直接受到战争影响的地区,如江北地区,李甚至以"募捐"或"亩捐"形式向地主征收新税。[63]但是李鸿章确曾于1863年6月向朝廷建议,对于赋税特别重的苏州、松江和太仓地区漕粮应永予减轻。这一重大的建议是效法胡林翼等人在沿江各省提出减税的前例;它得到曾国藩的赞同,曾还在李的1863年6月奏折上联名会奏。但是这份奏折主要由冯桂芬和江苏布政使刘郇膏草拟。[64]刘郇膏实际上不如冯桂芬雄心勃勃,他只要使田赋或漕粮减额,而不必尽裁浮收,而冯则要将浮收全部裁汰。不过李鸿章赞同冯桂芬的计划,虽然他建议细节以后再行拟订,但是他至少向朝廷奏陈有关裁汰浮收的原则。李还在附片中按照冯的意见,激烈抨击江苏现行大户征赋有时只及一般农户四分之一的制度。李提出的原则一经朝廷准允,他即于1863年8月设局,拟定具体计划,由冯桂芬负责进行。[65]

在此后两年多的时间,李鸿章经常亲自参与该局的工作。1865年在体现所拟新税率的最后奏折上呈朝廷时,他再次强调"大户与小户"税率差别必须改正,并且提议至少传统的浮收应予减少。[66]1865年初,他着手进行一项重大的计划,吸引其他地区的移民到受战争破坏特别严重的常州府。他的长期朋友、和他同为曾国藩门生的陈鼐在这一工作中起了主要的作用,据说未及数月,便有一百余万亩土地投入耕作。[67]

李鸿章虽然在农业解困方面工作出色,但是他对同治时期一项重大政策,即坚持必须选取德才兼备的人充任官职,是否给予同等的强调,却值得怀疑。在李鸿章1862—63年信函中,我们读到下面这样的话:"吏治亟须整饬,我辈皆当以振兴人才、挽回风气为责任。"[68]但是随着一些地区从太平军手中收复,他需要荐人担任地方政府职务,看来他对候选人的才能比对他们的品德更为强调。他批评一个道员"良善有余,英断不足"。他见到一个他所延揽的署理道台"德优于才",便于任期满时将他调走。*[69]李的目的在于发现"朴质勤能,著有成效者"。[70]但是他对于属下府县官员,主要关注的似乎是他们创造收入、特别是向富绅索取捐献以应军事用费的才干。总的说来,他对在乡士绅并不喜欢。他痛斥"刁劣绅董"将政府税捐转嫁到"穷民"身上;他认识到"租捐大户率多抗欠"。[71]在上述关于江苏田赋改革的奏折中,他不仅提议取消"大户"特惠的税率,而且建议对于短交或从事所谓"包揽"(为权势较小的地主承担纳税责任,从中取利)的士绅,无论举贡生监或职官,一律执法相绳。[72]这些都是重要的建议,但是另一方面,这似乎并不表明李鸿章关心地方治理的基本状况。在李的函稿和奏折中,难以见到有关衙门胥吏滥权或府县官员捐官流弊的任何讨论——这些问题却为冯桂芬等人所深切忧虑。[73]

和同治时期其他官员一样,李鸿章还提倡使科举考试制度重新获得活力。他于1864年向朝廷建议在苏州设立新科,次年提议增加上海及其邻近地区乡试名额。1865年他担任新收复的南京首次乡试监临。[74]尽管李鸿章在其职责范围内做了这些事,从他的信函中看,他似对宣扬儒学并不十分热情。对于重印历代文献,他似乎未做太多的促成工作;就目前所知,在1864年至1865年间,他只负责重建两个书院,两个都设在苏州。[75]李在这个时期的信函,几乎没有涉及书本上或文化方面的问题;他曾经一度十分重视文学和学术,这时一定已多少有了改变。1861年以后,他显然已不写诗。他还放弃了过去收藏书法用笔佳品的癖好。[76]

----

* 前者指许道身;后者指张熙,由李鸿章荐举署泰州道。——译者

尽管李鸿章并不是同治朝重振儒学的中心人物,他却从另一方面作出了非凡的贡献——倡导以增强中国国力俾得应付国外挑战为目的的新政策。李不断为西方侵略的明显事实所恼怒。他同华尔的继任人,特别是白齐文,甚至态度较为合作的戈登,都有过争执。李觉察到常胜军虽然由中国人指挥,却不免受英国很大影响。[77] 1863 年秋李泰国要求将他替中国购买的一支舰队* 置于自己绝对控制之下,李鸿章对此十分愤慨;1863 年 10月英国陆路提督伯郎要求英国军队参与对苏州的进攻,李十分怀疑他是否出于希望扩展外国在内地特权的动机。[78] 李曾于1863 年 3 月奉旨署理通商大臣。** 他注意到西方商人和船主不仅在上海、而且也在开放不久的长江口岸活动日益增多。虽然至迟在 1863 年春,他已开始认识到欧洲人的主要兴趣在于通商,并无立即侵占中国土地之意, 但是他相信这种情况随时都会变化。[79] 李鸿章开始在这一长远的背景下使用 "自强" 一词。 他于 1863 年 4 月给一位当时在北京居高位的从前老师*** 的信中写道:"长江通商以来,中国利权操之外夷,弊端百出,无可禁阻。……我能自强,则彼族尚不至妄生觊觎。否则,后患不可思议也。"1863 年 11 月初, 提督伯郎要求派英军参加对苏州的进攻,而当时李泰国舰队问题尚未解决,李鸿章写信给当时离任在福建的一个朋友:**** "盖目前之患在内寇,长久之患在西人。堂堂华夏,积弱至此!"[80]

---

* 即"阿思本舰队",亦作"李泰国—阿思本舰队"。——译者
** 即南洋通商大臣,原称"五口通商大臣"。——译者
*** 罗惇衍(椒生),时为户部尚书。——译者
**** 徐树铭(寿蘅),兵部左侍郎,时回籍养亲,仍留福建学政任。——译者

正如我们已经看到,李鸿章抵达上海后不久,便为淮军一些营筹划购置和使用西方武器。他还雇聘外国教练,包括常胜军的军官,由他们训练军队,并且教中国人使用火炮。[81] 不过他很快就相信,中国人自己应当采取措施获得他认为西方军事力量的基础——军事工业。早在 1862 年 9 月,李鸿章请华尔推荐外国工匠指导中国人制造炮弹。[82] 与此同时,在给曾国藩的信中,他劝曾在安庆内军械所雇用外国工匠,采用新技术,那里当时集中了一批有才能的中国工程技术人员,制造中国旧式火器——在鸦片战争中中国人便已在制造这种式样的抬枪和火绳枪。[83] 李的部分动机只是在于保证军火武器的供应,他一直以昂贵的价格购入这些军火武器,但是毋庸置疑,他也想到自强的长远政策。1863 年 2 月,他写信给曾国藩,叙述他对英、法军舰的访问:"鸿章亦岂敢崇信邪教,求利益于我,唯深以中国军器远逊外洋为耻。"[84] 5 月,他写信给曾国藩谈及他到上海后所知道的世界历史,说到在国际竞争的世界中一个国家的强大依赖现代武器的事实。"俄罗斯、日本从前不知炮法,国日以弱。自其国君臣卑礼下人,求得英、法秘巧,枪炮轮船渐能制用,遂与英、法相为雄长。中土若能加意于此,百年之后,长可自立。"[85] 同月晚些时候,李鸿章获悉李泰国正在向总理衙门施加压力,要按照他的条件接收他的舰队,李在给曾的一封信中惊呼:"唯望速平贼氛,讲求洋器。中国但有开花大炮、轮船两样,西人即可敛手!"[86]

李鸿章自己设法在上海设立兵工厂。他计划从香港购办"造炮"器具,雇聘外国工匠。他很难觅到合适的外国人员;不过,他发现上海两家有中国工人的小型兵工厂,便要在广东有督造军火经验的中国官员丁日昌到上海,负责其中一家新工厂。李后来于 1863 年在上海附近的松江设立第三家兵工厂,这家工厂是在常胜军医官马格里领导之下；马格里制造弹药和火帽，曾给李鸿章留下深刻的印象。[87] 1863 年末，曾国藩手下的中国工程技术人员说服曾派遣受过美国教育、当时在上海经商的广东人容闳去美国购置机器，这些机器能够转而制造中国兵工厂所需要的机器，李鸿章对此欣喜万分。他为容闳出行筹措资金，并且向曾国藩祝贺说，此举标志着"海疆自强权舆"。[88]

虽然李鸿章急于将西方机器引进中国，但是他也认识到在机器背后另有复杂的知识和技术。李自己对于西方科学只有一般的概念，[89] 然而他开始相信，中国在武器方面能够同西方竞争之前，政府的人事政策必须作重大改变——而且他竟然大胆破例将这一想法提请总理衙门注意。1863 年 3 月，他奏请在上海和广州设立新的外语学校，自他看来，设立此种学校的目的不应只是培养对外交谈判有用的译员——这正是总理衙门于 1862 年设立同文馆的目的——而是应当进一步培养中国青年学习数学和科学，希望有一天他们能够揭开西方技术的秘密。"彼西人所擅长者，推算之学，格物之理，制器尚象之法，无不专精务实，渤有成书，……我中华智巧聪明，岂在西人之下？果有精熟西文者转相传习，一切轮船火器等巧技，当可由渐通晓"。[90]

然而，李鸿章的目光并没有停留在这样一个培养计划上面。一年后，他的上海小兵工厂内中国技术人员和工人使他进一步感到失望，他开始相信，要使中国能够造就优秀的工程师和工匠，就必须有大量有才华的学者致力于技术，而这个目标只有通过改变科举考试制度本身才能达到。1864 年春在一封致总理衙门信中，[91] 李鸿章令人信服地主张，为了使中国能够对付西方列强的威胁和欺凌，绝对必须像德川时期的日本那样——访求制造机器的机器，让有专门技能的年轻人献身于工业工作。海外蕞尔小国日本尚能及时改变它的政策,中国难道就不能改变自己的政策吗? 李指出,中国之患在于士大夫"沉浸于章句小楷之积习";没有学者身体力行,探究技术问题(即所谓"艺")的究竟。他认为,只有朝廷决定鼓励技术,这种状况才能得到改变。他提议应在科举制度中为专攻技术的人创设一个新的科目,"士终身悬以为富贵功名之鹄,则业可成,艺可精,而才亦可集"。这一封信和李 1863 年关于设立外语学校的奏折,两者都有受冯桂芬影响的痕迹;从冯 1861 年所写文章中可以发现十分近似的思想。[92] 不过这些信函无疑代表了李鸿章自己的信念。李没有像冯走得那么远,将拟议中的新科与"西学"等同起来,但是他说到西方国家时的确毫不含糊地声称,中国应当"师其法而不必尽用其人"。李指出,可以获得的中文军事技术著作,如丁拱宸的《演炮图说》(1841 年)等,都不无浮光掠影,附会臆度,他赞扬日本人派年轻人去西方国家探究新知识。李指出,他的建议包括制度的改革("变法"),但是他提出的根据是局势的严重性要求实行这样一种激烈的方针。

然而,对于总理衙门来说,李鸿章显得过于大胆。一年前总理衙门曾支持李关于上海和广州设立外语学校教授科学和数学的建议。但是总署并不赞同他关于科举制度方面的新建议,尽管恭亲王及其同僚将李鸿章原信附于他们的一份奏折,上呈朝廷。[93]

如果说李鸿章思想的务实特色促使他提出科举制度方面激进的改革,那么,他是否以同样的态度对待清朝制度中同样未能令人满意的其他方面呢? 正如我们已经看到,尽管他向朝廷建议士绅大户和一般农户税捐负担应当平等,他却没有对诸如卖官鬻爵和吏胥舞弊等地方治理的常见弊端,给予太多的考虑。李鸿章确曾设想过在与他增进国家富强的目的直接有关的两个领域——军事制度与经济政策中实行某种总体改革, 但是必须强调指出, 在这两方面, 他的看法受到了他认为是否可行的严重制约。

35　　　虽然李鸿章并不歆羡他在上海所看到西方力量的一切, 但是后者确使他信服欧洲制度的一个重大优点, 即它们武器的质量使军队能够以少胜多。正如李在 1863 年 5 月写给曾国藩信中所说, "至多以一万人为率, 即当大敌"。[94] 一支人少而有战斗力的军队, 它的好处很明显, 由于用费省, 可以厚给薪饷, 士气也得以维持, 而湘军和淮军按中国的标准来说, 人数并不多, 却经常为筹措费用以及由此引起的士气和军纪的问题所困扰。即使打败了太平军, 湘军劫掠了大量财物, 却仍有大批官兵开小差, 李鸿章发现维持淮军纪律日益困难。1864 年 8 月, 南京收复后, 曾国藩立即采取措施将湘军裁遣, 李奏请朝廷将淮军从当时 70,000 人左右裁减至 30,000 人, 其中包括用于"海防"、以洋枪炸炮装备的 22,000 人。[95] 但是, 如果要求素质较高的淮军裁减和改善, 那么作为皇朝正规军队主体的绿营, 正在训练使用西式武器, 是否也应予以裁减呢? 李鸿章认为直接向朝廷或总理衙门提出这样的建议, 是不审慎的; 他便于 1864 年 10 月写信给北京的两名官员——他的朋友、御史陈廷经和前江苏巡抚、时任总理衙门大臣薛焕, 他们都有条件就新政策提出建议。李提醒他们西方侵略有继续的可能性, 再次建议顺应局势而变法, 尤其是要彻底改组绿营, 并以新式海军取代旧式水师。李写信给御史陈廷经: "今昔情势不同, 岂可狃于祖宗之成法, 必须尽裁疲弱, 厚给粮饷, 废弓箭, 专精火器, ……选用能将, 勤操苦练。"[96] 陈廷经接受李的建议, 奏请改革绿营和各省水师。但是正如李也许曾经预期那样, 朝廷并未根据陈廷经的建议采取行动, 而是将它转给曾国藩和李鸿章考虑! [97]

　　毫无疑问，李鸿章真诚地相信必须进行全帝国范围的军事改革，虽然他给在北京的朋友写信，也许表明他可能试图向朝廷表达这样的想法：目前太平军叛乱已被镇压下去，具有勇营或"非正规部队"地位的淮军，仍然有其用途。[98] 无论如何，在李的心目中帝国正规军队改组的模式就是淮军本身。从 1862 年开始，淮军已采用西式武器和西法操练（而且它很快便采用英国口令，按音译成中文，如"前进"〈forward march〉译成"发威马齐"）。[99] 但是军队最初的组织体系仍然没有改变。尽管李鸿章于 1864 年夏曾认真考虑过遣散军队内较差的各营，但是没有证据表明他曾想对保留下来的 30,000 人作任何组织上的全面改革。李裁减部队的计划事实上并未实现。曾国藩曾劝他保留兵力，以便同捻军作战，从 1864 年 11 月开始的几个月内，淮军奉旨在安徽、湖北、河南、山东和直隶同捻军作战，在福建同太平军余部作战。到 1865 年 6 月李鸿章去南京署理两江总督（接替当时负责同捻军作战的曾国藩）时，他只将他所部 10,000 人裁遣；其余 60,000 人中，有不及 20,000 人留在江苏。[100]

36

　　不论李鸿章曾抱有怎样的希望，一项全帝国范围的军事改革显然没有可能了。他写信给曾国藩，痛惜"各省饷源已涸，而徒养无用之兵将"。[101] 李坚持不懈将西方军事技术引进中国。从 1864 年 9 月开始，他同总理衙门讨论在上海设立一家能够制造机器、建造船只和生产军火的大型兵工厂的计划，他从 1864 年 6 月起就信赖上海道丁日昌关于此事的意见。[102] 1865 年春，总理衙门向他征询关于派遣八旗官兵出国学习兵工生产技术的可能性。李致函总署说，他很久以来一直在考虑派遣学生到西方国家，"一探其巧技造作之原"，[103] 但是由于满、汉人员中几乎无人具有数学以及像机械学这样科学的必要准备，最好还是先在中国兵工厂接受训练，学习这些课目。1865 年夏，丁日昌筹划购买上海沿江一家美商"机器铁厂",* 建立了著名的江南制造局,它由李鸿章先前在上海设立的两个小兵工厂,加上容闳在美国购买、于次年运到的机器,合并组成。李于 1865 年 9 月一份向朝廷报告的奏折中,提到御史陈廷经关于清朝军队需要西式武器的奏折,并且力陈迫切需要机器制造,以应付中国日迫的外侮。李写道,兵工厂一旦建立,"尤有望于方来,庶几取外人长技以成中国之长技,不致见绌于相形,斯可有备而无患"。[104] 在江南制造局生产的滑膛枪和榴弹炮直接用于淮军攻打捻军之时,建造轮船和以西方科学技术训练青年(包括为此目的而派遣八旗军队中的满族青年)的计划也在制订中。[105]

李鸿章在江苏的几年,主要关注的虽是军事,但他也认识到任何国家的军事威力都有赖于该国的经济状况。我们从他在 1862—65 年的信函中看到他在中国所处新的国际形势背景下,使用了诸如"利权"和"富强"的传统词语。[106] 上海华商——"大半寄寓洋泾浜与各洋行"——其中有很多人都能够拒绝政府为军事需要而要求他们捐献,甚至由[英、法]领事出头抗庇",这些事实使李鸿章深为激怒。[107] 我们已经看到,李鸿章时常痛惜上海和宁波的经济发展、甚至行政管理,都控制在西人手中。当然,他从外贸商品中得到了大量的厘金收入,但是清朝军队继续遇到的财政困难,以及历经战乱的江苏已成一片废墟,与上海外国租界的繁荣景象形成对照,这一切都使李鸿章相信中国在物质方面不如西方。1863 年末,他写信给一个朋友说,中国未来的问题"不患弱而患贫"。[108] 这在当时确是卓识。

然而,除了由华商在条约口岸之间航运外,李鸿章一时还提不出切实可行的经济方案。早在 1862 年 7 月,李鸿章署理江苏

* 即旗记铁厂。——译者

巡抚,当时江苏沙船因西方船只在华北口岸牛庄和芝罘揽载大豆贸易的竞争而趋于衰落,他不得不考虑采取保护措施。尤其鉴于这些沙船有赖于漕粮从上海运往北京,李向朝廷建议,原来条约规定禁止外国船只在这些口岸进行大豆贸易的条款必须恢复。然而总理衙门认为此事必须向英国人让步,因而不可能做到。1865 年春,李鸿章感到他所能做到的,至多是请旨允准降低沙船商应交税额,使他们得以生存下去。[109] 但是这时候他也想到,从长远看,他们只有舍弃沙船,改用西方帆船和轮船,才能够同外国人竞争。李还认识到,条约口岸许多中国商人实际上已在以外人名义注册,投资于西式船只;最好还是让他们中止这种同外国人私下串通。1864 年 10 月,李接受丁日昌的建议,即必须谋求总理衙门准允,更改清朝关于航运的规定,使中国商人能够合法拥有西式船只。正如丁日昌在上呈李鸿章禀帖中强调的那样,如果中国商人在几个口岸能拥有二三十艘轮船和大约一百艘西式帆船,向政府正当登记注册,那么,这些船只不仅在战时可以用于军事运输,而且还能够为中国人同西方商行在中国展开竞争打下基础,也许会终于使后者从中国水域退出。丁日昌写道,这样一支船队"不唯壮我声势,亦且夺彼利权"。李鸿章将丁日昌的建议呈交总理衙门,并且加上自己的看法:"唯各国洋人不但辏集海口,更且深入长江;其藐视中国,非可以口舌争。"[110] 这个建议得到总理衙门允准,虽然因同沿海其他各省官员咨商而耽搁,但是允许中国商人拥有洋式船只的规定终于1867 年颁布。[111]

　　尽管李鸿章的爱国精神使他在一定程度上同情中国商人,然而他却坚决支持一项对商业不利的政策,那就是继续征收厘金税。虽然厘金对于商业如此有害,他却感到没有其他收入来源可以满足中国军事上持续不止的需要,即使在叛乱镇压下去

38

以后,也依然如此。多数省份农业生产纵然恢复,田赋收入能否大量增加,仍是一个问题。1863 年,李鸿章的行政机关根据冯桂芬建议,对江苏东部少数地区进行试验性的土地丈量。然而由于没有得到地方官员和士绅的支持,丈量的结果表明,应课赋税的土地面积竟小于原来册籍所载![112] 李鸿章相信厘金对于中国自强计划是必不可少的,他没有指出这和他建设一个富庶昌盛的中国的目的是否不一致,而以"自古加赋则为苛虐,征商未为弊政"[113]的说法作自我辩解。然而李的确看到,机器的引进将最终使国家更加富裕。在同一份奏折中——他于 1865 年上呈这份奏折为厘金辩护,以回答江苏著名士绅对其治下厘金税款苛重的攻击,他请求朝廷考虑这样的事实,即西方国家"专以富强取胜",而中国士大夫"习为章句帖括","于尊王庇民一切实政,漠不深究"。[114] 在 1865 年 9 月请旨设立江南制造局的奏折中,他表达了对于江南制造局终将生产有裨农业和工业的机器——"于耕织、刷印、陶埴诸器皆能制造"的希望。李预期几十年后,中国人将会精通西方技术,"中国富农大贾必有仿造洋机器制作以自求利益者"。[115]李后来在 1870 年代努力实现这些主张,当时他的浓厚兴趣在于鼓励用西方机器开采矿山——他指出这是"借地宝以资海防"。[116]

在我们所考察的年代,李鸿章从一个胸怀壮志的科举应试士子崛起,而跻身于声望卓著、权势显赫的地位。但是在他事业的这一形成阶段,他是否仍然属于儒家"文人政治家"的通常模式之内? 我们曾经指出,李鸿章虽然早年科第得志,但他基本上是一个务实人物。无论如何,从 1853 年(他时年 30)开始,为了军事和行政工作,他放弃了学究式的追求。在中国历史上,无疑有过性格与李相似的人;文人而成为军事主将,也并非无所闻。其实在咸丰、同治年间有许多官员便是这样。事实证明,李对于猎取功名雄心勃勃,意志坚决;他对金钱在治军作战上的价值所知甚深,但他个人是否贪污,是很难解答的问题。他和常人不同。有许多儒家官员只注意个人升迁和权力,他们善于钻营而不勤于职守。在我们所考察的年代,李鸿章忠于王事,是无可置疑的,他对自己名利的强烈渴望,并没有排除他对朋友的忠诚和关心,这一点也有大量的事实足以证明。[117]

但是,不管李鸿章是否偏离了儒家个人行为方式,他在这个时期正逐渐离开中国历代相承的文化价值,而且他关于国家大政的建议也不能只从儒家经世准则的范围来说明,这也是显而易见的。

李鸿章对文学和学术兴趣的减退,必定开始于1850年代中期。但是我们可以得出结论,即他对于中国外部危机的意识,亦即他在1862年到了上海后产生的意识,导致他接受了某些新的价值。我们可以将他对中国——他的"中国"或"中土"——的关注,以"儒家爱国主义"一词涵盖之。当他关心土地和人民的安全和独立时,他并不意识到他忠于统治的皇朝——儒家信徒认为最崇高的一种感情——和关心作为一个国家的中国,其间有任何的矛盾。无论如何,李鸿章的爱国情感如此强烈,使得他修正了一些他曾希望实现的观念。在他必须不断地对付戈登、李泰国和巴夏礼威胁的年月里,[118] 对他说来,追求中国的富强,比起学习文学和经书更重要得多,而且国家富强问题,就其含意来说,确实也比道德修养问题更为迫切,因此也更加重要。也许有人会争辩说,这种包含学者专攻技术在内的集体目的和途径的追求,与道德无关,无从区分其是非高下。自中国兼容并包的传统来说,追求富强与技术,有合乎儒学现实主义的一面,而且中国人毕竟并非一直忽视技术。但是不容否认的是,对于富强

40

与技术的追求,在儒家传统看来,仅仅是表面的、次要的,而对于李鸿章,却是他所关心的最重要的关键问题。

熟悉 19 世纪中叶欧洲政治家治国才具或幕府末期日本思想激荡历史的研究者,必定认为李鸿章提出的革新方案是相当温和的。李的主张和西方及日本的"国家建设"* 比较,显然缺乏近代化的总体方案。但是必须强调的是,李不仅提倡近代军事工业,他也鼓励中国商人同西方商行的竞争。而且李是清朝高级官员中鼓吹在官办学校教授西方数学和科学的第一人,他甚至建议科举制度应为钻研机器制造技术的人专设一科。虽然改革科举制度使之更裨实用的建议,在中国历史上并非绝无仅有,但是李鸿章和他的顾问冯桂芬却是首先建议应当以异族——换言之,夷人——的知识,作为政府选拔人才的标准。[119]李鸿章和冯桂芬还引人瞩目地偏离了自古以来,尤其宋代以来成为中国历史特征的文化自我中心主义。

李鸿章的建议在某些方面虽是大胆的创新,但在另一些方面却是明显地不足。尽管他表现出一定程度文化上的开明思想,他却从未怀疑儒家礼教之下的社会政治秩序——李的忠君也就是忠于这个社会政治秩序,而这个社会政治秩序又是他个人成功和权力的源泉。[120]有证据表明李鸿章并不是一直支持在乡士绅的利益。他急切希望获得更多的政府收入,毫不迟疑地建议让有权势的大地主承担他们应纳份额的赋税。然而,李在地方治理和审理案件及其他事务上的改革思想,看来不如同时代的同治朝许多士大夫。而且,李鸿章在同太平军作战中官阶步步高升,似乎限制了他对变革的眼光。尽管他希望帝国的其他部队以淮军作为榜样,他却找不到纠正淮军自身弱点的办

---

* "国家建设"(state-building),亦译"国家建造"。——译者

法;他从弊病丛生的厘金征收制度中看到了国家收入的可靠来源。尽管他愿意对中国文化加以改造,以便引进西方技术,他的改革建议却到底不是全面的;事实上,李的改革方案只限于教育和人事政策、军队的规模与训练,以及鼓励部分商人利用西方技术同外人竞争。尽管他具有爱国精神,李鸿章的思考看来并没有触到中国社会与政治的基本问题,同时也未具有使他更加关心行政与政治改革的道德感情。但是从另一方面说,在他的时代,清政府和社会衰朽而难有救药的环境下,他不正是十分务实,的确做了许多当时的政治条件所允许的事吗?

注 释:

41

[1] 例如见麦士尼:《华英会通》,1896年3月19日,516;梁启超:《李鸿章》(无出版处,1902),140—43;濮兰德:《李鸿章》(纽约,1917),283。已故芮玛丽教授对本文初稿,曾提供有价值的意见。本文写作有赖1969年春季古根海姆研究基金的资助。

[2] 以下是一些以李鸿章作为中心人物的重要著作:小野信尔:《李鸿章的登台——淮军的成立》,《东洋史研究》,16 :2(1957),1—28;《淮军的基本性格》,《历史学研究》,245(1960):22—38;斯坦利·斯佩克特:《李鸿章与淮军:19世纪中国地方主义研究》(西雅图,1964);约翰·L·罗林森:《中国发展海军的努力,1839—1895年》(麻省坎布里奇,1967);王尔敏:《淮军志》(台北,1967);肯尼思·E·福尔森:《朋友、宾客和同僚:晚清时期幕府制度》(伯克利,1968)。此处所列还应包括有关1862—1901年中国近代化和中国外交关系的所有重要著作——为数众多,难于一一列举。

[3] 关于李鸿章1853年至1861年的经历,我在研究中曾得到王尔敏《淮军志》(见注[2])的引导。我还感谢王先生在1969年3月一次很有启发性的讨论中所作若干阐释。一本关于李鸿章生平出色的参考书是窦宗一:《李鸿章年(日)谱》(香港,1968)。

[4] 《续修庐州府志》(1885),58 :1b;李鸿章:《李文忠公遗集》(以下作《遗

集》,载《合肥李氏三世遗集》,李国杰编,1905),4 :3。

[5] 李鸿章:《李文忠公全集》,(以下简作《李集》,(南京,1905),卷首,12。

[6] 曾国藩:《曾文正公全集》(以下作《曾集》,1876),书札,3 :7b。* 关于曾自己这一时期的学术兴趣,见沈陈汉英:《曾国藩在北京,1842—1852年;其经世与改革思想》,《亚洲研究杂志》,27(1967) :61—80。

[7] 这些作品刊载于李:《遗集》,共有214页之多。

[8] 《李集》,朋僚函稿,4 :21b。

[9] 《剿平粤匪方略》(1872),26 :3;李:《遗集》,4 :4b,5—6b。

[10] 《剿平粤匪方略》,38 :15;42 :31;60 :6b;《安徽通志》(1877),102 :12—13,19;《曾集》,书札,3 :24b。

[11] 《续修庐州府志》,22 :7, 9b;96 :1—3;《剿平粤匪方略》,79 :30b;106 :39;116 :19b—21;120 :3。

[12] 《续修庐州府志》,22 :11b;96 :3。

[13] 《李集》,卷首,12。

[14] 《续修庐州府志》,22 :15;薛福成关于李鸿章如何加入曾国藩幕府著名的记述,已证实系杜撰。见王尔敏:《淮军志》,42—43,注11。

[15] 《曾集》,书札,4 :41,44;5 :3,13b,17,19,25b;9 :16b;王尔敏:《淮军志》,44—45,注25、31。

[16] 《曾集》,奏稿,14 :24—26。

[17] 《曾集》,书札,5 :19;胡林翼:《胡文忠公遗集》(1895),73 :28。

[18] 《曾集》,书札,5 :19;曾国藩第二封信和李鸿章复信,引王尔敏:《淮军志》,44,注24。

[19] 胡林翼:《遗集》,76 :10;《曾集》,书札,7 :31、40;8 :31b;王尔敏:《淮军志》,45,注30—31。

[20] 《剿平粤匪方略》,281 :18—20;《曾集》,奏稿,18 :41;《李集》,朋僚函稿,1 :7b;奏稿,1 :1;2 :45;王尔敏:《淮军志》,57—67。

[21] 根据一个淮军将领之子的说法,李鸿章在晚年常引述福济的话说:"时时以不肖之心待人。"刘体智:《异辞录》(无出版处与出版日期,台北重

42

---

　　* 本文所引《曾集》乃根据哈佛燕京图书馆所藏之早期版本。日后增订之版本《书札》部分卷数增多,但至少有一种版本仍以1876年为出版年份,读者幸注意及之。——作者

印, 1968), ＊2 :10。

[22] 曾国藩于1860年致函郭嵩焘称:"此间一切取办于国藩与少荃[李鸿章]二人之手。"1861年夏初李鸿章在南昌时, 曾函劝他回任:"[鄙人]不奏事者五十日矣。……请台旆速来相助为理。"王尔敏:《淮军志》, 44—45, 注 26, 31。

[23] 虽然在1850年代一些清军, 包括和春和张国梁的军队, 已经使用"西洋毛瑟枪", 但是在 1862 年以前, 曾国藩的部队却未在很大程度上使用这些武器。直到那时曾对新式枪炮并不热心, 因为他相信军事制胜的秘密"实在人而不在器", 而且旧式"劈山炮"十分有效。《曾集》, 家书, 8 :34b—35, 39b—40, 46b;《李集》, 朋僚函稿, 2 :26b; 王尔敏:《淮军志》, 194, 205—206。

[24] 见司马富:《雇佣军与官员:19世纪中国常胜军》(纽约, 米尔伍德, 1978)。

[25] 《李集》, 朋僚函稿, 1 :20b。亦见1 :13, 28; 2 :46b—47。

[26] 赵烈文所收会防局史料, 载太平天国历史博物馆编:《太平天国史料丛编简辑》(上海, 1963), 6, 165—73; 静吾、仲丁编:《吴煦档案中的太平天国史料选辑》(以下作《吴煦档案》, 北京, 1958), 46—50, 64, 67—68, 71—73, 101—105; 冯桂芬:《显志堂稿》(1876), 4 :19—21;《李集》, 朋僚函稿, 1 :10, 17b。

[27] 《李集》, 朋僚函稿, 1 :15; 亦见1 :26。

[28] 同上, 1 :31, 58; 2 :26b; 3 :22, 29b, 43b; 4 :4b; 李鸿章:《李鸿章致潘鼎新书札》(以下作《李潘书札》), 年子敏编(北京, 1960), 4—6。

[29] 见司马富《雇佣军与官员》一书中所作很有启发性的讨论。在1863年1月以前, 常胜军是在吴煦及其副手杨坊(泰记)指挥之下。但是李鸿章作为巡抚, 能通过吴煦下达指示。(见《吴煦档案》, 106—21, 174—75, 189—92。)到 1862 年 6 月, 华尔通过他的中国同僚向李报告他的战役情况, 李则给他关于利用其分遣部队的指示。李至迟在 8 月间便已同华尔时常保持私人联系。(《李集》, 朋僚函稿, 1 :30b, 41, 46b, 53b—54b, 56b, 61, 63。)1863 年 1—3 月常胜军改组以后, 李已亲自控制了该军经费收支和武器的获得; 戈登虽任统领, 但另有中国官员(李

＊　上海书店有 1984 年影印本, 作者作刘体仁, 系刘秉璋子。——译者

43   恒嵩)任副统领。中国官员负责军队支应。虽然各方同意常胜军出
　　　　　兵超越上海周围 30 英里,须有英法当局的同意,戈登在李鸿章指挥
　　　　　之下,一般总是与李的战略计划配合,尽管两人之间偶有不和。(《吴煦
　　　　　档案》,135—41;《李集》,朋僚函稿,2 :41b—42, 46; 3 :8b, 10, 16,
　　　　　22b, 29。)

[30] 《李集》,朋僚函稿,1 :52。亦见1 :26, 29, 31, 33, 39, 43, 50—54, 58;
　　　　　2 :2b–3, 5, 20, 22, 41b, 42b, 46, 50。虽然伦敦英国政府的方针是英
　　　　　国的介入限制在公共租界周围 30 英里之内,而 1862 年指挥上海英
　　　　　军的士迪佛立将军却亟欲英国起更大的作用,并且向英国政府提出
　　　　　这样的建议。1862 年夏天和秋天,上海流言,英国计划从印度调集大
　　　　　批援军同太平军作战——谣传来自英国驻天津领事,总理衙门且予
　　　　　以张扬。见《李集》,奏稿,1 :38—39;朋僚函稿,1 :36、57;《吴煦档
　　　　　案》,236—37;司马富:《雇佣军与官员》。

[31] 《李集》,朋僚函稿,2 :8b—9,12b—13。李鸿章于1862年数次拒绝英、
　　　　　法建议,由他们训练和统率大部分淮军部队。在英国水师提督何伯
　　　　　坚请下,李于 1862 年初夏同意薛焕的主张,将 1,000 人不中用的军
　　　　　队由英国人训练,另允拨本地练丁 600 名由法国人训练。但是李请
　　　　　求总理衙门不要支持扩展此项练兵计划,以免欧洲人“渐侵其权”。李
　　　　　坚持英、法训练的 1,600 人留在上海,不要投入战役。《李集》,朋僚函
　　　　　稿,1 :39; 2 :38; 3 :17;《海防档》(台北, 1957),甲、购买船炮, 188;王
　　　　　尔敏:《淮军志》,195。

[32] 《李集》,朋僚函稿,1 :43b, 58, 62b; 2 :16, 39b; 3 :15b, 24。

[33] 同上,朋僚函稿,1 :44;亦见1 :17b, 43, 49。

[34] 同上,朋僚函稿,1 :46b;亦见1 :22, 52。李鸿章所见中文译本系会防
　　　　　局于 1862 年 8 月 11 日提供,现保存于《吴煦档案》,233。这一说明
　　　　　被认为乃致上海西人防务当局的译本。参见《北华捷报》,1862 年 8
　　　　　月 7 日, 123,所刊金能亨(旗昌洋行上海大班)和上海工部局防务委
　　　　　员会其他成员一封信,除了其他事项外,信中建议未来的上海政府应
　　　　　由有产者掌权,并在外国列强“保护”之下,“将城市、近郊和紧邻四周
　　　　　的乡村地带合并在一起”。

[35] 《李集》,朋僚函稿,2 :3;亦见2 :6, 13b。

[36] 同上,2 :3, 21b, 31b; 3 :12b—13, 34。

[37] 1861年9月李鸿章协助草拟一份关于江西丁漕减征章程，这一事实表明他对于治理财政和军事问题都很熟悉。《曾集》，书札，9：16b。

[38] 《李集》，朋僚函稿，3：1, 3b, 16, 20b, 22b, 25, 26—27, 40b, 42；4：4b。

[39] 《李潘书札》，1；《李集》，朋僚函稿，1：21b；王尔敏：《淮军志》，75—87, 191—93。

[40] 罗尔纲：《湘军新志》（长沙，1939），55—65, 81—82。

[41] 《李集》，朋僚函稿，1：7b。最初9名将领是：张遇春（武举，原安徽团首，1850年代成为湘军军官），刘铭传（安徽团首），周盛波（安徽团首），张树声（生员，安徽团首），吴长庆（安徽团首），程学启（安徽籍，原太平军军官），郭松林（湖南籍，湘军军官），杨鼎勋（四川籍，鲍超部霆军军官）。王尔敏：《淮军志》，117—19, 140—77。

[42] 《李集》，朋僚函稿，1：28, 35, 43b, 55；小野信尔：《淮军的基本性格》，27—30。

[43] 《李集》，朋僚函稿，1：12, 18b, 21b。淮军采用湘军每月发饷的办法。虽然前者一年发饷9次，而后者情况最好时，一年发饷12次，但是从1862年到1864年这一时期，总的看来，淮军发饷比湘军正常。见王尔敏：《淮军志》，14—15, 注20, 269—70。

[44] 《李集》，朋僚函稿，1：37, 47, 55；2：22；3：14, 20, 29b, 35；《李潘书札》，13；王尔敏：《淮军志》，232, 注20。

[45] 《李集》，朋僚函稿，1：33；2：22；《北华捷报》1862年11月15日，182。引文摘自《李集》，朋僚函稿，2：35。

[46] 《李集》，朋僚函稿，3：17；4：19；6：16b；王尔敏：《淮军志》，221—24。

[47] 《李集》，朋僚函稿，1：33, 37, 39b, 48b—49, 56, 57b；奏稿，2：41b；罗玉东：《中国厘金史》（上海，1936），230以下各页。

[48] 《李集》，朋僚函稿，1：15b, 21, 56, 2：11, 23, 36；郭嵩焘：《养知书屋文集》（1892），10：15b, 19—21。在吴煦治下作事的浙江人应宝时留下协助黄芳。黄后于1864年3月因病辞职，应代署上海道至1864年6月，由丁日昌继任，丁是作为李鸿章在上海最信赖的僚属而出现的。见《李集》，朋僚函稿，5：5b, 6b, 18。

[49] 参阅斯佩克特：《李鸿章》，60—67。

[50] 《李集》，朋僚函稿，1：15b, 16, 18b, 37；奏稿，1：23；2：41；9：74。看来是薛书堂而不是黄芳对厘金事务负实际责任。见《李集》，朋僚函稿，

1 :37; 4 :30b; 奏稿, 5 : 46b。薛书堂有时作薛世香。

[51] 《李集》, 朋僚函稿, 1 :15b, 18b; 2 : 17, 23; 《清史》(台北, 1961),
6.4893。

[52] 《李集》, 朋僚函稿, 2 :31, 36; 3 :42b。

[53] 《李集》, 朋僚函稿, 1 :39b; 2 :11b; 3 :2。

[54] 《李集》, 朋僚函稿, 1 :40, 奏稿, 2 :41—42。

[55] 《李集》, 朋僚函稿, 2 :11b, 48b; 3 :9b, 11b, 18b; 4 :4, 奏稿, 9 :2b—
4b。

[56] 见以下注[61]。除厘金以外, 江苏东部军事行动最重要的财政来源是
上海关税收入。这个收入中有 40% 用于偿付英法亚罗战争* 的赔
款, 自 1861 年开始, 其余部分廷命用于江苏军需。1862 年扣除 40%
以后每月数额为 100,000 至 140,000 两, 然而在 1863 年, 由于某些
原因, 上海征收的税项改由汉口和九江新关征收, 江苏当局能够获得
的数额减少到每月 70,000 至 120,000 两。根据 1862 年 7 月安排,
来自关税的经费主要用于常胜军、上海会防局和镇江军需。见《李
集》, 朋僚函稿, 1 :37, 59b, 3 :30b; 4 :14b; 奏稿, 1 :33—34, 55。

[57] 《李集》, 朋僚函稿, 3 :2b; 4 :4b。参阅斯佩克特:《李鸿章与淮军》,
115。

[58] 《李集》, 朋僚函稿, 1 :40, 43, 58b; 2 :14, 23b, 39; 3 :4b, 9, 18b, 24—
25, 33, 35b; 4 :4, 12。除了军火, 李鸿章于 1862 年协济曾氏兄弟至少
有 130,000 两, 从 1863 年 3 月开始, 每月通常在 30,000 两以上。见
王尔敏:《淮军志》, 247—48。

[59] 《李潘书札》, 2—23, 尤其是2, 7, 8, 20—21。这些信件系由中国历史
学者发现, 并于 1960 年出版, 作为李鸿章残酷对待太平军和他"勾结
帝国主义"的证据。见该书《说明》。

[60] 《李集》, 朋僚函稿, 1 :15b; 李鸿章致薛书堂一封关于厘金事的信, 署
1864 年 1 月, 见 4 :30b—31; 王尔敏:《淮军志》, 315—24。

[61] 《大清历朝实录》(东京, 1937—38), 同治朝, 139 :54—55;《李集》, 奏
稿, 9 :1b。殷兆镛:《殷谱经侍郎自叙年谱》(无出版处与出版日期, 台
北重印, 1968), 53—54。

45

---

* 亚罗战争(Arrow War), 即第二次鸦片战争。——译者

[62] 《李集》,奏稿,3 :44—45; 9 :5b。

[63] 《李集》,朋僚函稿,3 :30; 4 :14, 16。见奏稿,3 :44;关于朝廷谕令在漕运恢复正常之前,可以购买商米运往北京,见 3 :28—32。

[64] 《李集》,奏稿,3 :56—63。郭嵩焘作为粮储道,也参加了最初的商议。见冯桂芬:《显志堂稿》,4 :6—9。

[65] 《李集》,朋僚函稿,3 :27, 35b, 37b, 40;奏稿,3 :64—65。

[66] 《李集》,朋僚函稿,4 :10, 11, 26b; 5 :1b, 8, 12, 36; 6 :4b—5, 9b—10;奏稿,8 :60—66。最后一份奏稿因刘郇膏反对冯桂芬关于必须进一步减免浮收的意见而迟发;李和曾都感到必须接受刘的某些看法。见冯桂芬:《显志堂稿》,4 :9; 5 :7—15;夏鼐:《太平天国革命前后长江各省之田赋问题》,《清华学报》,10(1935),461—63。

[67] 《李集》,朋僚函稿,5 :32b, 40; 6 :6;奏稿,9 :6。

[68] 《李集》,朋僚函稿,3 :4b。

[69] 《李集》,朋僚函稿,3 :9b; 5 :8b。参阅王尔敏:《淮军志》,327—31。

[70] 《李集》,朋僚函稿,5 :32b。

[71] 同上,4 :16; 6 :10b。

[72] 《李集》,奏稿,3 :64, 8 :66。

[73] 芮玛丽:《中国保守主义的最后立场:同治中兴,1862—1874年》(斯坦福,1957),85—90, 93—94;冯桂芬:《校邠庐抗议》(1898),1 :15—18, 20—22。

[74] 《李集》,朋僚函稿,5 :15b, 33—37, 39; 6 :27;奏稿,7 :44—45;李:《遗集》,5 :1—3;冯桂芬:《显志堂稿》,3 :9—10,芮玛丽:《最后立场》,81。

[75] 它们是专习四书试帖的紫阳书院,和冯桂芬领导的攻读"经史有用之学"的正谊书院。李:《遗集》,5 :4—6;冯桂芬:《显志堂稿》,3 :11—12。

[76] 《李集》,朋僚函稿,3 :21。

[77] 《李集》,朋僚函稿,2 :7b, 20b, 41b, 42b; 3 :6, 10, 13b, 17, 29。

[78] 《李集》,朋僚函稿,3 :17, 18, 19b, 29, 34b, 37; 4 :5, 8b, 22b, 23b—24;奏稿,4 :32—33。

[79] 《李集》,朋僚函稿,3 :3b, 34b。

[80] 《李集》,朋僚函稿,3 :12b—13; 4 :17。

[81] 《李潘书札》,3—4;《李集》,朋僚函稿,3∶16b,43b;王尔敏:《淮军志》,197—200。

[82] 《李集》,朋僚函稿,1∶54。李鸿章向曾国藩报告同华尔的谈话,说到学得西洋武器制造,"于军事及通商大局皆有小益"。

[83] 曾国藩的工程技术人员曾于1862年7月制造一部粗糙的蒸汽引擎,并且装配一艘小汽轮,于1863年1月下水。但是显然,直到后一日期时,安庆内军械所才开始试验制造铜火帽或榴霰弹。(见陈其田:《曾国藩:中国轮船的最早倡导者》[北平,1935],24,40—41。)1862年12月,李鸿章致函曾国藩,说到当时中国最卓越的数学家李善兰曾于1858年撰写一部关于火器制造的书,1862年为李制造榴霰弹。李还派遣一名外国工匠到曾国藩处,此人系李善兰推荐,李鸿章称他"极精火器制造"。曾国藩并未雇佣这个外国人,但是很快就邀请李善兰到安庆,并且还通过后者得到一个熟悉轮船火器的宁波人张斯桂的帮助。《李集》,朋僚函稿,2∶39;王萍:《西方历算学之输入》(台北,1966),188—90。

[84] 《李集》,朋僚函稿,2∶47;邓嗣禹、费正清:《中国对西方的反应:文献概览,1839—1923年》,(麻省坎布里奇,1954),69。

[85] 《李集》,朋僚函稿,3∶17。

[86] 同上,3∶19b。

[87] 同上,3∶16;奏稿,4∶44;《筹办夷务始末》(以下作《始末》),(北平,1930),同治朝,25∶4—7;德米特里阿斯·C·鲍尔格:《马格里爵士传》(伦敦与纽约,1908),79。

[88] 陈其田:《曾国藩》,43—44;《李集》,朋僚函稿,4∶29。

[89] 见以下注[103]。李鸿章的顾问冯桂芬对中国传统数学有兴趣,而且从1860—61年起已开始相信西方不但在地理知识方面超过中国,而且通过数学、力学和化学的发展,实际上已掌握"格物致知"。(冯桂芬:《校邠庐抗议》,2∶37b。)李鸿章与李善兰有联系,后者在1850年代曾与英国传教士合作,将数学、物理学和天文学著作译成中文。(王萍:《西方历算学》,165,176。)

[90] 《李集》,奏稿,3∶12b;冯桂芬:《显志堂稿》,10∶20;邓嗣禹、费正清:《中国对西方的反应》,74—75。

[91] 《始末》,同治朝,25∶4—10;这封信最后部分曾译载邓嗣禹、费正清

46

《中国对西方的反应》,70—72。

[92] 冯桂芬:《校邠庐抗议》,2 :38—39, 42—43。

[93] 《始末》,同治朝, 25 :1—4。直到三年之后,在1867年初,总理衙门自己才向朝廷提出,京师同文馆课程应当扩充,包括数学和科学,并且鼓励科举出身者,包括翰林院学者,报名投考。见毕乃德:《中国最早的近代官办学校》(伊萨卡, 1961), 108—21。

[94] 《李集》,朋僚函稿, 3 :16b;亦见2 :46b。

[95] 早在1864年3月,李鸿章在致友人信中就已提到削减淮军的规模是可取的。1864 年 10 月,除了曾国藩,李还告诉沈葆桢和吴棠,他打算将淮军中无战斗力的部队予以裁遣,将兵力削减至 3 万人。《李集》,朋僚函稿, 5 :7b, 10b—11, 32b, 35b;奏稿, 7 :29;参阅王尔敏:《淮军志》,345—48。淮军 7 万人的数目包括所谓淮扬水师。

[96] 《李集》,朋僚函稿, 5 :34—35。

[97] 《大清历朝实录》,同治朝, 122 :39b—40。

[98] 参阅王尔敏:《淮军志》,349—50。在李鸿章写信给陈廷经和薛焕前 10 天,他于 10 月 1 日致函江西巡抚沈葆桢说:"兵制尤关天下大计,若狃目前功效,自以为是,是乱未有已。"李于 10 月 2 日写信给吴棠说:"裁去疲军,以益劲旅之食,则天下不患贫,亦不患弱。"《李集》,朋僚函稿, 5 :32。关于"勇营"的名词,请看刘广京、司马富:《西北与沿海的军事挑战》,载费正清、刘广京编:《剑桥中国史》,卷 11, 第 4 章, 202—11。

[99] 司马富:《雇佣军与官员》;王尔敏:《淮军志》,197—200。

[100] 《李集》,朋僚函稿, 6 :3b, 6, 13, 24;奏稿, 7 :48, 50, 60—61; 8 :14—16, 21, 52;王尔敏:《淮军志》,346—48, 351—52。

[101] 《李集》,朋僚函稿, 6 :23b。

[102] 《海防档》,丙、机器局, 3—21。

[103] 同上, 13。李鸿章向总理衙门指出,虽然西方"新法"只是在18世纪初期才逐步形成,但它所依据的"力艺"或"重学"却有数百年的发展。数学包含"器用之微"的原理,是机械学的基础。同上, 16—17。

[104] 《李集》,奏稿, 9 :31—32, 35。

[105] 见康念德:《江南制造局的武器:中国军事工业的近代化, 1860—

47

1895 年》(科罗拉多州博耳德，1978)，第 2 章。李鸿章于 1865—66 年亲自密切注视制造局的生产；见李致制造局总办、会办一份生动的书信，保存于魏允恭编《江南制造局记》(上海，1905)，3：58—59；亦见《李集》，朋僚函稿，6：42。

[106] "利权"是指控制国家岁入和商人活动的传统用语，但是李鸿章是在这些领域受西方侵略的背景下开始使用这个词语。(见《李集》，朋僚函稿，2：6；3：12b；5：15b，35。)李鸿章常用"富强"一词指政府的偿债能力和维持秩序能力；但是至少到 1865 年，他将这个词语用于中国应付其外部危机的必要性方面。(朋僚函稿，1：19b，36b；6：34b，37b；奏稿，9：6，6b。)

[107] 同上，朋僚函稿，5：14；亦见 1：49，57b；3：15，18b—19；4：15；5：13。

[108] 同上，朋僚函稿，4：22；亦见 2：48b；4：17b；5：7b，9b，10b。

[109] 同上，奏稿，1：40—41；7：36—39；8：30—31；9：67—68；朋僚函稿，5：35。

[110] 《海防档》，丙，3—5；亦见甲，809—10。

[111] 《海防档》，甲，811—81。赫德在敦促总理衙门准备和实行此项章程中起关键的作用。亦见斯坦利·F·赖特：《赫德与中国海关》(贝尔法斯特，1950)，403。

[112] 《李集》，奏稿，9：9；冯桂芬：《显志堂稿》，4：10—11；5：16—19。

[113] 《李集》，朋僚函稿，6：45。李在 1865 年还写道："田亩尽荒，钱漕难征，正项既不足以养兵，必须厘金济饷。与其病农，莫如病商，犹得古人重本抑末之义。"(6：37b；亦见 6：27b。)

[114] 同上，奏稿，9：6。

[115] 同上，奏稿，9：34b。

[116] 同上，朋僚函稿，16：20；亦见本书第3章。

[117] 福尔森《朋友、宾客和同僚》对这个题目作了有说服力的论述。

[118] 关于李鸿章同1864年任上海英国领事巴夏礼的联系，见《李集》，朋僚函稿，5：16，24。

[119] 魏源(1794—1857年)曾在其《海国图志》(1844)中提出，在中国南部两个省设置特殊的考试，选拔海军人才，制造西式船炮的能力应作为授予海军等级的一个标准。不过魏源关于西方技术的思想是模

糊的,他的建议并未包括改革现有的科举制度。参见王家俭:《魏源对西方的认识及其海防思想》(台北,1964),82。

[120] 李鸿章在其设立江南制造局的奏折中,对他关于改进西方技术的建议作辩解。他赞扬中国过去的政府机构"所以郅治保邦,固丕基于勿坏者,固自有在。必谓转危为安、转弱为强之道,全由于仿习机器,臣亦不存此方隅之见。顾经国之略,有全体有偏端,有本有末,如病方亟,不得不治标,非谓培补修养之方即在是也。如水大至,不得不缮防,非谓浚川浍、经田畴之策可不讲也"。《李集》,奏稿,9:35。

3

李鸿章在直隶:一个新政策的呈现,1870—1875 年

刘 广 京

1870 年是德国统一和日本自上而下革命巩固的一年,这一年中
国发生了一件大事——李鸿章(1823—1901 年)受命出任直隶
总督和北洋大臣。还在 1860 年代李的主要精力投于镇压国内
叛乱的任务时,他便已是"自强"政策最杰出的倡导者——"自
强"政策主要是通过采用西方技术,增进中国潜在的军事经济能
力,以应付外国侵略的政策。[1] 李鸿章在直隶总督在这个接近北
京的有权有势的新职位上,继续实行和推广这一政策。

重新评价自强运动,必定包括对它的思想含义进行探究。
像李鸿章这样的人(这样的人为数极少),他们的目的仅在于采
用西方技术,抑或也在于提倡改革? 他们是否修改了儒家对于
主要以道德和文化为力量源泉的德政的强调? 这一项研究还必
须深入检讨阻挠自强运动成功的各种复杂因素——制度和思想
方面的环境,以及与西方接触二三十年后发展起来的新的军事
和经济力量的弱点。但是,首先必须考虑政治的背景。自强运

动是由中央政府还是由各省发动的？它是这里一个总督、那里一个巡抚分散努力的结果，还是清朝国家政策的一部分？

自强运动开始于同治初年，主要由各省发起，但得到朝廷有力的支持。首先提出在官办"译员学校"* 讲授数学和科学、建立中国最早的近代兵工厂的，是李鸿章；计划大型造船项目的是左宗棠。然而李和左都得到恭亲王还处于权力巅峰而文祥仍然健在时代的总理衙门的坚决支持。"地方主义"——督抚对于临时编制的帝国军队（勇营）和厘金的征收呈报享有部分实权——的发展，并没有阻碍北京同各省在新事业中的合作。

1870 年掀开了自强运动历史新的一页。李鸿章调到如此接近北京的地方，事实上成为一名全国性的官员。他在外交和军事计划领域履行了许多中央政府的职责，他不仅负责直隶一省，同时担任协调帝国之下其他若干省自强的努力。不过，一方面，李鸿章——而且还有恭亲王和文祥（1876 年去世前）——是否在朝廷议事时继续享有有力的发言权，另一方面，他们提出的措施能否在各省、尤其是在军事上和财政上都十分重要的长江下游地区贯彻执行，这些问题仍然有待于了解。

本章介绍李鸿章在天津最初五年的情况——他在帝国政府中的作用，他关于自强的思想，以及北京和其他各省对他的建议的反应。作为镇压太平军和捻军战役中身居关键地位的高级官员，李鸿章结交了许多督抚和职位较低的官员。作为众所公认却无正式称衔的淮军领袖，他还在有淮军驻守的一些省份发挥了一定程度的影响。[2] 但是，归根结底，李的每个建议以及他的钦差大臣地位，都必须得到朝廷允准与支持，只有这样，他才能够起政策协调人的作用。在 1870 年代初期，我们看到他在政策

50

* 指上海和广州广方言馆（同文馆）。——译者

设计方面采取令人瞩目的首创行动,而且看来在一段时间内,他的规划至少有一部分会在全国范围内实施。

李鸿章在中央政府的作用

李鸿章调到直隶,是由于中国对外关系的一场危机。在 1870 年 6 月 21 日天津教案后法国苛刻要求的压力下,朝廷于 7 月 26 日谕令正致力于镇压陕西回民之乱的李鸿章,将部队调往直隶,与在此之前已由曾国藩调来的 28 个营淮军会合。一个月后,8 月 29 日,李和一支约 25,000 人的部队抵达直隶边界,他被指派接替正处困境的曾国藩,出任直隶总督。[3]朝廷希望此时应将同太平军和捻军作战中证实卓有成效的淮军,调来保卫京畿,以防止可能入侵的外国军队。

51　　对于一个熟知 20 世纪前期中国政治的历史学家来说,有可能将从那时起控制畿辅军事的李鸿章想象为早期的军阀。这是一个基本误解。虽然李鸿章是作为淮军领袖调到直隶,但是此时淮军本身却是清王朝武装力量的一个组成部分。它虽然继续处于帝国临时军队"勇营"的地位,北京却控制它的高级官员的指派和财政。淮军统领虽然通常由李推荐,但却是以廷旨委任,并且都有绿营制度的"提督"或"总兵"的称衔。下属官员虽由统领选定,也都由兵部授予绿营官衔——副将、参将,其余通常具有"候补"资格。[4]毫无疑问,淮军的部队和官员都自认为是为皇朝服务。而且,淮军用费来自朝廷授权调拨——上海和汉口关税,江苏和江西厘金,少量还来自两江、湖北、浙江、山东、四川和山西的藩库。尽管李鸿章同两江总督(曾国藩)和湖广总督(李瀚章)私人交往密切,他和一些巡抚常有共事的关系,但是朝廷对于查察资金续拨或停付,以及总督和巡抚的人事调动,都有绝对大的权力。[5] 从 1864 年起,淮军各营时常奉廷谕从一个省调往另一个省。在宣召淮军赴直隶时,朝廷只不过是要它的一支最优良的部队为近畿的要害地带效劳而已。

另一方面,由于李鸿章作为一个淮军领袖所起的作用,他获得一个毗邻京师的深受信任的官职,朝廷是依靠他履行属于中央政府官员的职责。1870 年 11 月 20 日,他受任总督不到 3 个月,进一步受命为钦差大臣,被授予比先前三口通商大臣权力更广泛的职务。* [6] 李奉命居住在战略口岸天津,而不是住在省会保定。廷旨规定李仅于冬季几个月天津封河时前往保定;一直到 1871 年 12 月,李才初次到达保定。从 1872 年开始,他还每年大约去北京一次,入朝觐见,并同大臣们磋商。李 1872—75 年的信函提到他同恭亲王、文祥、沈桂芬、宝鋆和李鸿藻讨论情况——这五个人都是军机大臣,而且除最后一人外,又都是总理衙门大臣。[7]

李鸿章当然要负责直隶省事务。在保定的藩司受权对日行文件代拆代办,但是重要事件则禀呈他在天津的衙署。[8] 在全省事务中,李个人尤其注重维持地方治安,李为此利用了练军——一支由前任总督从绿营挑选的约 6,000 人军队。[9] 李在奏折中提到的内政问题,有地方政府财政(尤其如何减免州县的负担问题)、省对北京的财政义务、盐政以及漕粮转运通州等事。不过,李鸿章最紧迫而艰巨的省政事务问题,是由永定河决堤所引起的。1871 年夏,北直隶遭遇百年未有的大水灾,随后于 1873 年又发生的一次较为和缓。李鸿章的责任是筹款赈济

52

---

* 清廷派李为北洋通商大臣。同日上谕称:"三口通商大臣一缺即行裁撤,所有洋务、海防各事宜,著归直隶总督经管,照南洋通商大臣之例,颁给钦差大臣关防,以昭信守。"(《穆宗实录》,293 :8—10)——译者

和恢复受灾地区农业。他还必须监督堤岸修复——这一工作后来持续若干年。[10]

与此同时,李鸿章日益担负起他钦差大臣的职责。这首先需要通过天津、芝罘和牛庄海关道管理这 3 个口岸的对外贸易——其中天津海关道新职是根据他的建议而设立的。[11] 总理衙门有关全国的对外贸易问题也依赖李鸿章,总署还不时要李研究赫德提出的建议——例如,赫德于 1872 年春呈递的关于海关申报表、再出口证和转口证* 章程草案。他以钦差大臣的权位,针对天津、上海和汉口海关道的意见,发出"札饬"。李加上自己的看法向总署建议,赫德原议草案所作的修订,将使中国商人更难逃避税厘。最后的草案由李和赫德在天津议定。[12]

作为钦差大臣,李鸿章有责任同外国代表讨论处理地方问题——例如,解决中法关于天津教案的最后细节,裁定英国和俄国提出的要求。[13] 而且李的外交活动很快便包括那些总理衙门认为由他在天津处理更为方便的全国性问题。不仅如此,总署还时常征求李对政策的意见,有时还委托他制定政策。

李鸿章处理的第一个重要的全国性问题,是同日本议约。早在 1870 年 10 月,在他第一次同来中国立约的日本代表会晤后,他向总理衙门建议,同日本结成这样的联系对清朝有利。李对于日本同西方打交道比较成功(例如,它不雇佣外国人管理海关和它控制外国传教活动的能力),以及据称日本筹措大量资金建造兵工厂和轮船,都有深刻的印象。李认为中国应同日本结好,为了防止它站在西方国家一边,甚至可以派员驻在该国。朝廷根据总理衙门建议,委托李和南洋通商大臣曾国藩负责制定

53

---

* 　赫德原议作存单、税单、报单。见《李集》,译署函稿,1∶32。

——译者

关于立约的政策。李随后被授全权进行谈判。会谈于 1871 年夏举行,中国的代表是两名在李指导下品阶较低的官员。八个月后,日本代表来中国要求更改草约时,谈判在天津重新举行。1873 年 5 月,李出任全权大臣,同专程来天津的日本外务卿互换条约的认可文本。* 李还和他讨论各种问题,包括中国对朝鲜的关注。[14]

与此相似,1873 年 10 月李鸿章还受权会晤要求同中国订立条约的秘鲁代表。谈判断断续续一直到 1874 年 6 月,李鸿章的目的在于通过谈判使秘鲁代表接受中国使团前往调查当地华工状况,结果是 1874 年 8 月容闳使团前往秘鲁。[15]

从 1872 年开始,总理衙门经常就其处理的重大问题谋取李鸿章的帮助。是年 9 月,俄国和德国公使路过天津,李鸿章利用这个机会代表总理衙门同他们讨论有关"觐见问题"。1873 年 4 月,李本人在北京,他支持文祥反对那些坚持叩头的人而提出的妥协的解决办法。据说李的干预对于"清除了所有的困难"很重要,并导致 6 月 14 日举行觐见采用经过修改的礼仪。[16]

1874 年 5 月和 6 月,日本人为琉球遇难船员被土著居民杀害一事谋求赔偿在台湾登陆而引起危机时,李鸿章参与了解决问题的努力。李建议总理衙门采取军事措施以加强中国在谈判中的实力——"阴为战备,庶和速成而经久"。[17] 当日本驻中国公使于 1874 年 6 月抵达时,总理衙门希望他能留在天津同李谈判。然而他却像 8 月来的特使大久保利通一样,径往北京。在威妥玛爵士调停下,于 10 月 31 日达成了由中国偿付日本 50 万两的协议。可是,与此同时,李却一直在积极寻求刚从日本到来、时在天津的新任美国公使艾忭敏斡旋。[18]

---

* 即中日修好条规通商章程(1873 年 4 月 30 日)。——译者

如果李鸿章是作为一个中央政府官员参与外交活动,那么他在清政府军事计划中所起的作用也同样如此——尽管他在这个时期清朝重大的军事成就,亦即1873年镇压甘肃回民反抗者和随后三年再度征服新疆中,都没有起过什么作用。然而,朝廷还是依赖李鸿章守卫畿辅,并且协调沿海沿江各省的战备。前已述及,作为直隶总督,李鸿章控制了主要用于地方治安的6,000名练军。作为钦差大臣,他进一步承担监督管理畿辅海防,包括守卫大沽口和京津之间的要地。[19]1857—60年危机时任钦差大臣的蒙族亲王僧格林沁和1861年至1870年任北洋三口通商大臣的满族亲贵崇厚,先前都曾担负类似的责任。崇厚在大沽修筑炮台,组织洋枪炮队人数达3,200人,由天津总兵统带。[20]李受权负责要塞和部队,虽然他的前任总督,包括曾国藩在内,从未被授予这样的权力。1870年11月,李任命著名的淮军炮兵军官罗荣光为负责炮台的大沽协副将。淮军最好的大炮,以及金陵机器局制造的新炮都运到大沽,而且还订购了新的克虏伯炮。李将洋枪炮队重新训练,特别是训练淮军所喜用的扎营技术。[21]

1870年11月,朝廷指示原属淮军刘铭传部28个营(约14,000人)从直隶调出,加入李鸿章留在陕西的淮军9个营。根据李的建议,淮军郭松林部10个营也前往陕西,郭本人则带10个营去湖北,协助对付两湖地区的秘密会党。不过刘最精锐部队中有两营和淮军马队两营仍留在保定。李的亲兵两营驻守天津。此外,周盛传部23个营(约11,500人)驻扎在天津的南部地区,尤其在周准备设立基地的马厂。1873年,周盛传部队被派去修筑大沽和天津间一个要塞市镇,* 以后还派去修筑河

----

* 即"新农镇",修成后命名。——译者

堤和将盐碱地改造为良田。但是他们也接受最新式的枪炮操练。李鸿章称他们为"拱卫畿辅之师"。[22]

李鸿章还参与当时朝廷关于帝国其他地方的军事计划,这主要是由于他同淮军的关系。他在西北地区未起很大作用。1870—72 年间,他从直隶练军中挑派两镇各 1,000 人前往库伦协助防守,避免外蒙古受俄国可能的侵凌。[23] 1871 年 9 月 1 日,朝廷接到俄国占领伊犁的消息,令因病请假的刘铭传带兵从陕西到甘肃,从那里进入新疆。刘再次称病乞假,9 月 21 日,朝廷更改旨令,命他只须进军至甘肃肃州。李鸿章虽然并不相信新疆在中国战略全局中的价值,但是他写信劝刘遵从廷旨。然而刘并未征求李的意见,再次向朝廷请求给假,并且推荐没有淮军背景的曹克忠自代,由曹带兵进攻肃州。这一要求得到允准。曹克忠于 1871 年 11 月应召入京觐见,并被派去指挥。李许诺以淮军军饷支持曹克忠,不过他建议只将刘铭传 37 个营中 22 个营转交给他。[24] 1872 年 8 月,曹克忠部队中有些营发生兵变;朝廷征询李的意见,李建议应由刘铭传之侄、原淮军将领刘盛藻接替。刘盛藻到天津征求李的意见,并且接受朝廷的任命。李鸿章曾想提议刘盛藻将在陕西的淮军全部调回沿海地区,但是在陕西巡抚* 要求下,有 22 个营留下。[25]

李鸿章自己深信,在不知餍足的日本加速作战斗准备时,沿海尤其需要保卫。自捻军叛乱结束以来,吴长庆所部淮军 8 个营就已驻扎江苏若干要地;朝廷根据李的建议,于 1870 年 11 月准许他们仍留驻那里。这些部队受两江总督曾国藩指挥,但李时常写信给曾,就诸如炮队所需操练和部队应驻扎战略地点等问题提出建议。就曾国藩而言,当他命令部队从一处调到另一

* 邵亨豫。——译者

处时,也会通知李鸿章。1871 年 11 月,陕西淮军转归曹克忠统辖,李利用这个机会向朝廷建议,37 个营中有 15 个营应调驻苏北徐州。朝廷同意这个意见,指示这些营(由名叫唐定奎的淮军将领指挥)归曾调遣。[26] 1872 年 3 月曾国藩去世后,李继续向两江总督继任者提出军事方面的建议——包括组织一支由江南制造局制造的炮艇装配的小型海军。虽然曾的继任者可以随意指挥在江苏的淮军,但无论何时部队奉派新的地方,他们仍继续采取过去的做法,将决定通知李鸿章。[27]

1874 年夏,日本侵犯台湾引起危机时,李鸿章对闽台地区表示关注。正是根据李的建议,总理衙门奏请朝廷派福州船政大臣沈葆桢兼任办理台湾防务的钦差大臣。6 月,李向沈葆桢和总理衙门提议将徐州淮军唐定奎部 13 个营(6,500 人)派往台湾,归沈节制。这个建议以及李关于陕西淮军 22 个营应调至江苏和山东,以应付中日冲突紧急情况的进一步提议,于 7 月末都得到朝廷允准。[28]

与此同时,李鸿章通过信函与沈葆桢、两江总督李宗羲和江苏巡抚张树声联系,安排军火从江苏和直隶运往台湾。7 月 13 日,李奉旨"统筹全局",并同与防务有关的各省官员"会商"。[29] 李向沈建议,如果加紧战备,同日本的冲突就有可能避免。李安排轮船招商局的 3 艘船只和福州船政局建造的 3 艘轮船将部队从江苏运往台湾。由于这 6 艘船只必须航行 3 次才能将 6,500 人运送完毕,第一批虽于 8 月中到达,而最后一批直到 10 月才抵达目的地。李鸿章就防务措施问题同福建和两江官员通信。李宗羲和张树声为有关日本意图的传闻所震惊,要求淮军 22 个营从陕西调到江苏南部。然而李决定只应派 5 个营前往,其余 17 个营(包括 5 个营马队)应留驻山东济宁,那里不论南下或北上都较便易。李向同僚保证,即使发生战争,考虑到日本人的储备力量,军事行动在几个月内不会扩展到沿海。因此有时间细密布置海防炮台,订购外国制造的大炮和来复枪。[30] 很难说这些防卫努力对于 10 月末日本接受和平解决有什么关系。但是李鸿章在这一系列事件中,却显然作为清朝台湾和沿海战备的协调人而出现的。

这场危机也显示李鸿章依赖朝廷的支持,连续筹措淮军费用。从 1872 年开始,像山东、浙江、四川等省和上海拨给淮军的每年协饷,由于北京施加压力挪用于其他目的,它们即使不是全部拖欠未付,也一直在减少。1872 年,淮军仍然从江海关、江汉关和两江(尤其江苏厘捐和江西盐厘)收到大量款项,但是从 1873 年 1 月 29 日起 18 个月内,收到江苏厘捐(淮军开支最大的单项来源)年平均数,从 1,000,019 两减少至 873,332 两。[31] 这种趋势有持续下去的危险,因为李鸿章时常写信给江苏巡抚和两江总督,敦促他们务必及时拨付。李不得不提醒这些官员,拨款是得到朝廷直接支持的。他警告李宗羲,不要拒付淮军饷需,"免致呼吁,上渎天听"。对于从前担任淮军统领、但此时同淮军利益未必一致的张树声,李鸿章直言不讳写信对他说:"乞勿扣淮饷,扣短则必力争,请先歃血为誓"。[32] 实际上,李鸿章不止一次就淮军拨款问题向朝廷发出吁请。他在 1874 年 9 月 1 日的奏折中请旨饬催四川逾期欠解协饷 20 余万两。在给四川总督等人的信中,他强调淮军为国家效劳,应当得到全国的支持。[33]

自强——一项新政策的出现

李鸿章为国家效劳,并不限于外交事务,或向朝廷提出使用淮军的建议。正如他自己认为,他在朝廷军事计划中的作用还应包括增强中国的军事实力——只有它才能保证维持同列强的和平关系。李鸿章认为西方海上大国在中国的目的在于通商,而不在于扩充自己的版图。然而他担心一个或几个大国动用武力的情况会发生,而且真正的威胁来自日益强大的日本。他激励同僚:"要当刻刻自强,便可相安无事。"[34]

李鸿章感到他必须对自己的自强方案加以阐明并且扩充。虽然他的首要目标是继续建设军事工业,但经验已经表明,经营兵工厂和造船厂决非易事。而且西方在这些领域不断革新,不可能迅速赶上。为了满足不久将来的需要,必须购买外国制造的最新式武器,建立一支用外国船只装备的海军。李进一步认识到,中国兵工厂和造船厂的能力因合格的人才和资金岁入匮乏而受到严重限制——"人才"和"资金",中文都读作 cái*。[35]在探求军事工业的逐渐扩展时,必须对人才的培养给予支持,为国家收入的增加想方设法。

怎样才使国家能够最有效地鼓励技术人才,或者增加岁入? 也许李鸿章意识到它们并不是很容易做到,不过他却倡导自 1860 年代中期以来他一直在思考的某种制度改革。台湾危机和随后的海防讨论,给他机会向朝廷表明自己的看法,同时提出关于根本改变朝廷战略观念的建议——放弃重新收复新疆的计划,代之以将可用的资源集中于海防和沿海自强计划。

虽然李鸿章可以时常指望朝廷对他处理外交或部署淮军的建议给予准允,但是要说服朝廷接受包括革新在内的自强措施,

58

---

* "才"、"财"。李鸿章致曾国藩函云:"师门本创议造船之人,自须力持定见。但有贝之财、无贝之才不独远逊西洋,抑实不如日本。"(《李集》,朋僚函稿,12:3)又,复金安清函亦云:"有贝之财、无贝之才,均未易与强敌争较。"(同上,11:7)——译者

却不是那么容易。总理衙门热情支持李的某些建议,但它对于其他建议既表示淡漠,也无力给予支持。而且在省一级的层次上还需要做协调工作。自 1872 年曾国藩去世后,李鸿章日益感到需要将两江地区和中国南方其他地区联合起来,我们看到他利用自己在朝廷的影响力,考虑将沈葆桢和丁日昌这样的人派到关键的位置上。

李鸿章在 1874 年 11 月以前的努力

自从 1860 年代中期以来,有 4 个近代兵工厂建立起来,其中有两个是造船厂:金陵机器局(1865 年从苏州迁到南京)、上海江南制造局(1865 年建立)、福州船政局(1866 年)和天津机器局(1867 年)。除了金陵机器局费用由淮军经费筹措,[36] 其余都得到廷旨授权拨给。金陵机器局和江南制造局是由李鸿章本人设立,但是他却对它们的成绩感到失望。金陵由苏格兰人马格里管理,它能够生产铜炮以及火帽和炮弹。江南制造局,这家大得多的机构在 5 年中用费约 2,500,000 两,主要来自江海关关税。虽然在淮军同捻军作战中,它提供了滑膛枪、短筒马枪、铜炮、火帽和炮弹,但是一直到 1868 年左右,它才初次成功地生产出一种过时的前膛装填式来复枪。[37] 李将沪局和宁局仅仅看作是一个"起步"。在 1867 年至 1870 年间,江南所属的船坞造出 4 艘小轮船,李形容它们是"尚在不商不兵之列","虽不能战于海外,或犹可战于江心"。[38]

  李鸿章在直隶最初的一个行动是扩建 3 年前由崇厚设立的天津机器局。李向朝廷建议派一名原江南制造局会办* 负责,

---

  * 即沈保靖,1866—69 年任江南会办。——译者

并且增置了机器。由于李此时正计划用外国制造的后膛来复枪和克虏伯炮装备他在直隶的部队,他认定天津机器局能够作出的最佳贡献就是供应这些武器所需要的弹药。1871 年至 1874 年间,机器局收到朝廷从天津和芝罘关税拨款近 1,000,000 两。除了原有 1 个车间,又增加 3 个新车间,因此到 1874 年,它已日产火药 1 吨以上,以及大量子弹和炮弹。不过李还计划自己生产后膛枪,1874—75 年间订购并安装了生产雷明顿式来复枪的机器。[39]

李鸿章希望江南制造局能够以其更大的成套设备,从事更大规模的来复枪和火炮制造。虽然江南制造局是由两江总督管辖,李鸿章却时常在同曾国藩的通信中讨论局事。1871 年李有两次劝曾国藩对江南总办冯焌光所作自我吹嘘式报告的准确性,检查核实,并给在制造局工作的著名数学家和工程师徐寿以更多实权。李有时直接同这些总办、会办通信。制造局于 1871 年添购制造雷明顿式来复枪的机器,可能便是出自李的建议,这种来复枪在 1873 年底以前大约生产了 4,200 支。[40] 1872 年 3 月曾国藩去世后,李继续向曾的继任者提出有关江南的建议。他极力主张除了后膛枪和铜炮外,还应制造熟铁铸炮和水雷。第一门铁铸大炮于 1874 年 2 月造成。在 1871 年至 1874 年间,江南生产的 2,000 支来复枪和 1,100 支短筒马枪送往直隶,但是它的产品大部分调拨给两江地区各部队。[41]

由于金陵机器局的费用由淮军军需项下筹拨,李鸿章保持对它的人事和经营方针的控制。至少在 1873 年有一次李鸿章曾下令调动机器局的中国人总办(可能是以北洋钦差大臣的身分下令),虽然他得到两江总督李宗羲书面赞同而采取这一行动。一直到 1874 年,马格里制造的铜制迫击炮仅用于直隶沿海防御工事。然而,从 1874 年初开始,李宗羲下令机器局生产江苏军队所需枪炮和各种弹药。[42]

李鸿章对中国军事工业的关注还扩展到福建。1871年末，一名内阁学士抨击福州船政局糜费无效。这名官员(宋晋)向朝廷建议将福州和上海两处造船项目停止。李鸿章遵从廷旨条陈己见，联合左宗棠和福州船厂的创办人、船政大臣沈葆桢为福州船厂辩护。李的1872年6月20日奏折提出了中国正面临"三千余年一大变局"的著名说法。由于西方的军事力量是以枪炮轮船为基础，中国必须深通这些装备的秘巧，以保证自己长治久安。他警告说，日本在这些方面已走在中国前面，并且正在"逼视我中国"。李鸿章支持总理衙门前些时候提出的建议，他提议福州和上海船厂可造货船和炮船，前者可以由中国商人购买或租赁。他还增呈一份包括制度改革在内的建议。由于官造炮船可以用于沿海沿江各省海面和江面巡缉，它们的费用难道不应由各省原来用于旧式水师的款项拨付？李建议朝廷下谕停造一切战船。*[43] 虽然朝廷根据总理衙门的建议，让福州和上海的造船继续进行下去，但是李的最后一项建议没有得到总理衙门的支持，他感到十分失望。[44]

李鸿章十分重视福州船厂及其培训计划，认为自己应当帮助沈葆桢工作。到1872年，他已经有这样的印象，认为沈(他适与李为同科进士)是当时高级官员中对自强的要求有洞彻了解的少有的人。他有几次利用自己对闽浙总督李鹤年的影响力，说服后者不要阻挠沈的工作。1874年5月他去北京访问时，在大学士兼兵部尚书沈桂芬(恰亦与李同科进士)面前表示支持沈葆桢，得到他和恭亲王的允诺，沈葆桢今后有关筹措福州船厂资金的请求，他们将会提出赞同的咨询意见。[45]

60

---

　　*　指旧式水师红单、拖罾等船。——译者

　　李鸿章比他在同治初年更加敏锐地认识到兵工厂和造船厂的成功管理有赖于受过训练的技术人才。李于 1863 年设立的学校——上海同文馆(它于 1867 年与江南制造局新设的翻译馆合并,改名"广方言馆"),向 40 名左右年约十几岁的学生教授英文、数学和科学。不过它并未培养出杰出的毕业生,其结果和京师同文馆一样令人失望。[46] 1864 年,李向总理衙门建议,在科举考试制度中为专攻技术的人设置一个新科。上海和京师同文馆当时并未引起士人多大的兴趣,这使李鸿章深信,只有作出这种变革,才能够鼓励对"西学"的追求。[47]

　　李鸿章支持派送中国青年到美国求学的建议。他认为延长留学期限,是训练中国人使他们回国后能成为上海和北京学校的教师或在兵工厂、造船厂工作的最好方法,这个建议最初由容闳和陈兰彬提出,曾国藩于 1870 年 10 月奏请朝廷考虑。不过,曾仅仅在奏请其他事时非正式地提到这个想法,而李鸿章在 1870 年 12 月 13 日一封信中,劝他单拟一份具体的计划上奏朝廷。李写道:"断不可望事由中发。"[48] 李还建议单拟的章程应包括留学生出国前赏给监生身份,回国经总理衙门考试后,给予职衔。李后来对于章程允许授予回国学生官位感到满意。1871 年 8 月,在函咨总理衙门并得其赞同,尤其得到总署同意 20 年内从江海关洋税内拨给 120 万两的建议以后,他和曾国藩就此会疏上奏朝廷。[49] 根据廷旨允准,1872 年在上海设立一个局挑选学生出国,第一批 30 名于是年夏天从上海出发,随后 3 年每年都派出数目相同的学生。挑选的少年年龄在 11 到 16 岁之间。由一名教习同行,教导他们中学课程,不过每个学生要在国外 15 年,最后两年到各地游历。由于获准的计划基于曾、李会疏,因此被认为受南洋和北洋大臣的监督,负责留美事务的官员要向李鸿章和两江总督报告。[50]

　　李鸿章还于 1871 年 6 月对派遣学生去英国作过简略的考虑。不过他更感迫切的是要发现具有立即在兵工厂、造船厂和海关工作的有管理或技术能力的熟练员工。李时常写信给其他各省同僚,请他们推荐这样的人才。[51] 1874 年 1 月,沈葆桢向他征求派遣福州船政学堂学生去英国和法国计划的意见时,李给以热情的答复。1874 年 5 月他在北京时,就此计划写信给总理衙门,并请恭亲王予以考虑。李还考虑派遣天津机器局的中国技术人员子弟去德国学习。[52] 在此期间发生了台湾危机,因此直到 1876 年才采取进一步的行动。

　　李鸿章日益相信,使用西方技术能够增强清朝国家的财富和军事力量。同治初年他在江苏虽然急于想保护运载漕粮到直隶的沙船,但是对于西方轮船顺利地打入中国水域运输业,印象十分深刻。早在 1864 年李就向总理衙门建议,应允许中国商人在同西方船只竞争中拥有并经营和外国船只式样相同的轮船。[53] 到天津以后两年间,一系列事件促使他作出设立中国轮船公司的紧迫计划。1871 年直隶遇水灾和饥馑,他对于外国船只运输赈粮索费过巨,深为愤慨。当年冬季黄河堤岸新决口使他相信运河即将归于无用。他反对投入巨款恢复黄河旧道以改进运河的通航能力。他从中国人拥有沿海轮船船队中看到了漕粮从南方北运这个古老问题的解决办法。[54] 正在这个关头,总理衙门提议福州船厂所造船只可由中国商人租赁。总署要李鸿章为此目的作出安排,在 1872 年整个夏天李都就此事同诸如上海海关道和两江管辖新舰队(主要由江南制造局所造船只组成)的负责人通信。[55]

　　李鸿章发现福州和上海所造轮船因管理费用过于昂贵,而且在一些港口吃水过深,不宜于揽载货物。他根据浙江负责该省沙船漕运的官员朱其昂的建议,认为最好的办法是让中国商

62

人购买外国制造的轮船,经营一般运输和漕运;日后有可能的话,船队可再添置中国自造的船只。李批准朱其昂的计划,在上海设立一个局,"招商"经营轮船业。不言而喻,这个企业将是"官督商办"。李鸿章从直隶军需项下贷给企业 136,000 两,但是言明"所有盈亏全归商认,与官无涉"。[56]利用政府拨给漕粮给价运输的可能性,使这一计划易于推行。李鸿章无疑将它视为中国自强政策的一部分。李于 1872 年 12 月写信给江苏巡抚* 时说:"兹欲倡办华商轮船,为目前海运尚小,为中国数千百年国体、商情、财源、兵势开拓地步,我辈若不破群议而为之,并世而生、后我而起者,岂复有此识力?"他对日本致力发展商船的报导也很感兴趣。1 月初他写信给一位由他推荐为总理衙门章京的官员** 说:"然以中国内洋任人横行,独不令华商展足耶? 日本尚自有轮船六七十只,我独无之,成何局面?"[57]

　　为了使轮船获得漕运业务,李鸿章必须争取长江下游地区官员的合作。江苏官员支持沙船商的既得利益,最初反对李的计划。1871 年 10 月,上海海关道沈秉成和江南制造局总办冯焌光联名禀呈两江总督何璟表示异议,他们的意见得到江苏巡抚张树声的支持。李鸿章求助于北京当局,他提醒何璟,拟议中的轮船公司终将购买并雇赁中国制造的船只,而且同 1872 年 6 月旨准总理衙门的最初建议是一致的;因此,作为署理南洋通商大臣的何璟对于此事应有推动的责任。在致张树声的信中,他愤怒地写道:"与阁下从事近二十年,几见鄙人毅然必行之事毫无把握,又几见毅然必行之事阻于浮议者乎?"[58]何璟和张树声终于同意江苏漕粮每年有 20% 由轮船装运。加上浙江的相近

---

* 张树声(振轩)。——译者

** 孙竹堂。——译者

数额,保证了这家新兴企业每年有 200,000 担的漕粮运输,等于 112,000 两的运费收入。12 月,李奏请旨准全部计划。这份奏折于 12 月 26 日获得允准,1 月 14 日轮船招商局(英文作 The China Merchants' Steam Navigation Company)在上海成立。[59] 因为这个计划是根据李的奏折而获准的,招商局便被看成是受北洋通商大臣管辖,李鸿章保持对它的人事和经营方针的牢固控制。1873 年 7 月,两名广东籍买办,唐廷枢(景星)和徐润,成为新公司的总办和会办,而札委此项任命的正是李鸿章。是后,李于有必要时,常吁请江苏巡抚和两江总督协助,拨给企业更多的漕粮装运,从藩库中提供更多的贷款。由于他们的协助和曾任买办的总办和会办的努力,招商局船队到 1875 年已增为 13 艘(净重 8,546 吨),开辟了长江和若干沿海航线。[60]

正如李鸿章告诉总理衙门那样,中国商办轮船的目的在于同外国企业竞争,收回中国"利权"。[61] 不过李对于用西法开矿以开辟国家岁入新来源的可能性,尤其感兴趣。早在 1868 年他还在同捻军作战时,他就在有关修约的问题的奏折中,建议应允许外国技术人员在中国煤矿和铁矿工作,以传授西艺。到直隶以后,他日益相信在矿井使用抽水机和其他机器,将不仅向中国兵工厂和造船厂提供极重要的原料和燃料,而且也有利于国家财政收入。李还注意到日本人采用西方技术开矿的事实。他在 1872 年 6 月 20 日一份关于福州船厂的奏折中,提出官督商办、以机器开矿的方案。他还建议利用西方采炼技术生产钢铁。李强调煤铁可在市场出售获利,"于富国强兵之计,殊有关系"。[62]

李鸿章对于总理衙门议准福州船厂续办,而却未能就开矿计划向朝廷提出建议,感到失望。他写信给福建巡抚王凯泰说,未能做到这一点,表示总理衙门只图敷衍目前,没有想到将来:"数十年后,更当何如?"[63] 在他自己的倡议下,他鼓励江南制造局总办冯焌光等人拟订在直隶南部磁州开采煤铁矿的计划。1874 年英国商人韩德森被派往英国招聘工匠，购买机器。[64] 不过，李并不仅仅要在直隶计划开矿，他于 1873 年 11 月写信给山西巡抚鲍源深，劝他在该省用新法开采丰富的矿藏。李写道："地不爱宝，而取用无穷，中土罕有知其理者，公盍留意，毋汲汲忧贫也。"早在 1874 年，李就已请两江总督李宗羲劝说江西巡抚刘坤一在江西乐平采用机器开煤，被刘拒绝。1874 年 8 月台湾危机达到顶点时，李劝沈葆桢在岛上开矿。在淡水关税务司好博逊的协助下，沈于 1875 年安排开采基隆附近的煤矿。[65]

李鸿章在 1874 年 12 月的建议

自从天津教案以后，自强的倡议主要来自李鸿章，并得到总理衙门和地方大吏曾国藩与沈葆桢的若干次合作。台湾事件进一步引起对战备问题的关注。1874 年 11 月 5 日，总理衙门（处于困境中的文祥仍为其举足轻重的人物）上奏陈述事件的教训。总理衙门对于 1860 年以来自强议论虽多却少实际作为，深为痛惜。它建议沿海沿江各省督抚和满洲将军就练兵、简器、造船、筹饷和用人五条，提出各自对海防必要性的意见。文祥（当时他力疾趋公，负责同日本人谈判台湾事件）在一个月后呈上的奏折中，提醒朝廷日本人"习惯食言"，他们允许国内乱民到中国冒险，这种现实可能性不是没有。文祥建议台湾战备必须继续进行，向外国购买铁甲船和炮船的计划刻不容缓。[66]

　　虽然发动 1874 年政策辩论的是总理衙门，但是李鸿章却提出了最大胆的建议。他在 12 月 10 日奏折中极力主张，"今日所急，唯在力破陈见，以求实际而已"。[67] 在他看来，成功的海防方案两个基本点，是"变法"和"用人"。他写信给文祥说，他知道他的建议未必都能被采纳,但是他不得不提出,因为他"身任其职,未便自匿"。[68]

李鸿章提出了沿海沿江总的军事改革的建议。同治初年他 65 同上海英、法军队和常胜军共事时,开始相信中国军队的兵员可以大量裁减,节省下来的费用,可以用于购买更好的装备,或作为兵饷加给经过精选的效率高的部队。1870 年他任北洋钦差大臣不久,就提请朝廷注意绿营,包括所谓练军,派不上用场。[69]现在他进一步称,"与其多而无用,不若少而求精"。李提议不论绿营或勇营,所有"疲弱"的部队应一并裁遣,而沿海沿江各省人数不及 10 万最精锐的部队,一律改为"洋枪炮队"。这些人数较少的部队,用新式的枪炮装备,以强化沿海防御工事,至少能够赖以防卫直隶和长江下游两个重要的地区。李鸿章提议立即订购诸如马提尼—亨利和士乃得生产的轻武器和克虏伯、沃尔威奇、阿姆斯特朗和加特林生产的加农炮。不过中国自己的兵工厂也必须扩充。它们必须以制造后膛枪、加农炮和水雷为目标,进一步的计划可以等到钢铁工业和煤矿铁矿发展时再制订。火药、子弹和炮弹的制造必须扩大,为此目的而建立的工厂,必须设立在像苏州这样的腹地和内陆省份。

李鸿章支持文祥关于建立一支拥有外国制造船舰的海军舰队的建议。李感到海军不完全像陆军那么重要,但是他同意有效的防卫要求在外海有铁甲舰,守口有浮动炮车*和水雷。他建议立即订购 6 艘铁甲舰,两艘驻在华北(可能在芝罘和旅顺

---

* 浮动炮车(floating gun–carriage),李原奏作"大炮铁船",并说明即所谓"水炮台船","亦系西洋新制利器;以小船配极重之炮,辅助岸上炮台,四面伏击,阻遏中流,能自行动,最为制胜"。(《筹办夷务始末》,同治朝,99 :22b)——译者

口),两艘驻在长江外口,两艘驻在厦门或广州。此外,应订购20座浮动炮车用于各港口。李建议应派中国留学生出国,到制造船舰的船厂学习造船和航海技术。与此同时,福州和江南船厂的造船项目必须加强。李设想建立一支最终拥有60艘船舰的中国海军舰队。

为了筹措新的陆军和海军经费,李鸿章建议,首先必须通过裁撤无用的部队和停建旧式战船,以增加收入。然而新的陆军和海军经费预计当在1,000万两以上,为此必须筹划新的拨款。李强调最可靠的款项来源是"四成洋税"。[70] 这笔经费已由若干口岸分拨用于兵工厂和淮军,但有相当大的一部分留存,特别是北京户部提存的部分。李建议部库另存约300万两也应用于海防。他还提出可向洋行贷款,由"四成洋税"项下分期拨还。李建议加重进口鸦片的税厘,对于土产鸦片也可以课税,他认为等到洋药能够完全停止进口时,土药便可以合法化。为了保证有更多的岁入用于海防,李鸿章第一次明确提出沿海各省战备应比收复新疆优先考虑。他提出,新疆在乾隆朝始归版图,它极难防守,尤其现在喀什噶尔回民首领得到俄国和英国的支持,而且俄国已经占领伊犁,防守更为困难。考虑到能够得到的岁入有限,朝廷将只能在沿海地区作适当战备和收复遥远的西北"荒地"两者之间作一选择。李鸿章拟将军队撤到甘肃边境防线,把现在那里的部队改组为屯垦戍守,而伊犁、乌鲁木齐和喀什噶尔的回民首领则可给予土司地位,或准其自为部落。俄国和英国影响力之间的平衡也许将有助于保证新疆的稳定。取消西征节省下来的费用,可以立即转给沿海各省。

总理衙门无疑同意李鸿章的意见,在1874年11月5日奏折中提出,沿海沿江各省应由一名统帅负责,在他之下,遴选提督和总兵为之分统,驻扎不同省份。李鸿章认为这种想法不切实际。考虑到督抚在财政和军事方面的实际权力,尤其由于缺乏电报和铁路,未能迅速通讯,对所有有关各省实行单一指挥,难以做到。而且仅有统帅和各省"会同上奏",不可能导致有效的行动。李鸿章因此赞同沿海和长江地区应有一名以上的统帅大员——也许应有三名大员督筹办理像海军舰队这样的新计划。对于中国南方督办的职位,李推荐沈葆桢和丁日昌担任。我们从李的信函中知道他一直希望对文祥和朝中其他大臣能有影响,派沈葆桢出任两江总督,丁日昌出任一个负责中国南方的职位。[71] 李显然希望自己在天津能和在南京的沈葆桢就实现新的海防计划取得高度的合作。

尽管李鸿章关心财政和政治上的当前部署,他同时也提出具有长远意义的建议。他第一次直接向朝廷提出科举和用人制度必须改革(而非如他在 1864 年致总署函中所说的增设工艺科而已)。他痛惜士人对于"洋法"一直坚持冷漠的态度,指出取士和升迁的标准如果仍然不变,不论同文馆类型的学校还是派遣留学生出国留学,都不会引起人们足够的兴趣。李鸿章抨击科举强调小楷试帖,"太蹈虚饰"。他吁请这种考试即使不能"骤更"、"遽废",也有必要"另开洋务进取格"。李建议凡有海防的省份,都应设立"洋学局",慎重挑选西方教师和像在美国受过训练的合格的中国人,教授科学和技术(包括化学、电气和炮术)。高年级的学生再"试以事",并分派到兵工厂、造船厂,或充补防营员弁。而且,这样的人可以"照军务保举章程,奏奖升阶",并授以实缺,"与正途出身无异"。李鸿章预料这种新的人事政策将使中国 20 年内在武器制造方面得到相当可观的进步。

李鸿章极力主张在运输、采矿和制造等方面使用西方技术。他提请朝廷注意铁路在军事和商业上的价值,以及电报的军事价值。他指出英国向中国输出的纺织品每年多达 3,000 万两以上,危害中国手工业,建议中国人应自己建立机器操作的纺织厂。他特别强调开采矿山的机会——不仅开采煤、铁,而且还有铜、铅、汞和贵金属。李将这些资源不加开采比作"家有宝库,封锢不启,而坐愁饥寒"。他提议请外国地质学家到一些省份勘测矿藏,并且鼓励中国商人组织公司,用机器开矿;政府可以给予创办贷款帮助这些公司,然后每年酌提其利润的 10% 或 20%。李期望 10 年后矿山将获得十分显著的收益。他知道新的开矿计划将受到绅民以风水为理由以及恐惧矿工聚众生事的"无能官吏"的反对。李形容这样的反对是"不经之谈",因为西方国家和日本都在开采矿山:"刻下东西洋无不开矿之国,何以独无此病,且皆以此致富强耶?"

68　　　李鸿章这样提出了比他自己和其他国人在 1860 年代所提出的规模更大、意义更深远的自强计划。当然,问题在于这些计划是否能够部分或全部被接受。一些督抚和满族将军曾就总理衙门的原奏发表自己的意见,李鸿章从他们那里得到很少的帮助。所有上奏的人在新近台湾危机的刺激下,都同意海防必须加强。但是,在总理衙门看来,除了李鸿章和沈葆桢(他也强烈呼吁建立一支有外国制造铁甲舰的海军和开发矿山)外,没有一个人提出的建议切实有用。到了 1875 年 1 月初,总理衙门收到除李、沈外 12 名官员的答复。[72] 虽然 12 人全都赞同训练新式军队,但是只有一人提议绿营中特别孱弱的部队应予裁汰。有 6 人赞同组成一支有外国制造的铁甲舰的新海军,但是只有一两个人就它们的经费如何筹措提出有用的建议。12 人全都认为要在新疆作战,有两人特别雄辩地力陈俄国对陆上防线的威胁,提出了远比海防迫切的问题。有 4 人赞同对文武官员要破格擢用,以求才具出众,足供需要的人才,但是只有两人含混地提议西学应受到鼓励。4 人认识到矿山资源的重要性,但是只有一人(李兄瀚章)无保留地支持在矿山中使用机器。只有一人(湖南巡抚王文韶)同意总理衙门所拟海防军务应由一名大臣统帅,不过他建议由其遴选的提镇仍听有关各省督抚节制调度,与总署的建议有所不同。3人建议海防的指挥应在天津和南京两个大臣之间划分,有两人提名李鸿章担负北洋的监督责任。

当然,决定是由朝廷来作的。原定1月2日廷臣会议考虑此事,但是由于同治帝生病,并于12日去世,会议延期。1月末,李鸿章入京,慈禧太后召见3次。他还同文祥和李鸿藻商谈,力陈应派沈葆桢出任两江总督,这个职位因李宗羲生病而空缺,由刘坤一暂时署理。赫德当时通过他在伦敦的办事处得到英国制造炮舰的价目表,文祥安排他去天津同李鸿章商讨细节。[73]

李鸿章在北京时,亲自向朝廷力请对出兵新疆问题重新考虑;而且根据李的说法,朝中也有人赞成。[74]但是主要由于"祖宗已得之地,不可弃而弗图",朝廷按照原来的决定(早在1874年2月即已定议),鼓励左宗棠着手准备进军。3月10日,左受命制订包括供给线安排在内的出兵计划。5月3日,左被任命为负责新疆军事行动的钦差大臣。[75]这一收复西北远方的努力,势必削减拟议中的海防经费,虽然在1875年,左宗棠或朝廷在收复喀什噶尔和伊犁的冗长而艰巨的任务中,是否能真正坚持下去,仍然难以料定。

不过,朝廷并没有完全忽视海防。台湾事件仍记忆犹新,而1875年4月翻译马嘉理从缅甸进入云南被杀害,引起了英国威胁的可能性。朝廷愿意看到李鸿章居于协调沿海战备的位置。1875年5月30日,沈葆桢授两江总督和南洋通商大臣。与此同时,派李鸿章督办北洋海防,沈葆桢督办南洋海防,两人都承担起练军、设局(也许主要指兵工厂)、整顿税厘和海防所必需的其他任务的责任。同日上谕宣称:"海防关系紧要,亟宜未雨绸缪,以为自强之计。"朝廷虽然指出铁甲舰用费过巨,但是仍授权李、沈"先购一两只"。[76] 户部和总理衙门随后建议,从 1875 年 8 月起,每年拨出 400 万两海防用款,由两大臣开支,并且指定每年款项来自沿海口岸"四成洋税"和沿海沿江各省厘金收入。但是由于户部不愿放弃"四成洋税"中自己留存的那一部分(该部过去曾从这个来源中收到此款项),而且由于户部显然没有将海防置于比"四成洋税"其他钦准的要求更为优先的地位。李鸿章担心这项经费每年只有一小部分留给他和沈葆桢。况且他知道北京正筹集巨款(每年至少两三百万两)建造皇陵和宫殿园圃,在此压力和将收复新疆作为于优先考虑的情况下,沿海沿江也许只有一两个省的厘金收入有些剩余,而且它主要是各省为自身的财政需要而留下。李预见到拨付 400 万两在很大程度上只是名义上的,但他仍希望可以获得一小部分。[77]

可以预料,朝廷并没有听从李鸿章关于制度改革的建议。朝廷承认绿营军队的弱点,于 5 月 30 日下令所有与海防有关的督抚在一年内完成绿营各汛的重组和整顿,并对部队进行统一的训练,不过没有提及疲弱部队的裁汰。朝廷对于拟议的洋学局和为精通这方面学问的人在科举用人制度中新设一科,也不予考虑,原议考试内容的改革也就不提了。5 月 30 日上谕指出,这两项建议连同总理衙门关于派遣外交使节赴日本和西方的建议,已经转交礼亲王(世铎)和醇亲王(年幼新皇帝的父亲)。两位亲王虽然赞同后一想法,却没有对有关西学的建议表示意见。为了不说"不同意",朝廷就将这些建议的处理一直推迟到事实证明外交使团在国外成功之时! 在同一日颁布的另一份谕旨中,朝廷鼓励李鸿章和沈葆桢荐举精通洋务、包括适合担任驻外使节的人。没有一份谕旨提到李鸿章有关铁路、电报和纺织厂的建议,但是有一份授权李和沈着手他们在奏折中提到具体的开矿计划——开采直隶磁州和台湾的煤铁矿。[78]

这样,李鸿章提出的建议只有很少几项为朝廷所采纳,而且鉴于朝廷优先考虑收复新疆和它自己日益增加的财政需要,很难期望在海防和自强方面能有新的重大的起步。然而可以说,清朝政策中已经有了一个新的开始。中国没有能力同西方的兵工厂和造船厂竞争,它必须通过购买来获取西方制造的武器。在此后几年中,天津和各地纷纷订购雷明顿、士乃得、克虏伯和加特林的枪炮。[79] 早在 1875 年 4 月,在总理衙门的支持下,李鸿章通过赫德在伦敦的办事处向阿姆斯特朗公司订购 4 艘炮艇——两艘载重 330 吨,各配备一门 26.5 吨大炮,两艘载重 440 吨,各装配一门 38 吨大炮。只要有经费,便考虑订购更多的炮艇和一艘铁甲舰。1875–76 年间曾计划派出福州船政学堂毕业生去英国和法国。[80] 李鸿章和沈葆桢两人都将朝廷允准在直隶和台湾开矿,各地类似计划清廷一般给予允准。1875 年 5 月后一年内,李鸿章写信给湖北、江西、福建和山东各省巡抚,力劝他们用机器开矿。1875 年末在南北洋大臣和湖北巡抚赞同下,计划在湖北广济和兴国开采煤铁矿;1876 年江西开始了类似的工程,同一年直隶开平进行勘探。李鸿章和沈葆桢是年还考虑在上海设立一家棉纺织厂。[81]

使李鸿章特别快意的是,至少有两名思想接近的同僚,部分由于他的推荐,被安排在有影响力的地位上。沈葆桢于 1875 年 11 月抵达南京履新。9 月,丁日昌在李的推荐下被派任福州船政大臣,1876 年 1 月,他出任福建巡抚,兼辖台湾。[82] 在直隶,李鸿章提出具有长远意义的计划——派遣 5 名淮军青年军官去德国军事院校,进一步扩充天津机器局,设立一所与机器局制造水

71

雷的新厂相联系的西方科学学校。* [83] 沈葆桢和丁日昌在华南进行了类似的工作。1877 年初,福建船政学堂有 30 名学生派往欧洲。与此同时,沈葆桢除了在金陵机器局添设水雷厂、为江南制造局购置制造阿姆斯特朗式铁铸膛线炮(其中第一批于 1878 年制成)的机器外,还为加强这两个兵工厂做了大量的工作。金陵机器局设立了一所学校,在改进江南制造局的学校和翻译馆方面也作了努力。虽然发现设立纺织厂的计划并非立即可以实行,但 1876 年末沈葆桢从两江各省已筹划大量贷款给轮船招商局,使它得以从美商旗昌洋行购买 16 艘轮船,从而使它的舰队增加到 31 艘(22,168 净吨)。[84] 自从 1872 年曾国藩去世以来,李鸿章第一次在两江政府机构领导人中有了一个同盟者。

由此可见,李鸿章方面甚多的计划只有一小部分付诸实施。然而和同治初年自强运动开始时相比,它当然有了扩展。自强运动出于对具有战斗力的武器的渴求,加上对利用西方技术增加国家财富的渴求,在新的航运和开矿企业方面,开拓了另一个空间。建立一支以外国制造船舰装备的海军计划,反映了对中国新的船厂的能力予以现实主义的评价,和对战备迫切需要的意识。紧跟着派遣幼童留美之后派遣学生去欧洲,是对于技术人才需求的进一步认识。在高级官员中,像李鸿章这样呕欲看到科举制度和军事制度急剧改革的人,为数极少。但是在外国列强持续不断的压力下,李鸿章如此令人信服地鼓吹使国家达到"富强"的目标,如果说他并没有得到积极的支持,那至少也已赢得了广泛的接受。

---

* 即天津水师学堂,1880 年奏设。——译者

而且,自强运动因李鸿章在天津担任北洋大臣而有了一个身居战略地位的协调人。很明显,李的权力是有限度的,他只能使朝廷接受他的建议中很少的几项,而他所需要的财政和其他资源,却经常有赖于他管辖以外的省份。但是也许可以说,在1870年代,李鸿章至少得到了扩展他的努力尝试的良好机会。直隶和各地淮军有朝廷的支持,他关于兵工厂、出洋留学、商办轮船和开发矿山,以及新式海军的计划,都得到朝廷的允准。从1875年开始,由李鸿章荐举的沈葆桢和丁日昌,身居两江和福建的重要地位,连同其他各省抱着同情态度的官员,至少已有一个使自强运动可能成为整个帝国范围内努力的机会。如果"地方主义"意味着督抚在各省军事和厘金管理方面享有伸缩的余地,那么这种趋势从同治初年以来便已一直持续不断。但是朝廷对于帝国各地军队调动和岁入如何动用的权力从来是不容置疑的,北京至少在高层次上对各省官员的任命权并未消失。朝廷的支持仍然明白无误地是任何新政策施行的关键。在李鸿章关于政策和人事的建议得到朝廷允准的范围之内,他事实上代表了实现他所思考的全国迫切任务集中化的力量。

72

注 释:

[1] 我已于《儒家务实的爱国者:李鸿章事业的形成阶段,1823—1866年》中讨论李鸿章早期自强思想(见第2章)。

[2] 见斯坦利·斯佩克特:《李鸿章与淮军:19世纪中国地方主义的研究》(西雅图,1964)。

[3] 李鸿章:《李文忠公全集》,100册(南京,1905;以下作《李集》),奏稿,16:34,48,50。

[4] 1870年,刘铭传和郭松林得提督衔,而吴长庆为记名提督,周盛传为总兵。见《李集》,奏稿,17:6b—7,12;周盛传:《周武壮公遗书》,10册

(南京,1905),卷2下,1—9。

[5]《李集》,奏稿,17：8;21：30—31。

[6] 同上,奏稿,17：10。崇厚于1861年派为三口通商大臣时,谕旨特别指出,他未授"钦差"。然而,南洋通商大臣于1860 年代初已有"钦差"衔。李鸿章在天津的钦差大臣衙署,后来也常称为北洋通商大臣衙署。见《筹办夷务始末》,260 卷(北平,1930;以下作《始末》),咸丰朝,71：1b—2;同治朝,18：25b。

[7]《李集》,奏稿,18：76,19：83;朋僚函稿,12：26;13：3—4,6b—8,36b;15：16。

[8] 同上,奏稿,17：29b,18：76。

[9] 同上,奏稿,19：31b,20：46。朋僚函稿,11：12。关于直隶绿营的人数,见奏稿,20：39b。

[10] 同上,奏稿,卷17—26,尤其17：41—43;18：88—89,92—93; 19：5—6,20—21,40;20：10—11b,67;21：7—8,12—13,51—52;22：10—11,39—41,24：36。朋僚函稿,10：33;11：6b,13b—18,20b—23;12：2,9—10b;13：18。

[11] 同上,奏稿,17：10,14。

[12] 同上,译署函稿,1：32—33b;朋僚函稿,12：23b。

[13] 同上,译署函稿,1：2—8b,14—15b,17b—19,24b—25b;奏稿,18：57。

[14] 同上,译署函稿,1：3b—4,10—13,22—24b,28b—30,34—35,40—46,48b—50。奏稿,17：53—54b;18：11—13,28,36,42—52b;19：24,57—59;20：73—74b;21：18—19。参见蒋廷黻:《中日外交关系,1870—1894 年》,《中国社会及政治学报》,17(1933),4—16。

[15]《李集》,译署函稿,1：51—52;2：1—7,29b,31—33,34—35。奏稿,23：23—25b;25：24—25。

[16] 同上,译署函稿,1：35b—38;朋僚函稿,13：4,10b;马士:《中华帝国对外关系史》,3 卷(伦敦,1910—18),2.267。

[17]《李集》,译署函稿,2：34;亦见2：20,24,26b—29,30—31。

[18] 同上,译署函稿,2：35—40,51b—57。参见蒋廷黻:《中日关系》,16—34。

[19]《李集》,奏稿,17：10b。

73

[20]《李集》,奏稿,17 :50b; 21 :40—41。参见《始末》,同治朝,10 :16; 61 :22。

[21]《李集》,朋僚函稿,10 :30b, 34b, 35b; 11 :5b; 13 :14b。奏稿,17 : 50b; 18 :20, 66, 67b; 20 :36—37; 21 :40—41。

[22] 同上,奏稿,16 :42; 17 :1, 6b, 12b, 51; 20 :37; 23 :27b, 朋僚函稿, 11 :2b。周盛传:《周武壮公遗书》,卷首,32—40。

[23]《李集》,奏稿,17 :27b; 18 :23, 63。

[24]《东华续录》(台北重印, 1963),同治朝, 91 :53, 55—56, 61b, 62b; 92 :1。《李集》,朋僚函稿,11 :19, 22—25。

[25]《李集》,奏稿,19 :80—82b; 20 :16。朋僚函稿,12 :20, 23; 13 :31b。《东华续录》,同治朝,95 :37, 45。

[26]《李集》,奏稿,17 :7。朋僚函稿,10 :27b, 30b; 11 :7b, 12b—13, 23b。《东华续录》,同治朝,92 :7。

[27]《李集》,朋僚函稿,12 :12b—13, 24; 13 :7, 10b—11, 14b, 27b, 31b, 14 :2b。至 1875 年初,曾国藩两江总督的继任者为何璟(署, 1872 年 3 —11 月),张树声(署, 1872 年 11 月—1873 年 2 月),李宗羲(1873 年 2 月—1875 年 1 月)。

[28] 同上,译署函稿,2 :24b, 34b; 朋僚函稿,14 :6b—7, 9b;《东华续录》, 同治朝,98 :39b—40。

[29] 同上,奏稿,23 :28b; 朋僚函稿,14, 7b, 8, 11, 14b—15, 18b, 19b, 24, 31。

[30] 同上,朋僚函稿,14 :12—13, 16—18, 20b—23。

[31] 同上,奏稿,21 :30—31b; 25 :40—41b; 27 :16—17。

[32] 同上,朋僚函稿,14 :16b, 22。亦见13 :8。

[33] 同上,奏稿,23 :37—38; 朋僚函稿,14 :24b, 26。

[34] 同上,朋僚函稿,11 :10。见10 :22b, 25, 27b—28; 11 :6, 21, 27; 12 : 14; 13 :8。

[35] 同上,朋僚函稿,12 :3b, 14 :28b, 32。

[36] 孙毓棠编:《中国近代工业史资料》,第1辑, 1840—95年, 2册(北京, 1957),1.263;《李集》,奏稿,21 :31b;《洋务运动》,中国科学院近代史 研究所和中央档案馆明清档案部编,8 册(上海, 1961),4.127。

[37] 德米特里阿斯·C·鲍尔格:《马格里爵士传》(伦敦, 1908),148—50,

177;《北华捷报》，1867 年 8 月 16 日；魏允恭编：《江南制造局记》，11 卷（上海，1905），3 :2, 58；郭廷以等编：《海防档》（台北, 1957），丙、机器局，27—28, 41。

[38]《李集》，朋僚函稿，11 :7b, 23b; 13 :14b。亦见11 :6b, 27b。

[39] 同上，奏稿，17 :16—17, 36; 20 :12—15; 23 :19—22; 24 :16; 28 :1—4。

[40] 同上，朋僚函稿，10 :28; 11 :23b, 31b; 12 :3。《江南制造局记》，3 :2。

[41] 同上，朋僚函稿，13 :7, 11, 14; 14 :38b—39; 15 :13b。孙毓棠：《中国近代工业史资料》，1.294, 299；《江南制造局记》，5 :3b—4b。

[42] 鲍尔格：《马格里》，188, 198, 209, 212。《李集》，朋僚函稿，13 :11b, 27b; 14 :7a, 10。孙毓棠：《中国近代工业史资料》，1.327。

[43]《始末》，同治朝，84 :35；《李集》，奏稿，19 :44—49。

[44]《李集》，朋僚函稿，12 :21, 26b。

[45] 同上，朋僚函稿，12 :25b; 13 :2, 13, 28—29, 32b—33。

[46] 毕乃德：《中国最早的近代官办学校》（伊萨卡, 1961），156—76；《李集》，朋僚函稿，10 :34。

[47]《始末》，同治朝，25 :9—10b；《李集》，奏稿，24 :23b；朋僚函稿，15 :4。

[48]《李集》，朋僚函稿，10 :28。

[49] 同上，朋僚函稿，10 :32b, 11 :1b, 4b, 7b, 11; 12 :3。译署函稿，1 :19b—22。奏稿，19 :7—10。《始末》，同治朝，82, 46b—52。

[50]《始末》，同治朝，86 :13—14b。徐润：《徐愚斋自叙年谱》（1927年序），17—23。《李集》，朋僚函稿，12 :15, 17b; 13 :12; 14 :1b, 8b—9; 15 :12。《洋务运动》，2.165。

[51]《李集》，译署函稿，1 :22；朋僚函稿，1 :22; 11 :12, 31b; 13 :6b, 7, 28, 30; 14 :31, 38b; 15 :14b, 16b。

[52] 同上，朋僚函稿，13 :28b, 32b—33。

[53]《海防档》，丙，3—5。《李集》，奏稿，8 :30—31; 9 :67—68。

[54]《李集》，朋僚函稿，11 :22, 30b; 12 :1b—2, 9, 22b; 31 :15b, 17b—18, 22；奏稿，22 :9—18。

[55]《海防档》，甲、购买船炮，903—910。《李集》，朋僚函稿，11 :31b; 12 :2b, 4, 9b。

[56]《海防档》，甲，910—923；《李集》，译署函稿，1 :38—40；奏稿，20 :32—33b。

[57]《李集》,朋僚函稿,12 :31, 34b。亦见12 :36b。

[58] 同上,朋僚函稿,12 :28b—29, 30b。

[59]《海防档》,甲, 925;交通部、铁道部编:《交通史航政篇》,6册(南京,约1930),1.142。

[60] 徐润:《徐愚斋自叙年谱》,18。《李集》,朋僚函稿,13 :13b, 23—24;14 :1b—2。刘广京:《中英轮船航运竞争,1873—1885年》,载C·D·考万编:《中国与日本的经济发展》(伦敦, 1964), 55—58。

[61]《李集》,译署函稿,1 :40;奏稿, 20 :33b。

[62]《始末》,同治朝, 55 :15b—16;毕乃德:《1867—1868年秘密通讯: 中国主要政治家关于中国进一步向西方势力开放的看法》,《现代历史杂志》,22(1950), 132;《李集》,奏稿, 19 :49b—50。

[63]《李集》,朋僚函稿,12 :21, 26b。

[64] 同上,朋僚函稿,14 :30b, 34b; 15 :14b。 埃尔斯沃思·C·卡尔森:《开平煤矿, 1877—1912年》(麻省坎布里奇, 1957), 7。

[65]《李集》,朋僚函稿,13 :21b; 14 :2, 19, 30b。《洋务运动》, 7.70。马士:《中华帝国对外关系史》, 2.263。

[66]《始末》,同治朝, 98 :19—21, 40—42。

[67]《李集》,奏稿, 24 :10—25。亦见24 :26—28;朋僚函稿,15 :12—15b。

[68]《李集》,朋僚函稿,14 :32;译署函稿,2 :57b—59。

[69] 同上,朋僚函稿,3 :16b—17; 5 :28b, 32, 34—35。奏稿, 7 :29; 17 :12。

[70] 见C·约翰·斯坦利:《晚清财政: 革新家胡光墉》(麻省坎布里奇, 1961), 81—84。

[71]《李集》,奏稿, 12 :26; 13 :2; 14 :32; 15 :2b, 6b—7。亦见14 :38; 15 :17。

[72]《始末》,同治朝, 98 :31—100 :44。

[73]《李集》,朋僚函稿,14 :34, 38b—39; 15 :1b。《东华续录》,同治朝, 100 :47—48。

[74]《李集》,朋僚函稿,15 :2b。足以令人惊异的是,在天津教案引起危机时,力主采取好战立场的醇亲王,同意李关于新疆的意见。见16 :17。

[75]《李集》,朋僚函稿,15 :2, 10b;《清季外交史料》, 243卷(北平, 1932—35),光绪朝, 1 :4—5;《东华续录》,同治朝, 98 :30, 32;光绪朝, 1 :35。参见徐中约:《中国海防与塞防政策的大争论, 1874年》,《哈佛亚

75

洲研究杂志》，25(1965)，217—27；朱文长：《左宗棠在收复新疆中的作用》，《清华学报》，新 1.3, 136—45。

[76] 《东华续录》，光绪朝，1 :33, 56—57。

[77] 《李集》，朋僚函稿，15, 19b, 20b, 21b, 22b, 26b, 30b—31, 33b—35。译署函稿，3 :18; 5 :40。

[78] 《东华续录》，光绪朝，1 :56—57。据李鸿章所述，廷臣会议讨论海防建议时，文祥同情倾向李关于洋学局、铁路、电报、开矿等建议，但是有两个中国官员强烈谴责它们，其他人在会上不置可否。《李集》，朋僚函稿，17 :13。

[79] 赫德在一封日期署为1875年10月25日的致汉南信中，论及中国购买外国武器和台湾以近代技术开采煤矿所作的安排："天津附近各处和其他许多地方炮台林立，官员们的谈话都喜欢用那中国人的口吐出'克虏伯'一词的悦耳音节。……水雷是无足轻重的玩物，正如一尊80 吨大炮所造成的惊奇，令人诧异的是千吨轮船还没有替中国人设计出来，像洋针和洋火那样大量成箱地运来！这个巨人真的醒过来了，但是什么时候才能叫他们打呵欠和擦眼睛呢！"引自马士：《中华帝国对外关系史》，2.263。亦见《李集》，译署函稿，3 :17—19; 周盛传：《周武壮公遗书》，卷首，40b。

[80] 《李集》，译署函稿，3 :6—14, 16; 4 :26; 5 :40b; 6 :28—29b; 朋僚函稿，15 :21b, 31, 33b, 36; 16 :3, 12, 14b, 21b—22, 26b—27。斯坦利·F·赖特：《赫德与中国海关》(贝尔法斯特，1950)，469—74。

[81] 《李集》，朋僚函稿，15 :14, 16, 22, 24, 27b, 29b—30, 31, 36; 16 :3b, 20。《洋务运动》，7.103—106, 113。

[82] 《李集》，朋僚函稿，15 :29, 30b, 33, 35; 奏稿，29 :1—2;《东华续录》，光绪朝，1 :115, 140。

[83] 《李集》，朋僚函稿，16 :12。译署函稿，4 :39。奏稿，28 :1—4; 33 :25—29。

[84] 《李集》，朋僚函稿，15 :35—36b; 16 :1b; 35b, 7—9, 14b, 22, 24, 31b, 34b—36。译署函稿，6 :37b—38。沈葆桢：《沈文肃公政书》，8 卷(1880)，卷 6—7。孙毓棠：《中国近代工业史资料》，1.282, 299—300, 317—319, 328。《洋务运动》，4.37—41。刘广京：《中英轮船竞争》，60。

第 三 编

扮演全国性官员角色的
李鸿章

4

李鸿章与沈葆桢：近代化的政治

庞百腾

政治涉及的是权力，是对人力和物力资源的权力运用，以及获
取、开发和利用这些资源的次序和重点。在 19 世纪下半叶清朝中国的背景下，政治至少在一定程度上需要为维护面临国内动乱和西方与日本帝国主义威胁的皇朝选择一个合适的解决办法。关于变革的必要性、变革的方向，以及导致这一变革的资源掌握和利用的问题，是当时的中心议题。

开端

在 1850 年代中期开始几十年间，即通称"清代中兴"的时期，[1] 这些问题可以通过考察两个政治人物的关系作有益的研究。一个是李鸿章，另一个是沈葆桢。彼此出生相距 3 年，分别为 1823 年和 1820 年，两人早年生涯表面上具有某些相似之处。他们同于 1847 年中进士；李名列第三十九，沈第四十二名。两人同入翰林院进一步学习（庶吉士），于第三年（1850 年）底以优异成绩考试散馆，改授翰林院编修。

他们在不同但却相似的地位上当了几年京官以后，在事业

上分道扬镳。这主要是因为李鸿章的家乡安徽省当时受到叛军的严重威胁。1853 年,李奉旨随父回本省对付捻军和太平军。他很快成为团练的组织者。而另一方面,沈葆桢却得以继续他的官僚事业。他于 1854 年出任江南道监察御史,负责江苏和安徽两省。[2]

因此,李鸿章从 50 年代初开始跻身于显赫地位,主要是由于督办团练和 1858 年后充当曾国藩的私人助手所取得的成功。曾是他在北京求学时的老师和父执,从这时起,成为他的庇护人和朋友。在此期间,沈葆桢虽然也于 1856 年初在曾营幕任事,尽管为时短暂而且是非正式的,但是他主要以一名地方官员——先是知府(1856 年初),然后是道台(1857—59 年)——而声誉日隆。他在组织地方防务方面突出的业绩毋庸粉饰,但必须强调的是,他在这时的名望是建立在作为一个行政官员的扎扎实实的表现上的。总之,李鸿章和沈葆桢两人在各自的职责上都有出类拔萃的表现。两人都于 1862 年初受任巡抚,他们的才干因而受到了充分的注意:李成为重要的省份江苏的巡抚,沈成为江西巡抚。其时李 39 岁,沈 42 岁。[3]

直到这时,李沈之间关系很好。两人毕竟是会试同年,而且更为重要的是,同出一位座师(孙锵鸣)门下。[4] 在清朝,考试发榜之后,考生和考官预计都会建立一种师生关系。[5] 作为同一座师的门生,沈和李完全能够建立起牢固的关系。另一方面,同年的关系还可以大加渲染。19 世纪中叶的历史充满着这些士大夫的矛盾,但是只要有共同的利益,同年关系便具有极大的重要性。

在 50 年代和 60 年代初,将沈葆桢和李鸿章联系在一起的,不是别人,而是他们的共同庇护人曾国藩。虽然他们并未同时在曾手下工作,但是他们都肯定分享了曾的门生中存在的

esprit de corps。* 正是这一点和彼此的同年关系, 使他们于 1858 年在一起作过一次竟夕长谈, 当时李前往看望他的母亲和长兄瀚章, 途中停留在沈任道台的广信(江西东北部)。[6] 也正由于这种关系, 他们在需要时往往会互相照顾彼此的利益。例如, 李于 1860 年对曾国藩惩处一名被太平军击溃的部属严厉表示异议。据传曾为此想去李, 推荐他外放沈的家乡福建道台。正在此时, 沈自请辞官住在福州, 侍奉年迈双亲, 并办理团练, 他写信给李, 劝他不要接受这个任命。正如沈所指出, 福建政治情况令人压抑, 像李这样天资高的人在那里不会有什么前途。[7] 不论这一传闻是否属实, 曾和李不久便消除了分歧, 这为李升为淮军领袖和江苏巡抚, 开通了道路。[8] 正如前已述及, 沈大约也在同时出任江西巡抚。

两个巡抚

从 1862 年初到 1865 年春 3 年间, 沈葆桢再次辞官回到福州, 这一次是因母丧丁忧, 在这期间他和李鸿章的关系可以从几种角度察看。首先, 两人之间几乎没有直接的公务往来。他们的关系毋宁说是围绕着他们同曾国藩的个人联系, 曾是太平天国战争最后阶段中无可争议的主要人物。虽然李和沈两人都是凭自己的力量成为有权势的官员, 但是两人的擢升都要归功于两江(江苏、安徽和江西)总督曾国藩仍旧是他们的上级, 这却是不容忽视的事实。他们从地理上和战略上构成了曾国藩设在皖南军营的侧翼, 承担了非常明确而不同的任务。李的任务是在这个大部分为叛军占领的省份从东面守卫关键性的城市上海, 并且

81

---

* *esprit de corps*, 法语, 团结精神、集体荣誉感。——译者

从这个城市调拨资源到曾的大本营。沈的工作是在西南维护江西的安全,这个省虽然不断受到太平军威胁的侵袭,但是却充当了曾国藩军费的主要来源,并且起着保卫他招募新兵的基地和他的家乡湖南省的作用。[9]沈和李在履行他们的任务时,必须同曾国藩打交道,这远远超过了他们彼此间的联系。

但是在这一个三角关系中,沈葆桢和李鸿章并不是居于同等的地位。首先,在 1862 年初,沈虽仍丁忧守制,却在全国享有高得多的声望。他不仅是林则徐的女婿,而且在他现任巡抚的那个省,表现出一个才干超凡、富于献身精神的地方官员的内在气质。由于他勇敢坚毅,并且于 1856 年愿意牺牲自己的生命拯救广信府,他成了文学上的传奇人物。*他于 1859—61 年第一次自请辞官时,不仅胡林翼和曾国藩及其助手(包括李鸿章),而且还有像文祥(户部左侍郎)和宋晋(工部右侍郎)这样著名的京官,都一再劝他重新积极投身事业。但沈一直推辞,直到 1861 年末才同意到安庆曾国藩处工作,附带条件是每年允许他省亲一次。他在赴曾营途中,接到指派江西巡抚的谕旨。[10]对于一个居官从未高于道台的人说来,这一委派是官僚阶梯上的一个重大的跳跃。

相反地,在出任巡抚之前,李鸿章从未担任过省内官员。无疑,他是以作为安徽团练领袖,并且从 1858 年起作为曾国藩的助手而享有盛名——曾特别看重他制订政策和起草奏折,但是他却没有被证实的地方行政官员的成绩记录。曾国藩即使指示

82

---

* 1856 年夏,沈葆桢在广信知府任上外出河口劝谕军民捐输军饷,太平军杨辅清部攻迫广信,城中守军逃散,沈妻林敬纫(普晴)以血书向玉山县求援,沈从河口驰归,夫妇矢志共守孤城,在士大夫中一时传诵,林纾有文记述其事。——译者

他招募一支淮军,也不想让他独自担负防守上海的责任,他将这个任务留给他的弟弟曾国荃。只是在曾国荃辞受这个任命之后——他的眼睛盯住令人垂涎的美差:攻陷南京,李的任务才有了升级。这个指派仍然不属地区性的委任。因此,当曾国藩于1862年1月推荐他和沈葆桢为巡抚时,朝廷很快就派沈去江西,但是3个多月后才决定李的任命。[11]

然而有一次沈葆桢和曾国藩的关系,以及李鸿章同曾的关系开始发生变化,最后也改变了沈和李之间的关系。如前指出,曾国藩作出将沈安在江西、将李安排在江苏的举措时,心中曾有明确的目的。这两个新的巡抚职位将从不同方面给他帮助,尤其财政上的帮助。他们的成功程度如何,自然要影响到他们同曾的关系,而且也可能影响他们相互的关系。在这个进程中,个人的、政治的以及思想的因素全都在起作用。

上面的分析已经表明,考虑到李鸿章在1862年初以前的经历,与沈葆桢相比,他受任巡抚更令人惊异。因此,尽管曾国藩最初并不情愿给他充分的权力(为了更好地维护其弟曾国荃的利益),李鸿章还是更加直接而且深切感激曾国藩对他的提拔。我们可以推测,多少倾向于寻求儒学以外的思想权威,并在公务中,比起自我道德修养更多地考虑霸术的李鸿章,[12] 会让此事左右他的巡抚行为。如果我们关于他深感受惠于曾国藩的推测属实,那么可以预料他会乐于使自己无论何时只要有可能就会满足曾的需求。事实也确是如此。作为军事资金的供应者,李不辜负曾的期望。上海诚然是一个富庶的商业城市,可征收到大量的关税和厘金,但是它并非取之不竭的源泉。随着李自己的军事行动扩展,曾对于金钱的需求也在激增。虽然他不得不时时对李施加压力,但是最后总能如愿以偿,而李即使冒着被上海士绅和上层人士敌视或北京方面弹劾的危险,也总是愿意帮忙。[13]李同时很谨慎,不使他的战役过于扩大,以免从根本上妨碍曾的兄弟独自攻占南京的强烈欲望。[14]虽然我们此时对李作出判断也许太快,然而看来当上巡抚的李鸿章比当私人助手的李鸿章更加顺从曾国藩的要求,我们当能想起,李作私人助手时,曾经有一次强烈反对曾弹劾一名部属,而暂时离职。现在正如他所解释,"凡办大事,要顺人心,成否利钝,何敢计较?"[15]

相反地,沈葆桢并未这样深深感激曾国藩。他于1856年初在曾营幕任事时间短暂。他于是年中成为赣北一名地方官员时,虽然军事方面行动继续在曾统率之下,他首要的却是要对他所在省的当局负责。根据这样的排列,曾国藩对他和他事业的影响就减弱了。同时,沈的忠心也不可避免地要一分为二,他开始感到必须为两个上级效劳的压力。然而,由于沈作为一名引人瞩目的地方官员声誉日隆,以及他所管辖地区的战略重要性增强,曾要派沈更大的用处。因此,沈葆桢于1857年中出任道台一年以后,便受任负责为正向太平天国首都南京艰难进军的曾国藩部队供应军需。[16]沈能够满足曾的大部分要求,但这样做引起了他的江西上级不快。1859年中,沈葆桢因他唯一幸存的兄弟去世,不得不辞官回乡养亲,才终于摆脱了这个日益难以立脚的职位。[17]

如果环境使他当时摆脱了一个难以应付的境地,他在巡抚任职期间(1862—65年),仍然未能避免类似的尴尬处境。正如他所了解,作为巡抚,他的首要责任是确保一省的安全。一个治理良好的省份自然是以最有把握的方法恢复社会秩序,防止那种造成太平之乱的不满。一个从速善后的计划还将带来更多的储备力量,能够既用于守卫本省,又为曾国藩作战筹措资金。[18]这些正是曾国藩所衷心赞许的目的。事实上,正是曾国藩,为了抑制贪污,并且增加江西对他的军事行动的财政捐输,于 1861 年在该省开始实施减税方案。[19]他荐举沈出任巡抚也正是出于这样的考虑。作为一名热诚的儒家行政官员,沈可以受托一省之责;作为一个从前的私人助手和门生,沈还可以受到期许,对他的财政需要采取更同情的态度。

沈葆桢在许多方面的确没有辜负曾国藩的期望。他对官府进行清洗,查出贪污和不称职的官员,惩处肆虐的士绅,提升政府中有才干的人,并且关心普通老百姓的疾苦。[20]他优化曾国藩的减税方案,使其更为灵活可行,并且以全省集中预算的制度支持这个方案,从而没有一个机构因税收改革的结果而造成资金不足。1865 年继沈担任巡抚的刘坤一称赞这个方案"诚为官民两便"。[21]十多年后,即 1878 年,一个保守思想的拥护者黄体芳称赞曾、沈两人的税收政策,除了有其他好处之外,还减少了官员贪污。他说,这两个官员"皆近日所称公忠体国、通达治体者也"。[22] *

减轻税负将使士绅对军事战役、尤其曾国藩的作战,作更多的捐输,这正是沈葆桢和曾国藩的希望。但是他们成功到怎样的程度难以断定。不论新增捐输多少,它们总是主要(如果不是全部的话)用于团练,也许还用于沈在 1862 年末和 1863 年初勉力招募的几千名勇兵。不过就能够确定的而言,几乎没有拨付曾国藩。[23]

事实上,随着岁月推移,江西给予曾营的财政援助日益减少,越来越多的收入留作本省防卫和善后之用。曾国藩无法再履行他最初保证守卫江西这一事实,在一定程度上使江西必须改变它先前答应给曾恢复若干财力援助的做法。由于曾要竭力

84

---

　　* 引文据光绪壬寅(1902 年)上海久敬斋石印本《道咸同光四朝奏议》,26∶8a。——译者

攻下南京,他的部队离开过远。也许在这场争执中更为重要的因素是沈葆桢认识到最为重要的是让他保留更多的资金供江西省内使用。正如他所主张,良好的政府在于最有效地防止动乱,军事镇压仅仅是治标。[24] 曾接受了这个前提,但是从军事的紧迫性考虑,却不准备承认它逻辑上的推论。关于江西财力支付的争论发生了,而且于 1863 年下半年达到白热化的程度。有过许多激烈的交锋,曾严责沈居官不当,而且不替他的庇护人和同事着想。[25]

争执引起许多人不安,他们担心沈曾破裂会严重削弱皇朝的事业。[26] 一个是朋友,另一个是恩师,李鸿章当然不愿意看到两人之间争吵不息。似乎为了突出他是一个知己的同事,他写信给江西布政使、沈的主要助手李桓说,矛盾产生,只不过是为了两人都肯任事,难乎其下。[27] 他对沈葆桢说,两人都同样有责任:曾过于负气,而沈不无过激之谈。但是李鸿章感到自己受惠于曾国藩,提醒沈葆桢曾的"殷勤保护"。[28] 然后李转对曾国藩说,他认为沈最近决定辞官,是由于两人关系破裂,劝曾"续行修好,海量包容",说服沈留下来。他认为,帝国如此迫切需要有才干的领袖之时,不应当答应后者离开任所。[29]

人们能够模糊地察觉到李鸿章身上的尴尬感觉。只要曾国藩和沈葆桢两人拒绝彼此通信,李鸿章即使有机会也很难同沈一起工作。两人关系冷漠至少持续到 1860 年代末。[30] 然而,从长远看,妨碍沈李彼此更加接近,还由于他们工作的地区和性质。从李的情况来说,组织一支新的军队实际上是任命他为巡抚的一个条件。在备受战争蹂躏的江苏,他的职责主要在于军事方面。随着他的军事行动扩展,他的淮军大约发展到 7 万人。李显然不是一个全神贯注于内政管理的一般的巡抚。

85 这使我们从第二个角度去考察李鸿章和沈葆桢之间的关

系: 他们对立的世界观和不同的工作环境所产生的相互影响。真正使李鸿章在 1860 年代初成为一名非凡领袖的, 是他把握局势的能力。在首次提议派他到上海之前, 他就已认识到这个城市是打败太平军的要冲之一。他于 1862 年初最终向上海出发时乘坐轮船, 他是第一个乘坐轮船远行的高级官员。正如他所说, 这是"用夷变夏"。[31] 虽然这只是指他放弃传统的运输方式而赞成轮船, 但是这一简短的陈述就已预示他对建设一个更为强大的中国的新态度。[32]

李鸿章一到上海, 就很快学习并采用"夷法"。由外国雇佣军官指挥和训练、使用西方武器的中外联合的防卫部队常胜军, 这时已经存在。李鸿章和这支部分现代化的军队一起作战, 对它的装备和纪律印象很深, 承认他深以中国武器不如人为耻。正如他所指出, "若驻上海久, 而不能资取洋人长技, 咎悔多矣"。他因此戒谕将士虚心忍辱学习。[33] 6 个月内, 他的军队中有 1,000 人已经配备西方枪炮, 并且接受训练使用。不及一年, 中国第一支野战炮队组成。李的部队很快成为中国最现代化的部队, 1863 年他建立了 3 家小兵工厂, 一家由英国陆军的医生马格里领导, 另外两家完全由中国人经营管理。这些兵工厂是江南制造局的先驱。[34]

对比之下, 沈葆桢专注于江西省的内政管理。他的军事活动主要在于整顿已有的部队, 而不是创建新军队。在江西省的外国人, 性质上同李鸿章所在省见到的非常不同。新开的条约口岸九江贸易有限, 那里征收关税总额, 到 1864 年不及江西全省收入的 5%。[35] 江西对外关系的处理, 限于解决小纠纷, 取缔走私, 以及削弱带侵略性的传教士及其信徒的势力。[36]

沈葆桢受他的反英老师(林昌彝)、岳父林则徐, 以及像魏源这样经世学者的影响, [37] 为中国国际地位日益恶化而忧虑。中

国于 1860 年败于英法联军, 对他印象深刻。[38] 他希望严格履行
条约, 以制止外国进一步侵略, 便完全不足为奇。但是沈并不盲
目排外。例如, 他会毫不犹豫地使用一艘轮船作江上巡缉。这
艘轮船是从一个违反贸易规定的美国商人没收得来, 船上有从
上海雇来的西方船长和轮机手各一名。[39] 出于漕运的目的, 他
原则上既不反对轮船, 也不反对雇聘外国水手, 只要船只为中国
人所有, 并且水手置于中国人控制之下。[40] 但是, 他在接触西方
新发明的最初阶段, 基本上将电报和铁路看成是对中国行政和
领土完整的威胁。[41] 然而他不得不看到中国人为了自己的利益
而利用这些外国设施的可能性。在此同时, 经常受到外国人要
求引进这些新的交通工具压力的李鸿章, 已经开始鼓吹中国人
应当架设自己的电报线, 迎接挑战, 如果这种压力是无法抗拒的
话。[42] 李的看法在 1865 年是最先进的。不过两年以后, 沈葆桢
也开始相信铁路和电报线的用处。只要民间反对可以平息的
话, 他现在也准备允许外国架设的电报线。[43] 但是沈真正改变
看法, 只是在他离开江西, 负责帝国第一家正式的造船机构福州
船政局以后。他由是变得更加熟悉西方技术。

　　总的说来, 在沈葆桢巡抚任上, 外国人在江西引起的麻烦多
于带来的好处。但是李鸿章和沈葆桢对待西方的截然不同的观
点, 并不能完全用环境不同解释, 它在很大程度上还归结于他们
关于政府和政治的看法。正如前所指出, 李对权力有更为现代
的、然而未必是卓越的了解。他也更乐意倾向于商人社
会。[44] 在他看来, "自强"意味着军事和经济力量强大。而沈葆
桢关于政府的目的, 却有一个更受儒家影响的、更加关注道德的
看法, 认为政府应保证国家的经济利益和人民的生活("国计民
生"), 这两方面都要得到充分关注。[45] 这实质上是按照儒家的
最高准则, 恢复社会结构和道德品质。因此, "自强"必须从"自

治"开始。这包括改革自皇帝以下清代体制的行政管理实践和
组织结构两个方面。沈葆桢认为,只有这样,中国人才能够办好
"洋务",采用西方思想和技术,达到真正的"自强"。[46] 因此,即
使李和沈关于西方技术的看法开始互相靠拢,两人之间仍然存
在哲学上的基本分歧。

兵工厂和造船厂年代的李鸿章和沈葆桢

在 1866 年,曾国藩和李鸿章是仅有两个拥有由其支配的兵工厂
的人。因为只要他们在两江总督任上,他们便能对江南制造局
作有力的控制,与别省的官员和中央政府相比,这种控制增强了
他们的政治权力。这种对近代国防工业实质上的垄断,很快就
被左宗棠于 1866 年中设立一家近代造船厂的提议所打破。

李鸿章最初并不反对中国建造以蒸汽为动力的战舰。1864
年,在左宗棠首先采取行动创建造船厂前近两年,李鸿章便已主
张为了防止西方未来侵凌,中国人必须努力赶上西方,并且制造
轮船。他说:"先制夹板火轮,次及巨炮兵船,然后水路可恃。"他
谴责中国士大夫没有醒悟。[47] 然而 1872 年在左宗棠的福州船
政局已经开工 6 年,并且面临财政空前困难之际,他声称他一贯
反对建立造船厂的想法。正如他写信给曾国藩所说:

> 兴造轮船、兵船,实自强之一策,唯中国政体,官与民、
> 内与外,均难合一,虑其始必不能善于后。是以鸿章于同治
> 四五年创议铁厂,时左公已先议造船,鄙意未敢附和,但主
> 仿造枪炮军火,谓自我发而收之也。即不备于水,而尚有备
> 于陆也。[48]

李鸿章接着说,在财力和时间都具备的理想条件下,中国人可以

居于在陆上和海上与西方争胜百年的地位。但是在财力短缺、人们又急于求成的情况下,造船政策的设想有欠周详。

李鸿章在1866年究竟是反对近代造船工业本身,还是仅仅反对这一工业为他的政治对手所掌握,这是难以得出答案的。必须指出,他和曾国藩当时仍在致力于镇压长江以北的叛军。如果考虑到他当时的需要,他赞成军事工业,便可以理解。而且由于他数年来已将精力和财力投于陆上部队的武器生产,继续维持并且扩充军事工业,对他是自然发展的结果。然而左宗棠的情况却不同。到1866年,他身居闽浙总督,已经平抚南方沿海各省的叛乱;用近代武器装备陆上部队,看来不太迫切。左可以展望并且思考未来——来自海上的威胁。左在太平天国年代,正处于事业成功的巅峰,他认为自己已有权力和威望顺利实现雄心勃勃的海军计划。他以巨大的自信心于1866年着手创建福州船政局。[49]

尽管李鸿章和左宗棠对1860年代中期形势可能有不同的理解,而个人的竞争也许更加深了彼此的分歧。李仍然忠于他的庇护人曾国藩,而左却与曾失和。[50]因此,他们探寻帝国国防近代化的途径不同,既有环境和观念上的原因,也有政治和私人的理由。创建船厂,除了为左宗棠带来其他好处外,还在叛乱平定以后给了他一个权力的基地。当左于1866年末奉派到西北处理回民叛乱时,他挑选沈葆桢作为他主持福州船政局的继任人。沈曾在1860年代初同太平军作战中和左密切合作,而且,如前指出,那时他也同曾国藩关系疏远。两人除了为相似的理由而愤愤不平外,左还对沈的岳父林则徐深怀敬意。[51]两人之间的联系至少从表面上看是牢固的。无怪乎人们已在议论帝国的主要官僚已经分裂,结党成派,彼此对抗了。[52]

然而,主要从个人或派系对立竞争去看自强运动的历史,会

使人产生误解。这个运动所有的主要领导人物在他们私人嫌隙
开始恶化彼此之间的关系很久之前,就已完全深信从事"洋务"
的必要。更为重要的是,人们往往忽视这个时期地方领袖的典
型人物李鸿章并不是而且也不可能孤立地关心自己的权力。他
在政治上十分精明,知道自己的权力有赖于整个洋务企业的继
续存在。因此,在沈葆桢出任福州船政大臣以后不久,他写给这
时已被认为是左宗棠的被保护人沈葆桢一封相当热情的信,询
问船政局的发展情况。他还写了几句劝告的话:

> 人虑成船之难,弟尤虑将来驾驶得用之难也。中土创
> 始之难,更虑守成推广之难也。[53]

这是几句诚挚的话。它们出自一个承认自己不赞成造船厂想法
的人,透露了真情。李鸿章然后表示,在捻军平靖之后,他愿意
向福州船政局要一艘轮船。

沈葆桢同曾国藩争吵以及后来同左宗棠关系密切的情况,
为身历太平天国时期的官员所熟知。李鸿章知道这一点。那
么,他的这封信是否试图说服沈回到他和曾国藩的阵营中来
呢? 他是否亟欲沈站在他一边,以致准备改变他对造船的看法
呢?

如果李鸿章意在力争沈葆桢离开左宗棠,那么,他是失败
了。我对有关福州船厂历史的研究表明,沈同左宗棠的关系仍
然很密切。直至 1876 年,两人之间互相支持之处很多。不管怎
样,李并没有真正改变他关于造船的看法。对他的态度的真正
考验是在 1872 年,那时造船的努力正受到打击。

到 1871 年下半年,福州船政局由于船只维修费用开始超过
预算限度,差额日益增大,正经历着一个财政困难时期。[54] 为了
减轻财政负担,朝廷谕令沿海各省海上巡缉用福州船只。但是

89

各省反应沉默。[55] 先前曾向沈葆桢表示愿意得到福州炮船的李鸿章,也迟疑不决。李只是在对包括江南制造局在内的整个造船努力受到异议时,才最后向福州船政局伸出援救之手。

1872 年初,福州船政局为造船计划已用去预算的 300 万两,但是计划中的 16 艘船只仅建成 6 艘。内阁学士宋晋利用福州船厂财政困难情况,批评它和江南制造局糜费太重,而所造轮船质量窳劣。他建议两个机构停闭,将它们的轮船借给商人,以其收益作修理和维持之用。[56] 宋晋的指责引发了 1872 年大半年一直持续的一场争论。

在此之前,李鸿章已指出福州船政局耗费巨大。现在宋晋上奏后,他立即写信给他的密友、福建巡抚王凯泰,提出他所设想的解决福州船厂问题的办法。他说,如果继续造船,有可能通过利用船只运输漕粮,或者将它们出售或出租给商人,为船厂筹措资金。但是考虑到船只装载容量过小,商人未必愿意响应。他们也会怀疑中国水手的航海技术。李鸿章因此准备赞成停办。他指出,唯一的困难是福州船厂同外国工程师立有契约,但是他认为可以通过重新谈判将契约的期限提前。[57] 他暗示停止江南制造局的造船计划,不会造成这样的复杂问题。

李鸿章出于能够在政治上站稳脚跟的考虑,现在强化了他早先反对将中国有限经费用于轮船建造的态度。他部分地迎合了宋晋的要求。1872 年 4 月初,文煜对宋晋指责的回奏上呈到朝廷时,造船努力的前景更加岌岌可危。文煜是满族福州将军,掌握闽海关税拨付福州船厂的资金。不过这个满洲将军对于中饱私囊的兴趣至少不亚于将关税拨付公共事业。船厂对资金的需求难以阻挡,威胁到他的利益,他也赞成紧缩用费,将近代造船所雇聘的外国技术人员尽早遣送返国,这便不足为奇了。[58] 撇开他的动机不说,文煜还是恭亲王长子的岳父,他的话是相当有份量的。[59]

　　然而,环境阻止了李鸿章推行他反对轮船的政策。因为在文煜奏折提出之前,曾国藩已在为江南和闽局造船努力作强有力的辩护。他尽管承认中国所造船只耗款浩大,成船未精,然而他坚持造船政策的目标——加强中国国防——根本上是无懈可击的。他认识到眼前的财政问题,建议原由他帮助设立的江南制造局添造货轮,让商人在有利的条件下租用。曾国藩应允在上奏之前对此作进一步研究。他的允诺并没有实现——他于3月12日去世,但是他清楚地表明了自己的态度。[60]

　　曾国藩的立场,李鸿章是很清楚的。曾最初为江南制造局购置的机器,很多便是为了制造轮船。而且,李鸿章考虑到同这位位高资深的政治家的关系,不得不更加慎重从事。如前所指出,李列举政治上的理由,证明自己对造船持保留的态度是正当的。他指出,一位总督(吴棠)已从福州去职,另一位(英桂)正因船厂困难而请假。丁忧中的沈葆桢现在也在考虑辞任。与此同时,福建巡抚王凯泰一再就如何维持船厂的问题向李请教。总之,福州船政局引起许多政治上的意外之事,而如李鸿章所看到,帝国的官员对于自己的前程比对皇朝的命运更加关心。因此,"即易疆吏百而所见则一",同样的困难仍然存在。李于是指出,中国人才和物力两方面都缺乏,彼此造成使对方更加恶化的影响。相反地,日本有自上而下的坚强领导和自下而上的并力支持,结果是"财与才日生而不穷"。因此,只要中国没有一个一致的目的,艰巨复杂的造船事业便只会继续引起政治纷争。于是李鸿章用解释的语气向他从前的庇护人表示自己对江南造船的努力缺乏热情的歉仄之意。但是他承认曾国藩在中国造船努力中所起开拓者的作用,劝曾坚持自己的看法。他然后以考虑中国商人在轮船商品化中能够同政府合作的途径,结束自己的论述。[61]

　　李鸿章模棱两可的态度和文煜批评性的奏折,使总理衙门陷于尴尬的境地。在这样的情况下,它决定展开讨论,指示李鸿章、沈葆桢和左宗棠"酌议具奏"。*[62] 总理衙门充分了解后两人积极参与海军发展,而且也许意识到李鸿章不大会公开批评,它的这一动作是挽救造船计划的一次强大的努力。

　　左宗棠和沈葆桢两人都及时作出了反应。毋需说,左给予福州船厂无保留的支持。他的详细论点在此与我们无关。[63] 沈的奏折更为有力。[64] 他以呼吁参加讨论的人要有爱国情感开始他的奏折。他说,自强之道与好大喜功不同,也不是扩大主义意图的表现。它的目的在于保卫中华帝国及其人民。因此,《南京条约》以后,水陆各营未雨绸缪继续战备,是完全明智的。他当然无法否认中国所造船只不及西方,但是他争辩说,西方造船草创伊始,也曾进展不大。西方国家只是在发展几十年后才最后取得制造优良轮船的能力。即使如此,它们仍然继续互相学习,吸收最新的技术发展成果。因此,对中国人说来,海军发展经过一个漫长的过程,是无法避免的。

　　沈葆桢然后列举福州船政局许多新的设备说明费用过大的理由,这些设备之所以必须添置,是由于船厂系首创,法国监督无法预见其数量而计算不准确所致。如果船厂现在停办,已有的船只便无处修理;如果辞退欧洲人员,则必须筹画七八十万两作为停聘和遣散的费用,这并非省费的办法。除此之外,如果中国人随意将合同中止,将来便不能再取信于外国人。

---

　　*　按系军机大臣密寄:"著李鸿章、左宗棠、沈葆桢通盘筹划,……悉心酌议具奏。"(同治十一年二月三十日[1872年4月7日])见《洋务运动》,4.109。——译者

最后,沈葆桢坚决驳斥了关于欧洲人离开之前便将用费削减的意见。他坚持,即使在欧洲人离开后,他们的薪水款项也应用于派遣学生出国深造,而不应用于他途。沈不是在压力之下退却,相反地却力主一个更加广泛的近代化计划。他利用这个机会,反复申述他先前提出的设立算学科以取代过时的传统武试的建议,他和一些先进的中国官员都认为算学是西方科学的基础。[65]此外,为了以目前分拨各省的福州船厂船只创建一支真正的海军部队,他提出按月筹解新款 500 两,将这些船只调回福州,定期校阅。

面对左宗棠和沈葆桢强有力的奏折,李鸿章现在感到不得不修正他的立场,至少应当公开作这样表示。[66]他在奏折中争辩说,中国为了自卫,必须向西方学习制造枪炮轮船。但是西方目前陆军和海军的成就是经过一百多年取得的。中国若能假以时日,也能够取得相似的成绩。这正是曾国藩和左宗棠开始他们的造船计划时心中的目标,他们充分意识到他们事业的艰巨性。不过,生产增加最后将导致成本降低,这是西式生产的原理。李声称,江南的经验说明了这一点。他为此吁请中央政府对福州船厂的政策要有更大的灵活性和耐心。

李鸿章在为福州船厂作出这样吁请后,回到了更加是他自己的真正立场:中国如果将财力投于发展陆上部队和防守港口的小铁甲船,就将更有成功的机会。然而不能听任列强在海上肆意驰骋,因此,必须通过裁撤过时的水师战船,探寻支持福州船厂制造更多炮船的途径。至于江南和闽局的负责官员,也应当修改他们的政策。江南另造商轮的计划已在起步。李鸿章建议福州船政局也应采取类似的政策,在商船和兵船之间作出抉择。[67]

李鸿章的解决办法是造船工业的批评者与反对者同它坚定

92

的支持者之间的一种折衷的办法,这些支持者偶尔也承认制造若干商用船只的必要性。[68] 但是经过几个月来向友人和同僚征询意见,并且面对着左宗棠和沈葆桢的措词强烈的奏折,李鸿章才很不情愿地对造船工业伸出援救之手。此外,由宋晋引发的这场争论,也提出了结束军事工业的可能性问题,这威胁到他的权力的主要来源。李当然不准备为了反对造船计划而牺牲这一工业。正如我在多处提出,李为建造轮船辩护,主要是出于政治上的动机,而不是他的信念的一种表现。[69]

这场论争清楚地表明,李鸿章如果也支持别人的洋务努力,即使这种洋务事业是由他的政治对手左宗棠所创建,他自己对军事工业的兴趣便会更好地持续下去。不问动机如何,他对福州船政局的公开支持,尤其他表示为其新设立的航运企业轮船招商局订购福州船厂 3 艘船只,使他同沈葆桢的关系进一步密切。虽然他同时不得不提醒沈葆桢,招商局正在初创时期,无力吸收福州船厂更多的货轮,[70] 但是两人之间更大的合作基础有了扩展。

巩固这一新的合作关系的机会于 1874 年出现,当时日本借口惩处 3 年前当地土著杀害海上失事的琉球人,出兵侵略台湾。台湾危机中,北京朝廷根据李鸿章的建议,谕令沈葆桢佯作例行巡缉,用少数船只追踪日本人的行动。[71] 不久,沈便被授予钦差办理台湾等处海防兼理各国事务大臣。所有福建文武官员自总兵和道台以下,以及从江苏到广东各省轮船,都受他节制。[72] 沈依靠这些力量的支持,从李鸿章的江南制造局征召两艘船只。[73] 李自己然后又交给沈他的淮军 6,500 人(13 营),开赴台湾。[74] 此外,还由天津机器局运送炮弹、金陵机器局运送枪炮和火箭到台湾,津局和宁局都在李的影响之下。与此同时,沈葆桢还力图打破省界,充分利用中国近代防务财力,并且为他的军队购置雷明顿式来复枪,他解释说,因为江南制造局正在制造枪炮用的弹药,并且有能力修理这些枪炮。[75]

　　如果认为李鸿章和沈葆桢只是在危机时期才合作,那是会引人误解的。他们的关系也不能仅从彼此直接往来作考察。实际上,将他们的关系放在关于防务近代化的看法和利益日益一致的背景下审视,才能有更好的了解。

　　我们已经述及他们关于电报的看法。到 1874 年,沈葆桢十分急切地想看到电报线设立,他怂恿李鸿章在直隶着手架设电报线,李有着沈所没有的地方权力。以下是他的理由:

> 　　由津而沪而粤,洋人均有电报,而我无之。外国消息外国知之,而中国不知,犹之可也;中国消息外国知之,而中国不知,可乎哉?[76]

因此,当日本于 1874 年中侵犯台湾、中国显然迫切需要电报时,当沈葆桢被授予地方权力时,他便采取步骤架设福州至台湾的电报线。

　　从 1860 年代下半期起,李鸿章和沈葆桢两人都要求实行许多改善中国国际地位的改革。从两人在日本侵台后 1874—75 年政策大辩论时提出的建议中,可以最清楚地看到他们看法的一致性。

　　本文的篇幅不允许对他们的看法加以详细比较;我们在这里将注意点主要集中在他们一致性的程度上。首先,李鸿章现在承认应当更加注意海军发展,即使他仍然感到陆军和沿海防务更为重要。在答复丁日昌关于三洋水师的建议——北洋、东洋和南洋各有自己的统领,并各配备 16 艘炮船和大型战船时,李鸿章给予有力的支持,主张清帝国至少应有 48 艘船只服役。[78]更令人感兴趣的是他对铁甲舰的新态度:他现在同意沈葆桢关于这些装有铁甲的船只为有效的防务所必需的意见，并且建议立即为拟议中的三洋水师订购 6 艘这样的战船。至于小型战船，李建议向西方购置若干，其余可以由江南制造局和福州船政局制造。

其次，沈葆桢关于军事近代化的建议包含有许多李鸿章心中十分重视的成分。[79] 他强调训练指挥作战的军官以及将近代武器的使用同西法训练结合起来的重要性。此外，他相信必须组成用 10 吨以上重炮装配的炮队，使军队得到加强。如果我们回想一下李鸿章是中国野战炮队之父，便可以认识到这最后一项建议政治上的重要意义。沈葆桢当然拥护很大程度上仍在李鸿章影响下的中国军事工业继续近代化。

最后，李鸿章和沈葆桢在以下几个方面意见十分一致：关于可以称之为近代化精英的培养；考试制度的近代化；撤消腐朽的传统陆营和水师，或缩小其规模；通过发展机械化采矿等以创造资金支持近代化企业。沈葆桢在奏折中对应予表扬者就给予表扬。他因而在派送福州船政学堂毕业生赴欧洲深造的建议中，引述了曾国藩和李鸿章派送青少年留学美国的成绩。

然而，李鸿章和沈葆桢之间仍然有基本上的不同，这些不同可以追溯到他们的哲学观和政治经历。例如，沈从来不曾容忍李鸿章以国内种植鸦片合法化作为增加收入的手段的建议。他也不会赞同李鸿章在寻求富强中给予商人一定程度的自由。更为重要的是，沈继续将防务近代化看作是清朝国家政策方针* 的一个组成部分。如果清政府自身运作无理性、无效率，而且具有破坏性，那么便无成功可言。成功的"洋务"只有随同有

---

* 国家政策方针，原文为 polity，亦含国体、政体、政府等义。——译者

效的国内改革才能实现。他因此强调政府精简,预算集中,六部管理专业化,甚至对皇帝的再教育。*[80] 虽然他和李鸿章两人都要使传统的精英分子教育近代化,并且希望有更坚强的帝国领导,但是李鸿章很不赞成用内部行政管理机构和做法去干预官僚政治。

然而,两人之间意见一致的地方毕竟很多。虽然其他一些省的官员也具有他们的某些先进思想,却没有一个人在广度上和深度上能够同他们的改革建议相比拟。正如总理衙门所指出,沈和李的奏折最为切实可行。[81] 就李鸿章而言,他看到沈葆桢的见解同他如此一致,写信赞扬沈的构想卓越的建议。[82] 这为下一阶段的两人合作,奠定了基础。

两个总督

毋需说明,如果沿海各省通力合作,中国的海防将更有成效。但是自 1872 年 3 月曾国藩去世后,李鸿章在南方的对手——两江总督——调动频繁,以防止两个地区之间别有意图的合作。居于两江总督职位的人并不都对李的防务近代化思想持同情的态度,这种情况使问题复杂化了。因此,当 1874 年晚些时候为了海防而设立三洋水师的建议问世时,李鸿章提名沈葆桢和丁日昌负责东洋和南洋水师。李经常注意到在促进防务近代化方面

95

---

* “对皇帝的再教育”(reeducation of the emperor),沈葆桢原奏称“圣学”,奏文云:“臣窃谓宜以《春秋左氏传》及司马光之《资治通鉴》、朱子之《通鉴纲目》等书,日与侍从诸臣指事类情,循其是非之道,以深究其治乱之原,则于人之贤否,事之得失,举无所容其壅蔽,而中外观听喁喁向风矣。”见《筹办夷务始末》,同治朝,53:26。——译者

同别省当局接触中的困难,他希望能够在新的计划下直接同沈和丁共事。[83]

然而,当 1875 年 1 月中两江总督空缺时,李鸿章便很快改变了他的打算。他此时极力活动,争取沈葆桢出任南京的职位,[84] 这个职位将给予他友好的同事地方权力和对帝国南方一半防务体系的指挥权。1875 年 5 月 30 日,指定沈葆桢为两江总督和南洋通商大臣的谕旨下达时,他无比高兴。南洋大臣还负有从江苏到广东的海防责任。[85]

李鸿章巧妙地设法任命沈葆桢的魄力和成功,常常被人们引证作为一方面地方主义发展、另一方面李的权力崛起的迹象。[86] 过分估量个人因素,显然是十分危险的。李沈之间的关系虽然一般是友好的,但是一直到 1874 年台湾危机中他们密切合作之前,并不是特别牢固。沈不能说成是李的人。正如李自己所承认,沈"究不失为光明俊伟之君子",不过他"于不顺手之事,肝气褊急,或有议其不能和衷者"。[87] 如果沈能够像他在1860 年代初期那样,向曾国藩的权威挑战的话,那么他也不会俯首听命于李鸿章。另一方面,李鸿章承认沈在福州船政局的经验对于帝国将大有裨益,沈承担海防的职责,将与李互为补充。[88] 为了有机会在南京得到一位可以信赖的伙伴,李鸿章准备妥善处理同这样一个政治上有主见的倔强的人的关系。

沈葆桢在海军发展方面表现出意想不到的赞同态度。根据1875 年政策大辩论的结果,每年拨付 400 万两作海防专款,这一笔款项分给李和沈两人。渴望看到北方有一支相当规模的舰队早日建成的沈葆桢,立即将自己那一部分海防经费拨给李鸿章,只要这笔钱是用于创建这样一支舰队。根据沈的意见,这支舰队至少应包括 2 艘铁甲船、6 艘 250 匹马力的快艇和 10 艘 80匹马力的炮船。[89] 考虑到创建一支这样规模的舰队需费浩大,沈实际上将他的海防专款份额交给李鸿章好几年。

沈葆桢的宽宏慷慨,能不能说是对李鸿章为他出任总督所作努力的报偿呢? 可以得到的证据表明并非如此。首先,虽然李的政治手腕确曾使沈受任南京的职位,但是沈在 1860 年代初就以一名成绩卓著的巡抚而树立起这样的声誉,以致人们早在 1867 年就认为他是一个合适的总督人选。[90] 李鸿章的努力只是在一个特定的时机导致一项特定的任命上,具有历史上的重要性而已。

其次,沈葆桢真心诚意渴望看到在李鸿章领导下一支独立的有战斗力的舰队尽快发展。他放弃申请海防专款时,认识到这笔款项来自许多省份和不同来源(厘金和关税),不会如数拨解。如果这些不足额的专款还要在他和李鸿章之间匀分,那么,他们各自建立一支有战斗力的舰队,就需时太久。

果如所料,李鸿章在最初 4 个月只收到预期应收这笔专款的 15%,在随后各个时期,收到此款仍然在这样低的水平上。许多省不是说他们微小的收入已被调拨过度,便是说他们所能花费的一点收入必须用于地方防务。沈葆桢为这种情况感到苦恼,便提出与李鸿章联衔会疏,要求户部抑止各省对海防专款的进一步侵用。这份奏折结果没有写成,因为李鸿章认为这样做"徒烦笔墨,似觉无谓"。[91]

虽然海防专款已拨交李鸿章,沈葆桢仍然继续极力维护这笔款项。因此,他于 1876 年强烈反对左宗棠要他代借洋债 1,000 万两作为西征费用。左试图通过沈葆桢、而不是通过他的经常代理人胡光墉举债,因为沈在台湾危机期间曾计划举借类似的债款。[92] 不仅如此,沈和李鸿章不同,不曾对他的西征提出批评。如果沈以他新的权力为左洽谈借款,李鸿章等人的反对便能够受到制约。最后,在左看来,他曾经是沈的保护人,而

96

且在 1870 年代初有一次还牺牲自己重要的军费支持福州船政局。现在的确正是沈回报他的恩义的时候。

沈葆桢反对举债,因而使左宗棠完全惊讶。他的辩解理由毋需在此细述。只须指出下面这一点就够了,沈葆桢一直坚持这样的立场,即外债并非收入的真正来源,只有因发展计划,例如为了未来创利而开发台湾,而不是因军事战役,才应举借外债。[93]任何大笔债款分期偿还,都将牵制国家微薄的财力,尤其牵制海防专款主要来源的关税,这也是不言自明的事实。

左宗棠赢得了胜利。朝廷准许他所需款项有一半向外国银行借贷。另一半出自国内来源,包括指拨作为海防专款的关税一半 200 万两。[94]因此,拨作海防专款的收入跌到了新的最低点。

关于借债问题的意见不一致,造成了沈葆桢和左宗棠之间无可弥补的裂痕,左立即责备沈以 1860 年代初对待曾国藩的做法对待他。左这一次断言沈联合李鸿章一起对付他。[95]将目前的破裂同先前一次的破裂加以对比,会引人误解,因为沈现在不是在维护他本省的利益,而是在维护整个海防努力所需的经费。更为重要的是,海防专款在此时是由李鸿章、而不是由沈经管。

事实上,沈葆桢甚至违背李鸿章的意愿,继续极力维护海防专款。从 1877 年秋起,李受到越来越大的压力,要他拨付部分海防专款接济受到旱灾的山西、河南和直隶诸省。沈立即提醒他不要屈服于这种压力,牺牲中国的安全。他写信给李说:"必为我公一日之悔"。[96]尽管如此,李在以后数月,还是从专款中拨出 70 万两济赈。[97]

关于中国海军发展应采取的方向问题,沈葆桢和李鸿章看法也不一致。如前指出,沈有一个先在北洋、后在南洋早日建立一支大型舰队的宏伟计划。在整个 1870 年代中期,他一直坚持购置铁甲舰,使中国有一支足以在公海对付日本人的海军力量。而李鸿章却赞成沿海防务的近代化。他为此曾用海防专款购置并维持 4 艘阿姆斯特朗蚊船。考虑到海防专款数额很小,李的态度当然更为现实。可是沈对于李的发展海军的态度却感到失望。[98]

正在这时,国际阵线更趋紧张。除了日本在琉球和朝鲜的推进政策和西班牙在南方的威胁(关于一次旧日海上失事事件和苦力贸易)外,还有马嘉理事件和吴淞铁路所引起的麻烦。南方防务必须撑住。完成沈葆桢前任(李宗羲)在台湾危机中开始的长江口设防,成为刻不容缓的事。由于这个项目的经费严重不足,沈葆桢于 1878 年初决定,向李鸿章收回海防专款中的南洋份额。[99]

李鸿章并没有反对沈葆桢的要求,因为他已经同意将部分海防专款用于建设由丁日昌提出而且为他和沈葆桢所赞同的台湾防务。[100] 因此,将部分款项移用于长江下游地区,并不等于大量削减李的海防专款份额。李鸿章将专款的一半拨还沈葆桢,也许希望较不易遭保守派攻击的沈葆桢能够更好地经管好这笔款项,不致被进一步侵用。但是,由于 1878 年北方各省旱情恶化,即使是沈葆桢,也无法顶住喜欢挑剔的清议派发言人日益强烈的要求,他不得不将他的专款份额拨出一半,用于赈灾。[101]

总的说来,在沈葆桢整个任期中,用于南洋防务近代化的经费一直很少。他不得不作出让步,只限于较小规模的任务:丁日昌关于台湾的项目和长江口的设防。到 1877 年,他准备仿效李鸿章,设法获得几艘比他所设想"相当规模"的舰队船只小得多的蚊船。李同意为他订购 4 艘这样的船只。沈从福州船政学堂

98

毕业生中挑选船长,以准备它们到来。但是当更为新颖、经济而且威力更大的炮船于 1879 年 11 月驶抵时,却被送往天津李鸿章那里。李借口旧的蚊船使用年限已届,必须在江南制造局维修,决定这些旧船维修完竣,留在南洋供沈使用。沈生前没有见到这些炮船。他于 1879 年 12 月去世,临终仍在吁请购置铁甲舰。[102]

海防专款处理虽然是同李鸿章、沈葆桢有关的最为重要的存在问题,但是还有许多其他问题也需要他们给予关注。有限的篇幅只允许对另一事例——江南制造局的管理——加以讨论,不过李鸿章控制和影响下的其他兵工厂也将涉及。

尽管李鸿章于 1870 年调往直隶,江南制造局仍在他控制之下。但是由于两地相隔,他的控制并不是绝对的。1875 年中海防计划的开展,也增加了一个新的范围,因为它使南洋大臣沈葆桢控制了南方所有兵工厂和防务事业,虽然北洋大臣和南洋大臣都被认为有必要在所有有关防务的事宜上合作。[103] 李鸿章考虑到这一新的安排,在 1875 年末沈上任不久,便要求他对江南制造局给予支持。[104]

李鸿章的请求表明是完全不必要的。沈葆桢在到南京前很久,就已注意江南制造局的发展。这部分由于江南和福州船政局常常一并成为保守派攻击的目标。更重要的是沈葆桢看到它是必不可少的近代武器供应者。在台湾危机期间,除向李鸿章的天津和金陵机器局购买枪支弹药,他也从江南制造局购得数千支雷明顿式来复枪。因此,沈受命为两江总督后,积极关注江南制造局事务。他于 1875 年 11 月和 1876 年 5 月两次视察它的管理和产品情况。他要添置在长江巡缉的炮船时,首先找到江南厂。只有在江南无法供应合适的船只时,他才去找福州船政局。1878 年,他以激昂的措词为江南辩护,不让它的部分收入在压力下被移作济赈之用。[105]

沈葆桢在一定程度上对江南制造局内部管理有某种影响力。他在将江南船只组编成队和提高操练方面起主要的作用。为了试图组成一支全帝国规模的海军,他推动全国各地的船舰作定期校阅,从而将江南船队并入一支更大的海军部队中去。由于经费缺乏和其他各省不愿派更多的船只前来,在沈负责下这样的检阅只举行一次。省与省之间的嫉妒进一步破坏了这种做法的效果。[106]

由于保守派的批评,沈葆桢还试图使江南财政管理合理化。1878 年,他为江南引进了双年会计制度。1874 年 4 月冯焌光去世后,关于江南总办的人选问题,他也听取了李鸿章的意见。[107]不幸的是,沈葆桢在此事上的影响程度如何,我们尚无所知。

整个 1870 年代,沈葆桢关心帝国兵工厂发展的总方向,其中最重要的兵工厂大都在李鸿章控制或影响之下。沈为获取或制造武器的方式无计划和不协调尤其感到苦恼。在 1874 年政策辩论中,他要求主要兵工厂之间必须专业化和协调一致,1878年他和李鸿章又再次提出这个要求,然而并无结果。由于经费短缺,许多已在使用的轻武器无法更换。因而各兵工厂尽管打算试造新式的枪炮,但仍不得不继续生产已过时枪炮用的弹药和零配件。省与省之间的对立和在购买外国武器中的利益竞争,使问题进一步复杂化。沈葆桢和李鸿章关于购买武器采用集中制度的努力毫无结果。专业化和协调一致因此仍然是没有实现的愿望。

总而言之,李鸿章和沈葆桢尽管在许多问题上有分歧,但是就兵工厂来说,他们基本上是一致的。许多迹象表明,沈将兵工厂看成是中国防务努力的一个组成部分,而非李的所有。在

1879 年沈去世以后,李和南洋大臣之间关系恶化,损害了对防
务的努力。

结束语

李鸿章是一个精明的政治家。同沈葆桢相比,他在大多数的情
况下更加务实、更加现实。沈不论关于内政管理还是防务近代
化的看法,都更为坚定不移,甚至达到执拗的程度。他对于铁甲
舰的鼓吹几乎着迷。他们在太平天国时期不同的经历,加深了
他们对于治理国家的观点和态度的分歧。李鸿章由于他的军事
领袖的背景——它要求当场处理紧急问题,必须灵活应变,宁可
忽视原则问题,以适应自己所不喜欢的人和意见。沈葆桢则相
反,他的升擢主要由于扎扎实实的内政管理。他从经典的儒家
道德主义的立场处理政务的倾向,使他在不同思想信念的官员
中处于有利的地位,并且影响到他参与防务近代化以后公务上
的行为。他以铁腕管理福州船政局,用严格的纪律准则约束他
的下属。同李鸿章相比,他极不能容忍反对或偏离正道的人,而
且很难同他们共事。

100　　　然而,面对中国在新的国际环境中日益衰落,沈葆桢能够作
自我调整,以适应时代的需要。他同李鸿章尽管态度有所不同,
一般说两人还是合作得很好。的确,两人之间的分歧远远超过
以上所说。他们对于 1876 年福州船政学堂毕业生的留欧教育
团领导人的看法不一致,对于次年吴淞铁路的处置意见相
左。[108] 关于对外关系,诸如涉及日本对琉球的问题,他们持相
反的意见。但是有关进行中的事业,意见不一致却保留到最小
的程度。他们关于海防专款的管理和兵工厂方面的合作努力,
便是代表性的例子。

建设一个更强大的中国的要求,使李鸿章和沈葆桢走到一起,而用于海防近代化的财力匮乏,又使他们非互相支持不可。对于不充足的经费相互颉顽的需求,意味着他们必须携手合作,保护他们已有的微薄经费,他们不仅要反对保守派、既得利益者、朝廷,以及不愿改变现有国家开支先后次序的中央政府,而且还要反对考虑到成本的批评者,甚至像左宗棠这样手边有着不同的但是同样迫切项目的鼓吹洋务的同道。

然而必须强调,这种合作程度既不深,范围也不广。清朝政治体制和政府思想方式两方面都阻碍那意味着宗派主义的官僚联合。因此,为了中国的发展而共同策划或实施一项宏伟的计划,对于李鸿章和沈葆桢,在政治上都不是可行的。于是每项近代化的任务不得不由这两个官员各自临时权宜地去完成。他们所能企望的只是有一个更强大的中央或帝国的领导。没有比1874—75年的政策论争可以更清楚地看出这一情况,那时李和沈两人分别提出了范围广泛的改革。但是他们关于未来发展的计划却被朝廷加以重大调整。由于这个原因,一个更加迅速而系统的中国防务近代化的宝贵机会,便这样被白白地糟蹋了。

在1860年代中期以后两人的伙伴关系中,李鸿章无疑更有权力。但是如吴淞铁路的处理,李鸿章并不是一直居于优势。有时李的政策被采用,仅仅是环境使然。例如,资金短缺显然使李鸿章购买蚊船的想法比沈葆桢连续不断呼吁购置昂贵的铁甲舰更为合理。李鸿章虽然并非在所有问题上都居于优势,但是他的影响力的确在1870年代后期扩展到南方。他有一批追随他的近代化管理人员,因而能够将他们安置在南方关键的位置上,甚至是福州船政局主管的位置。不过必须指出,也有相反方向的人事流动。但是这个过程是渐进的:随着沈葆桢领导下受过训练的新的海军军官人数增加,他们开始占据江南制造局和

101 北方的船只上位置,这种趋势在沈去世后仍在继续。[109] 在江南制造局内,沈葆桢也能够发挥一定影响,在江南及其船队推行他自己一套管理方式和海军组织。李鸿章即使在他自己的"地盘"上,也没有独享权力。

梁启超曾经断言,1870 年以来中国的一切重大的发展都同李鸿章有关。[110] 李鸿章无疑是一个有力的重要人物,但是不恰当地强调他的作用,不论赞扬与否,都易于掩盖而非揭示 19 世纪下半叶清朝政治的实质。例如,对李鸿章作过分强调,已造成这样的印象,即李毫不留情地追逐权力,他的成功导致中央控制权力衰落。这一通常称为地方主义的现象,因而被认为在晚清十分普遍,它不但造成皇朝的崩溃,而且造成清帝国以后中国政府四分五裂。[111] 地方主义也许是观察 19 世纪中国历史的一个令人感兴趣的概念。但是即使李鸿章这个所谓地方领袖的典型人物,他的权力也是受到高度约束的。尽管有梁启超这样的断言,但是近代中国的历史要比一个人的历史丰富得多。

本文并非论证李鸿章是一个自我谦退的政治家,远远不是这样。但是本文指出他的权力的局限性,保守的死硬派(例如清议派)的力量,以及他必须依靠像沈葆桢这样同僚的支持——沈并没有兴趣塑造一个更伟大的李鸿章。联系本文上下文看,沈葆桢的兴趣在于加强中国防务,并且实现它的近代化。为了这个目的,他同李鸿章既有合作,又有争执。他也对李的影响力起过作用,这是非主要的。

注　释:

102 [1] 自从芮玛丽开创性的研究以来,一些历史学家已考虑皇朝的中兴在同治朝(1862—74 年)之前 1850 年代中期就已开始。例如,刘广京强调新的军事组织"勇营"的出现,将中兴提前到1854年。我着重于从叛军手中收复地区的善后情况,把它定为稍后一两年。中兴持续到同治朝很久以后。将皇朝的"中兴"称为"同治中兴",会使人误解。芮玛丽:《中国保守主义的最后立场:同治中兴,1862—1874年》第2次印刷(斯坦福,1962)和有新序的修订版(纽约,1965);刘广京:《清代的中兴》,载费正清编:《剑桥中国史》,卷10,晚清,1800—1911年,上篇(剑桥,1978),409—90;庞百腾:《变易的词汇:1860年代和1870年代改良派思想》,载庞百腾、冯兆基编:《理想与现实:近代中国社会与政治变革,1860—1949年》,第2次印刷(兰亨,1988),25—61。

[2] 恒慕义:《清代名人传略》,2卷(华盛顿,1943),1.464,2.642;李守孔:《李鸿章传》(台北,1978),4—5;清史编纂委员会编:《清史》(台北,1961),6.4756,4769。

[3] 李守孔:《李鸿章》,5—42;《清史》,6.4756—4769;《闽侯县志》(福州,1933),93 :6—7。

[4] 李鸿章:《李文忠公全集》,吴汝纶编(南京,1905,以下作《李集》),朋僚函稿,5 :37。

[5] 林崇墉:《林则徐传》(台北,1967),42。

[6] 王尔敏:《淮军志》(台北,1967),43;李守孔:《李鸿章》,15。

[7] 此事根据郭嵩焘的记述,其准确性有争议。这个受曾国藩处罚的军官是李元度,他几年来和沈共同负责防守江西东北部浙赣地带。彼此钦慕使沈的次子娶李的三女为妻。同上,29;沈瑜庆:《涛园集》,206—207,214—15。

[8] 1861年,上海商人和两江各省到上海避难的殷富士绅对太平军的威胁日益惶惶不安。他们派代表向曾国藩求助。曾原来计划派其弟国荃防守上海城,并且调拨若干财饷支持他自己作战。李鸿章的作用是在他的家乡安徽招募军队增援。但是曾国荃由于希望指挥自己的部队直取南京,建立攻克太平天国京城的首功,而不愿援沪。李鸿章因而改派上海。王尔敏:《淮军志》,47—67;李守孔:《李鸿章》,29—42。

[9] 庞百腾:《太平叛乱最后几年(1860—1864年)江西省收入与军事支出》,《亚洲研究杂志》,26.1(1966年11月),49—51;王尔敏:《淮军志》,58—62;李守孔:《李鸿章》,31—33。

[10] 庞百腾:《从沈葆桢(1820—1879年)事业所见中国近代化与政治》,伦

敦大学博士论文,1969,见 56—59;《八贤手札》(上海,1935),9。

[11] 曾国藩:《曾文正公全集》(1888年版),奏稿,15 :1—2;李守孔:《李鸿章》,40—42;郭廷以编:《中国近代史事日志》(台北,1963),1 :387,395。根据王尔敏的意见,在湘军和淮军之间,曾国藩自然偏袒前者,只让李鸿章在他原来的计划中扮演次要的角色。王尔敏:《淮军志》,59—67。

[12] 李国祁:《同治年间李鸿章的应变图新思想》,提交台北中央研究院第二届国际汉学会议论文,1986 年 12 月 29—31 日,1—6。

[13] 王尔敏:《淮军志》,239—49。

[14] 李守孔:《李鸿章》,105—10。

[15] 《李集》,朋僚函稿,1 :8b。

[16] 曾国藩:《曾文正公全集》(台北,1952,以下作《曾集》),Ⅲ,奏稿,291。

[17] 庞百腾:《近代化与政治》,54—55。

[18] 沈葆桢:《沈文肃公政书》,吴元炳编(苏州,1880,以下作《沈书》),1 :1b—2, 3, 9—10。

[19] 夏鼐:《太平天国前后长江各省之田赋问题》,《清华学报》,10.2(1935年 4 月),409—74(重印载《中国近代史论丛》,第 2 辑,第 2 册,台北,1958)。除另有说明外,有关江西征税改革的资料据重印本,146,165,171—81。

[20] 沈的内政管理例子,见《沈书》,1 :41—42, 52—53b, 55—56, 89a—b, 2 :27—29b, 38—41b, 54。

[21] 《筹办夷务始末》(北平,1930—32,以下作《始末》),同治朝,41 :47b。

[22] 《道咸同光四朝奏议》(台北,1970),8.3503—3504。关于退还一些非法强征的情况,见夏鼐:《太平天国》,200。

[23] 有关这一段和下段的资料,见庞百腾:《江西省收入与军事支出》,有关各页。

[24] 《沈书》,1 :52b。

[25] 黄浚:《花随人圣庵摭忆全编》,许晏骈、苏同炳合编(香港,1979),55—56;《曾集》,Ⅳ,奏稿,634—36。

[26] 《沈书》,2 :72a—b;《清史》,6.4834—35。

[27] 李鸿章致李桓,1863年3月15日,《李集》,朋僚函稿,3 :7。

[28] 《李集》,朋僚函稿,6:12b—13b。

[29] 李致曾,1865年4月4日,《李集》,朋僚函稿,6:14。

[30] 两人甚或迟至1867年中仍拒绝通信。曾国藩:《曾国藩未刊信稿》,江世荣编(北京,1959),376。

[31] 《李集》,朋僚函稿,1:9b。

[32] 李国祁:《同治年间》,17—19。

[33] 《李集》,朋僚函稿,2:46b—47b。

[34] 王尔敏:《淮军志》,90—98;司马富:《外国训练与中国自强:凤凰山情况,1864—1873年》,《现代亚洲研究》,10.2(1976),195—223;康念德:《江南制造局的武器:中国军事工业的近代化,1860—1895年》(博耳德,1978),34—57。

[35] 布列登·迪安:《中国与英国:商务关系的外交,1860—1864年》(麻省坎布里奇,1974),101—102;庞百腾:《江西省收入与军事支出》,56—57。

[36] 柯文:《中国与基督教:传教运动与中国排外主义的发展》(麻省坎布里奇,1963),88—104,200。

[37] 庞百腾:《近代化与政治》,18—20;林崇墉:《林敬纫与乞援血书》,《中央研究院近代史研究所集刊》,7(1978年6月),289。

[38] 葛士浚编:《皇朝经世文续编》(上海,1888),101:14b—15;沈珂:《先文肃公政书续编》(无出版处,1889),67—68。此书未编页码。页码系指我的手抄本。我感谢台北沈祖馨先生惠允使用此稿本。

[39] 郭廷以等编:《中美关系史资料》,同治朝(南港,1968),101—103;中央研究院近代史研究所编:《海防档》(台北,1957),甲、购买船炮,709—25。

[40] 《沈书》,1:24—26。

[41] 《海防档》,丁、电线,10。

[42] 同上,6—20。

[43] 《始末》,同治朝,53:5;55:13—14。

[44] 李国祁:《同治年间》,5—6;《始末》,同治朝,2:36。

[45] 《沈书》,1:24—26。沈葆桢对于使用轮船还提出其他若干反对理由,不在我们现在讨论之列:九江和天津缺乏储藏和装卸同时运到的大量漕粮的设备,以及太平军攻击的危险。让外国商轮运载漕粮到北

京,并非新的想法。薛焕和总理衙门曾于 1861 年讨论过这样做的优点。《始末》,咸丰朝,71:10b—11,72:6。

[46]《始末》,同治朝,53:26—29b。

[47]《李集》,朋僚函稿,5:34b。

[48] 同上,朋僚函稿,12:3—4b。

[49]《海防档》,乙,福州船厂,5—9b。

[50] 肖一山:《清代通史》(台北,1963),3.811—12。

[51] 陈其田:《左宗棠:中国近代船厂与纺织厂的倡导者》(北平,1938),1—4。

[52] 赵烈文:《能静居日记》(台北重印,1964),无日期,无页码,见同治六年十二月初一日(1867 年 12 月 26 日)条。曾国藩:《曾国藩未刊信稿》,391,亦引此则。

[53]《李集》,朋僚函稿,8:18b。

[54] 庞百腾:《维持福州船政局》,126—28。

[55]《海防档》,乙,257,306,311—13。

[56] 宋晋1872年1月23日奏。中国科学院近代史研究所史料编辑室:《洋务运动》(上海,1961),8 册,5.105—106。

[57]《李集》,朋僚函稿,12:1b—3。

[58]《海防档》,乙,330—31;庞百腾:《近代化与政治》,245—46。

[59]《北华捷报》,1877年6月23日。

[60]《海防档》,乙,325—26。

[61]《李集》,朋僚函稿,12:3b—4。

[62]《洋务运动》,5.108—109。

[63]《始末》,同治朝,86:3b—8。关于左宗棠观点的表述,见庞百腾:《维持福州船政局》,137—38。

[64]《海防档》,乙,346—50。

[65] 庞百腾:《近代化与政治》,第8章。

[66]《李集》,朋僚函稿,12:16b。

[67]《海防档》,乙,367—72。

[68]《李集》,朋僚函稿,11:27b,31b;左宗棠:《左文襄公全集》(无出版处,1890),书牍,11:54;《洋务运动》,5.456。

[69] 庞百腾:《近代化与政治》,249—54;康念德:《自强运动中的工业变态:

105

李鸿章与江南造船计划》,《香港中文大学中国文化研究所学报》,4.1
(1971),216—17。根据李鸿章 1864 年所表达的赞同近代战船工业
计划的观点,可以进一步认为李关于这个问题的立场充其量是模棱
两可的,它取决于政治局势。不管他在 1860 年代和 1870 年代的看
法如何,在 1880 年代他提倡大规模扩充海军,尽管他早先相信中国
作出这样的努力,要一百年左右的时间。当然,日本的崛起对他的新
态度很有影响。亦见以下第 12 章。

[70] 《李集》,朋僚函稿,13：28。

[71] 苏菲亚 · 素菲 · 严(音):《中国对外关系中的台湾,1836—1874 年》
(康涅狄格州汉登,1965),175—212;台湾银行研究室编:《同治甲戌
日兵侵台始末》(台北,1959),1.1—4;《李集》,朋僚函稿,13：33。关于
琉球的国际地位,见严(音):《台湾》,157—58;境显次郎:《萨摩藩封地
的琉球群岛》和陈大端:《清朝琉球国王的封疆》,载费正清编:《中国世
界秩序》(麻省坎布里奇,1968),112—34,135—63,311—20。

[72] 1874 年 5 月 29 日上谕,见《同治甲戌》,1.7—8。

[73] 《同治甲戌》,1.13—14,16—18,24,46—47,121;李梅致[法国]外交部,
外交部,中国,领事政治报告,Ⅱ,305;李鸿章致沈葆桢,1874 年 8 月
2 日,《李集》,朋僚函稿,14：18。两艘未驶回应付危机的福州船政局
船只是"镇海"号和"湄云"号,它们分别留在天津和牛庄。

[74] 《李集》,朋僚函稿,14：6b—7b。沈葆桢在此之前仍然无视李的提议,
曾向朝廷请求从北洋和南洋大臣李鸿章和李宗羲所辖部队中派出受
过近代化训练的军队 5,000 名。《同治甲戌》,1.46。

[75] 沈珂:《先文肃公》,56—57。

[76] 《海防档》,乙,504。

[77] 有关更广泛的比较,见庞百腾:《沈葆桢与 1874—1875 年政策大论
争》,载《清季自强运动研讨会论文集》(台湾"中央研究院"近代史研究
所,1988),189—225。

[78] 关于丁日昌奏折,见《洋务运动》,1.30—33。关于李鸿章的反应,见同
书,40—54,刘广京,前第 3 章。

[79] 关于沈葆桢 1874 年 12 月 23 日奏折,见沈珂:《先文肃公》,50—68。沈
奏另一文本已印行有时。见葛士浚:《皇朝经世文续编》,101：11b—
15。然而没有一种文本是完整的。两者均无台北故宫博物院民国档

案馆第三种文本所见到的上奏日期(军机处,第 118328 号)。

[80] 沈葆桢曾于1867年提出若干这样的变革。《始末》,同治朝,53 :26—29b;庞百腾:《变易的词汇》,37, 43—45, 47—48。

[81] 刘广京:以上第3章。

[82] 《李集》,朋僚函稿,15 :1。李鸿章还暗示丁日昌,只有沈葆桢和他自己的建议是切实可行的,其余都毫无实际意义。同上,15 :6b。

[83] 同上,朋僚函稿,14 :34。当时也曾提到左宗棠的名字,但是李鸿章从来和左合不来,他向文祥暗示他十分倾向沈葆桢。同上,14 :32。

[84] 正如刘广京所说,李鸿章于1875年1月末在北京,3次觐见慈禧太后,并且同文祥和李鸿藻交谈,劝促指派沈葆桢为两江总督。刘广京,以上第 3 章。到 2 月初,李深信他的计划已经成功,乃告诉沈葆桢南方各省非他莫属。《李集》,朋僚函稿,15 :1a—b。

[85] 《洋务运动》,1.153—55;《李集》,朋僚函稿,15 :15。

[86] 斯坦利·斯佩克特:《李鸿章与淮军:19世纪中国地方主义研究》(西雅图,1964),181。

[87] 《李集》,朋僚函稿,14 :32b。

[88] 同上。

[89] 《洋务运动》,1.162—65;《沈书》,7 :28b—29;《李集》,朋僚函稿,15 :30b—31, 33。

[90] 金梁编:《近世人物志》(台北,1955),157。

[91] 《李集》,朋僚函稿,15 :37。

[92] 关于左宗棠举借外债的计划,见《左集》,奏稿,47 :49—56b,48 :55b。

[93] 葛士浚:《皇朝经世文续编》,101 :13b;《沈书》,6 :9—13。

[94] 1876年4月3日上谕,《大清历朝实录》(沈阳,1937),光绪朝,27 :10b—12b。

[95] 《左集》,书牍,16 :8b。

[96] 萧一山:《清代通史》,3.928—29。

[97] 李鹤年1878年5月18日奏(光绪朝4.4.17),台北故宫博物院"月结档",光绪朝 4/ 4 宗;庄吉发:《清季南北洋大臣海防经费的筹措》,《大陆杂志》,55(1977 年 11 月 15 日),232。

[98] 《李集》,朋僚函稿,17 :4, 19b—20, 24b—25, 31b, 33, 35;《洋务运动》,

2.346—62。

[99]《沈书》, 7 :52-53b。

[100]《李集》, 17 : 39b-40b;《洋务运动》, 2.346-62。

[101]《实录》, 光绪朝, 68 :21, 69 :2b—3, 7b—8, 70 :8;《道咸同光》, 8.3421。

[102]《李集》, 朋僚函稿, 17 :12a—b, 18 :4;《洋务运动》, 2.345—46, 382—83, 406—407, 418—19, 3.300。关于这些炮船的说明, 见约翰·L·罗林森:《中国发展海军的努力, 1839—1895 年》(麻省坎布里奇, 1967), 69—70, 248—51; 斯坦利·F·赖特:《赫德与中国海关》(贝尔法斯特, 1950), 467—76。

[103] 王尔敏:《清季兵工业的兴起》(南港, 1963), 79; 康念德:《江南制造局的武器》, 49。

[104]《李集》, 朋僚函稿, 15 :35。

[105]《北华捷报》, 1876年5月20日;《沈书》, 7 :60—61b。

[106] 刘坤一:《刘坤一遗集》(北京, 1959), 2.596—97;《沈书》, 7 :102—103b。

[107]《实录》, 光绪朝, 63 :5;《洋务运动》, 4.469。

[108] 关于赴欧教育团, 见《李集》, 朋僚函稿, 13 :28b—29, 16 :12, 21b—22b, 23b—24, 35;《海防档》, 乙, 502—503b。关于吴淞铁路, 见《李集》, 朋僚函稿, 17 :15; 庞百腾:《儒家爱国主义与吴淞铁路的拆毁, 1877 年》,《现代亚洲研究》, 7.4(1973), 650—54, 657—59。

[109] 陆方:《试论李鸿章的洋务活动》,《吉林大学社会科学论丛》, 第2辑:《洋务运动讨论专辑》, 308; 姚锡光:《东方兵事记略》, 载左舜生编:《中国近百年史资料续编》(台北, 1958), 195—97。

[110] 梁启超:《论李鸿章》(序, 1901; 台北重印, 1965), 1。

[111] 斯佩克特:《李鸿章》, 尤其见梅谷《序言》(xxi-xliii)。

107

5

津沪联系：李鸿章对上海的政治控制

梁 元 生

晚清中国近代化的一个最重要的后果是各省政府和城市—工业中心之间新的横向联系的出现。过去地区和各省领导人很少就行政事务彼此咨商，每个省或地区是一个孤立的行政单位，省与省之间几乎没有交流的渠道。官府交通运输网络，举邮路即驿道作为例证，它不是按横向联系，而是按连接中央政府与各省的辐射状模式建立的。

政府传统上对垂直关系的强调，由于两个因素而更加突出。首先，中国的省通常依天然屏障划分。大多数省界坐落于山脉、湖泊或江河。结果是地区之间的交通常较一个省内部的运输困难。[1]第二个也许更为重要的因素是政治上的诱因。满族政府对于各省汉人权力的扩充深怀疑惧。正如颁布"回避法"以防止地方主义一样，邮传网络的设计也是为了保证中央权力的安全，阻止横向的结盟。

随着轮船和电报的到来，地理距离与天然屏障对交通的障碍变得小了。而且新的对外关系制度引起了不仅是中央与地方政府之间、而且地方政府之间相互了解和合作的需要。例如，郭嵩焘在1870年代就极力主张中国要改进各省之间的交流，他说,国家在亚罗战争中战败,正是有关各省政府不统一和缺乏合作的结果。他指出,广东用兵,而上海却在议和;北方与外国人作战之时,南方各省却继续同他们通商。[2]

109

　　然而,刺激省际和地区之间关系变化的最重要因素却是由近代化运动所造成。电报、铁路和轮船等机械—电力的设备虽然缩短了距离,节省了时间,但是这些新事物的设置和管理需要两个或更多的省合作。诸如兵工厂、纺织厂、钢铁厂和矿务局等其他近代化项目,出于供应和市场的原因,也需要交通运输系统的改进和扩展。

　　另一方面,近代企业的引进引起了跨省控制的问题。管理这些新项目缺乏政府的规章,有可能造成管理的伸缩性更大和一些省的领导人权力扩张。由于无例可循,一些督抚获允管理他们省界以外的许多近代化项目。最显著的例子是李鸿章。他于1860年代中期担任江苏巡抚,正是他在上海发动了近代化运动。在1870—95年间,他身居直隶总督,却仍是江苏政治中最有影响的人物之一,维持对江南制造局、轮船招商局、上海机器织布局和上海其他近代化机构(局)的有力控制。

　　有些历史学家断言,省际合作的关系和跨省控制,表明地方势力增强和中央权力削弱。[3] 但是另一些历史学家则以许多省的领导人常为中央政府的利益而行事作为理由,证明这些领导人对近代化项目的跨省控制是无可非议的,他们用这样的说法反驳了"外重内轻"* 的论点。[4]

　　本章是对直隶与两江之间新的区际关系作一般考察,尤其是着重探讨对天津与上海城市之间关系的尝试。根据"地方主

　　＊　原文为"periphery—overpowered—center",意指外围权力过大的中心。——译者

义还是中央主义"的争论,本章试图提出如下的问题:李鸿章是否对他治辖外的上海作过政治上的控制? 如果是的话,他的控制权力是否合法,合乎常规?

城市之间的交通运输

在轮船时代到来之前,天津同长江下游地区主要运输线是运河。政府在南方的岁入和漕粮几乎全部用沙船经运河运到天津。偶而也有货物和旅客经黄海运送,通常是在大沽和上海之间。然而直到 19 世纪中叶太平叛乱使运河运输中断以前,海路并不是广受欢迎的路线。轮船以其持久的安全和速度引进中国后,提高了海路的重要性。过去从上海到天津航行需时 8 天以上,反之亦然;现在轮船将旅程减少到 4 天。陆路在 19 世纪运输中从未充当主要的角色。即使是官府的驿马,这样的距离也要走 10 天以上。[5]

轮船首先引入汉口至上海的长江航线。1860 年代后期上海和宁波之间又开辟了另一条航线。在轮船企业设立最初几年,上海—天津轮船航线比较而言不甚重要,但是随着时间推移,津沪线崭露头角,成为最重要最繁忙的航线。从下面资料可以看出两个城市之间日益发展的联系。[6]

1873 年 6 月,轮船从上海发出至选定城市的次数为:至天津——9,至宁波——24,至汉口——21。同月抵达上海的次数为:自天津——18,自宁波——24,自汉口——20。10 年后(1883 年 5 月)可比的每月数目为:至天津——41,至宁波——29,至汉口——34;自天津——30,自宁波——24,自汉口——30。

为了更明显看到这些差异,让我们单独看一下上海—天津运输。在 1870 年代初,一个月内有 9 艘轮船驶离上海前往天津,有 18 艘自天津抵达上海。平均每 3 日有 1 艘驶离,每 2 日有 1 艘抵达。在第二个 10 年中,从天津抵达上海的轮船增加到一个月 30 艘,平均每日 1 艘。驶离的船只增加率更大。驶离的数目增加到一个月 41 艘,亦即每两日有近 3 艘驶离。

　　1881 年电报线架设,在这两个城市之间建立了另一种交通联系。电报线最初是为外交目的而设置的。李鸿章在天津承担了北京总理衙门加给他的越来越多的外交责任,他成为发展交通系统的强有力的人物。他指出他不可能依靠可怜的交通运输系统有效地对付外国人,抱怨上海同莫斯科之间消息传播比上海同天津之间迅速,他劝说中央政府采纳他设立中国电报局的计划。

　　李鸿章的计划获得允准,建造工作于 1881 年 6 月开始,当年 12 月竣工。这条电报线不仅将天津同上海联系起来,而且还在两地之间,将直隶、山东和江苏 3 个省内 7 个城市联系起来。[7]

两个城市之间的人事调动

111

近代交通运输网络是城市之间看得见的联系。然而上海—天津联系超过了物质上的有形联系。近代化运动还便利了两个城市之间的人员流动。在 1860 年以后的历史时期,上海和天津衙门之间有许多人事调动。上海官员中调往或升任天津职位的官员有刘含芳、孙士达、潘蔚、刘汝翼、吴毓芬、沈保靖、郑藻如、李兴锐、徐建寅、王德均、吴赞诚、黄建笎、张翼、周馥、凌焕,以及其他许多人。这些官员一般分为两类:一类是由前淮军军官,如吴毓芬、刘含芳和吴赞诚,以及李鸿章过去的私人助手,如凌焕和周馥所组成。[8] 换言之,他们不是李的追随者,便是他的老朋友。另一类大多是技术人员,江南制造局的工作人员,略举数例如:沈保靖、郑藻如、徐建寅和王德均。[9] 所有这些人员调动或升擢都有一个共同之处:他们都是由李鸿章推荐或安排的。

毋庸说,李鸿章和当时中国许多官员一样,是一个认识到人际关系的重要性并且任人唯亲的总督。据说他曾向宫廷太监行贿,并且庇护贪污。他极力将自己的人(幕府成员、淮军将领和其他安徽同乡)安插在他治下的省级政府和其他机构。[10]

然而,任人唯亲并不能解释上海—天津人事调动的全部情况。例如,郑藻如既不是原来的幕府成员,也不是安徽人。李鸿章只是通过沈保靖呈禀江南制造局的报告才知道他。李对郑的管理能力印象很深,要求将他调到天津,希望他的有关兵工厂的专门知识能对不久前改组的天津机器局发展有所裨益。[11] 其他技术人员的调动——沈保靖、徐建寅、王德均等——也可作此解释。随着天津在 1870 年以后逐渐成为外交中心和近代工业实验中心,对洋务人才的需求激增。李鸿章在 1871 年给曾国藩的一封信中表达了这种需求,他写道:"此间洋务幕吏无一解事者,函牍奏咨必须亲制,殊为窘苦。"[12] 正是这种主要由近代化和对外关系引起的需要,促进了人员从上海向天津流动。

除了从上海到天津的正常人员流动,天津的官员调往上海也很频繁。许多官员名义上属于天津的官府,却在上海执行实际管理的任务。实际上像招商局、文报局、出洋学生沪局和电报局等近代机构的许多经理都是由李鸿章从天津派来。例如,招商局在 1870 年代和 1880 年代的主要总办和会办(唐廷枢、徐润、朱其昂、朱其诏、盛宣怀和马建忠)全都有直隶省的官衔。

总的说,19 世纪后期天津和上海之间的交通运输线和人员交流,使人看到在此以前所未曾存在的城市之间的密切联系。

上海道台: 是李鸿章的人吗?

城市之间的联系是否意味着一个城市在政治上控制另一个城市? 如果是这样的话, 在直隶的李鸿章是否从政治上控制上海?

看来李鸿章一开始就紧紧掌握上海的人事和政策方针。斯坦利·斯佩克特和其他"地方主义"历史学家相信, 在整个自强时期, 李鸿章掌握了上海道台(当地最高官员)的委派。斯佩克特说:"无论李鸿章在什么情况下, 这些人[1863—94 年间上海道台]都是他的实力的来源。很清楚, 他们之所以被置于两江地区, 是因为李和曾[国藩]要他们留在那里。他们为李曾集团完全控制了那个地区的财富。"[13] 仔细考察一下李鸿章同这些道台的关系和任命的程序, 便会使人对斯克佩特的论断表示怀疑。的确, 在这一时期前前后后居于上海道台职位的人大多是曾和李的追随者, 然而这并不意味着他们始终同李鸿章合作。例如, 李在 1860 年代的一名经济顾问冯焌光, 便不是一直支持李的政策。[14] 实际上上海道台中只有 3 个人是通过李的推荐而得到任命的。丁日昌和应宝时是李为江苏巡抚时被荐举担任道台之职, 一个省的领导人运用推荐的权力, 并非少见。李离开江苏以后, 只有一次在选用上海道的过程中, 为前淮军将领刘瑞芬而运用了他的影响力。[15] 李同涂宗瀛和龚照瑗也都保持良好的关系, 两人都是他的安徽同乡和旧友。但是涂的任命是由两江总督曾国藩提出, 而龚则由后来居于相同职位的刘坤一所推荐。

没有证据表明李鸿章曾干预冯焌光、沈秉成、邵友濂和聂缉椝的任命过程。在李的私函和沈与邵的传记中都看不出这些人

113 早年便已同李相识。在冯焌光受任前不久,李在给曾国藩的信中提到他:"冯生言过其实,行不逮言,又内怀疑忌,难惬众望。"[16]聂缉椝尽管是曾国藩的女婿,又是湖南人,但也不应看成是李的人。斯佩克特错误地断言所有湖南人或曾国藩的追随者都毫无区别地是李的支持者。人们都知道,曾幕友内部时常争斗,湘籍和皖籍人士在各省竞争。就聂缉椝而言,他是李鸿章的主要对手左宗棠的门生,他的任命主要是他的妻叔、时为两江总督的曾国荃荐举之力。[17]

正式的政治控制

正式控制的最基本因素是委派的权力。"地方主义"历史学家断言,在太平天国时期及其后,各省军事领袖已从中央取得了委派的权力。他们认为这一权力包括委派次一级行政管理官员的权力,诸如兵备道、海关道,以及其他先前由中央政府指派的中层职位。[18]在太平天国战争高潮期间,各省督抚在地方或省级政府中安置自己的人方面,多少有些自行其是,这种说法也许是正确的。[19]但是中央政府从未放弃对任命、批准和调动的权力,对重要的行政职位尤其如此。

清代各省官位可以分为三类:简放(廷旨指派)、部选(六部挑选)和外补(各省领导人委派)。所有高级的重要职位,包括总督、巡抚、布政使和按察使,都属简放类。大多数道台,包括上海道,也属此类。部选一类中,即使职位的重要性通常稍次,也是由中央政府掌握。省级领导人享有委派的权力极其有限。他们正式掌握的仅仅是少数外补职位。全国只有 14 个道台职位属于此类。江苏只有一个外补,即徐州道。以下是按照这三类对道台作的数量分析:[20]简放——69;部选——14;外补——16。

因此省当局的委派权力在理论上是非常有限的。甚至许多像知府这种道台以下的行政职位,也为中央政府所掌握。

实际上,在 19 世纪中叶,省领导人确在设法获得更多的委派权力。据称在 1860 年代所有部选职位都是在他们掌握之下。1873 年六部尚书中有人向朝廷提出建议,在太平天国叛乱以后,省领导人没有必要保留对部选职位的控制,这些职位至少有一半应仍归六部掌握。经过若干考虑之后,于 1881 年达成所谓"一咨二留"的妥协办法。这种解决办法是各省指派两名后,吏部指派一名"部选"到该省。这一比例后来改为"中央—1/ 省—1"。* [21]

这些事实表明,在太平天国以后的时期,即使各省领导人在团练和地方财政方面享有相对大的权力,中央政府仍然维持对各省官员任命的有力控制。就挑选简放的候选人来说,各省当局可以向军机处推荐合格的官员,但是委派权仍属于军机处和皇帝。地方掌握道台的任命这一错误想法可能是由以下几点造成:首先,将推荐权同委派权错误地等同起来;其次,未能将三种类型的道台加以区别。例如,为处理外国事务和对外贸易而于 1870 年设立的天津海关道,是一个外补的职位。直隶总督可以委派人担任此职,然后上报中央政府。然而天津兵备道却不是由总督委派。它是由军机处挑选,由皇帝直接委派,因为它是简放的职位。[22]

这样看来,斯佩克特关于跨省控制的假设是有疑问的,因为即使是两江总督,对上海道台的委派也没有最后的决定权。

李鸿章深谙行政体制,不想公然同中央当局或两江总督委派江苏地方官员的权力对抗。他也不想干预别省事务。他于

* 即"一咨一留"(本省留补一次,送部铨选一次)。——译者

1876年被卷入吴淞铁路争端时,向南京和上海当局表示歉意说:"此事[吴淞铁路争端]本由南洋主政,我是局外旁观,因见两边骑虎不下,故为买回自办之说,调停解和。"[23]

那么,李鸿章对上海近代化项目的控制,又如何解释呢? 他有没有委派这些局管理职位的权力呢?

他有这种权力。轮船招商局、上海机器织布局和电报局的总办、会办和商董都是由李直接札委。主要的原因是这些项目在全国来说是新的,它们的经营管理没有规章制度可循。而且在近代化最初时期,许多省的领导人并不想涉足这些新的项目。这使李鸿章和其他一些自强的领导者有机会保持对他们自己治辖省以外项目的控制。李鸿章干预上海近代化项目,还有另一个充足的理由。作为北洋通商大臣,李负有指导、监督北方所有"洋务"的责任。由于上海近代企业和北方近代化项目有相互连结、彼此依存的关系,李干预上海的近代化方针政策,在行政上是无可非议的。

然而,即使在非传统的洋务领域,跨省控制仍受到强大的力量抑制。首先,近代化项目是在保守的官员、尤其是御史密切的注视之下。其次,当中央政府对军事和经济改革开始变得更愿意接受时,它也就更加急于恢复对这些项目管理的权力。例如,湖广总督张之洞于1889年末便因"于[广东织布官局]添购机器等事,未经奏明"而受到军机处指责。军机处指出,"嗣后如有建议创办之事,及购买机器、军火各项物料,均著先行陈请[军机处],候旨遵行。不得于未经奏准之先,率行举办"。[24] 而且,跨省控制有赖于受到影响的各省领导人的合作。一个省的领导人不能够有效地控制为他的竞争对手或反对者所管辖的另一个省的近代化项目。例如,左宗棠任两江总督时,李鸿章对江南制造局的影响明显削弱。[25] 李有权札委上海机器织布局总办和会办,而左作为两江总督,却能够将该局的任何一个经理人员调离该局。[26]

非正式的政治控制

虽然李鸿章干预上海的近代化项目,具有合乎情理的权力,他却更多地依靠人际关系的非正式系统,而不是行政管理的渠道,运用他的影响力。这种人际网络包括三种关系:同乡、同僚和同年。所有这三种关系在传统的中国社会,尤其在官场中都受到重视。通过这些渠道工作,为社会所接受,而不被认为是政治上营私舞弊。李鸿章是安徽人,他在江苏和上海的同乡包括巡抚张树声(1872—74年)、上海道涂宗瀛(1868—70年)、刘瑞芬(1876—82年)和龚照瑗(1886—89年),长江水师提督刘铭传。在中央政府中,吴廷芬和孙家鼐是光绪朝两个有影响的安徽人。第二种关系包括两个方面,略举在江南地区活动的少数几个人,如曾国藩和彭玉麟这样的湘军友朋,以及薛福成、丁日昌和冯焌光这样的过去幕府成员。不过李鸿章同江南之间最重要的联系是同年关系。李于1847年会试中试,丁未(1847年)同年中有两人,张之万和何璟,于1870年代初出任江苏巡抚;三人为两江总督:马新贻(1867—70年),李宗羲(1873—74年)和沈葆桢(1875—79年)。另外两个丁未同年,沈桂芬和张之万,担任军机处领导成员多年。*[27]

这三种类型的关系使李鸿章有可能干预江南地区的政治,尤其在沈葆桢和张树声治辖两江地区时期。例如,沈曾不止一

116

---

* 沈桂芬和张之万分别于1867—81年和1884—94年担任军机大臣。——译者

次向李征询关于上海官员的意见和评价。何璟也向李征求有关上海人事的意见。[28]

正是在这些将李鸿章同江苏、尤其上海官僚联系起来的非正式关系的基础上,李有可能取得上海商人和士绅非官方阶层的有力支持。他从这些社会上和商业上强有力的群体中,为他的近代化计划募集资金,选择管理人员。当直隶和华北其他地方于 1877—78 年遭受旱灾和饥荒时,这一民间阶层为此组织赈局捐款。李的支持者中,有苏州周振声、松江龚长麟(音)和上海恽光业与陈煦元。[29]看来许多这样的绅商只信任李鸿章,当 1883 年李鸿章因母亲去世守制开缺时,苏州—上海赈局和捐局宣布它们将解散,直到李终制回任。这看来有两方面的原因:首先,李鸿章是一个精明的政治家,知道怎样操纵舆论,并且以赏给他的追随者虚衔和封典,以取得人们的支持。一名为上海的直隶赈捐局努力工作的上海士绅金安清就曾得到李的允诺,为他"求一挂名差使,以资养赡"。[30]其次,士绅和商人为了他们在新的经济事业中的既得利益,支持李在上海的近代化计划。

总之,李鸿章依靠近代交通运输网络,并且通过人际关系的非正式系统,在长江下游地区确有相当大的影响力。不过,正式的政治控制仍属于中央。

注　释:

117　[1] 黛安娜·拉里:《地区与国家:中国政治中的桂系,1925—1937年》(英国剑桥,1974),4;关于施坚雅根据类似想法的"自然地理区域"的归类,见《19 世纪中国地区城市化》,载《中华帝国晚期的城市》,施坚雅编(斯坦福,1977),211—19。施坚雅关于中央地位的研究,支持了关于一省内部商业和市场体系的想法;见《城市与地方体系的等级制》,载《晚期的城市》,施坚雅编,281—96。

[2] 郭廷以等编：《郭嵩焘先生年谱》(台北, 1975), 529。有关不统一和地方主义的更多研究, 见肯尼思·E·福尔森：《朋友、宾客和同僚: 晚清时期幕府制度》(伯克利, 1968), 160;《北华捷报》, 1856 年 12 月 13 日、20 日。

[3] 见斯坦利·斯佩克特：《李鸿章与淮军: 19世纪中国地方主义研究》(西雅图, 1964), 尤其梅谷所写导言。

[4] 刘广京：《晚清督抚权力问题商榷》, 载《清华学报》, 新10.2(1974), 207—23; 前第 3 章。关于争论的简要论述, 见丹尼尔·H·贝斯：《中国进入 20 世纪: 张之洞与新时期的问题, 1895—1909 年》(安阿伯: 1977), 5。

[5] 刘熊祥：《总理各国事务衙门及其海防建设》, 载《中国近代史论丛》(台北: 1975), 第 1 辑, 5·33—55。

[6] 资料据《申报》, 1873年(6月, 30天), 见卷5(台北, 重印); 1883年(5月, 29 天), 见卷38。

[7] 关于设立电报的理由, 见刘熊祥：《总理各国衙门》; 亦见《申报》(1881年 12 月 3 日), 卷 33, 期 21333。

[8] 关于李鸿章的幕府和前淮军军官的简要背景, 见斯佩克特：《李鸿章与淮军》, 280—96, 301—13, 表 17, 表 18。

[9] 中国史学会编：《洋务运动》(上海: 1958), 4.170—71。

[10] 胡思敬是批评李鸿章的人中间最激烈的一个, 见庄练：《中国近代史上的关键人物》, 3 册(台北: 1978), 2·21—22,72—73。

[11] 关于李同郑藻如的关系, 见《李文忠公全集》, 吴汝纶编, 165卷(台北重印, 1962, 以下作《李集》), 朋僚函稿, 11:12, 11:23b—24, 15:36b, 18:16b。

[12] 《李集》, 朋僚函稿, 10:31b; 又12:33。

[13] 斯佩克特：《李鸿章与淮军》, 132—33。

[14] 冯焌光在收买吴淞铁路后如何处理的问题上, 与李鸿章意见相左。冯支持想要拆毁铁路的沈葆桢。李为此称沈、冯两人为没有生气的改革家。《李集》, 朋僚函稿, 18:5b—6。亦见前第4章。

[15] 《李集》, 奏稿, 74:41—43; 又, 朋僚函稿, 17:3b。

[16] 同上, 朋僚函稿, 11:23b—24。

[17] 聂缉槼编：《崇德老人自订年谱》(上海, 1933), 24、27。亦见陈锦江:

118

《清末现代企业与官商关系》(麻省坎布里奇,1977),45。

[18] 费维恺:《19世纪中国的叛乱》(安阿伯,1975),93。

[19] 总理衙门1864年的一份奏折即含有此意,原奏称,九江关广饶九南道、江汉关汉黄德道、镇江关常镇道、浙海关宁绍台道、江海关苏松太道和东海关登莱青道,"以上各缺向归督抚管";《筹办夷务始末》,同治朝(北平:1930—32),260卷,24:29b—32。但是1870年另一份奏折表明,这种情况已有改变,军机处收回了支配这些职位的权力;见《始末》,同治朝,73:29b—30。

[20] 资料据《大清会典》(1899),8:8—10。

[21] 《申报》(1882年2月1日),卷33,21815。

[22] 包括天津海关道在内的全部道台名单,见作者博士论文《上海道台:变迁中社会的联系人,1843—1893年》(圣巴巴拉加州大学,1980)。

[23] 李鸿章并不想干预江苏事务,见《李集》,朋僚函稿,16:13b。其他有关资料也表明他的这种态度,16:20b—21,17:1b,18:18。

[24] 《洋务运动》,7.503。

[25] 雷禄庆:《李鸿章年谱》(台北,1977),251,167,178。

[26] 《洋务运动》,7.464。

[27] 关于李鸿章同年(丁未[1847]科)的论述,见庄练:《关键人物》,2.2。涂宗瀛和凌焕也是省试(举人)同年,见《安徽通志》(台北重印,1968),卷100。

[28] 《李集》,朋僚函稿,11:28b—29(致何璟),18:18b,18:21(致沈葆桢)。注意他开首的话:"承询江左人才……"。有关他同两江总督关系更多的论述,见王尔敏:《淮军志》(台北,1967),253—54。

[29] 《申报》(1880年8月9日;11月15日);又,《李集》,奏稿,67:7。

[30] 《李集》,朋僚函稿,11:16b。

6

李鸿章对外国军事人才的使用:

形成时期,1862—1874 年

司 马 富

在 19 世纪中国,没有一个高级官员同外国人的联系比李鸿章更加直接而且持久。李鸿章在 1862 年至 1901 年时期的奏疏、信函和电稿,即使作最粗略的浏览,也能看出美国人和欧洲人在李的社会交往中,不论公私两方面,都十分突出。李鸿章对西方人的注意,当然可以从晚清时期帝国主义向亚洲扩张这一简单的事实中作出部分解释;1840 年代以来,中国官员发现无视外国人来到这个"中央王国"(Middle Kingdom)是日益困难的,如果不是不可能的话。但是并非所有清朝官僚都以同样的方式对西方作出反应,正如并非所有西方人都以同样的方式对清朝官员作出反应一样。李鸿章态度的突出特点是他的杰纳斯式的努力,* 亦即为了使中国臻于富强而利用西方人的科学技术,然而却始终努力克服对他们的依赖,或者如他所指出,学习西法而

---

* 杰纳斯式的努力(Janus-like effort):杰纳斯,罗马神话中的天门神,因头部前后各有一张面孔,亦称"两面神","杰纳斯式"指同时面朝两个相反或截然不同的方向。——译者

"不必尽用其人"。[1]李鸿章办理"夷务"的战略是怎样产生的? 他早期同外国人共事的经历,怎样影响了他的看法? 他在追求双重目标中,又是怎样成功的?

聘用外国人在中国历史上自然不是新鲜的事。到 19 世纪中叶,中国政策制订者可以回顾两千多年前为了内政和军事而使用"夷人"的先例。清朝初期这一传统包括指派耶稣会传教士为钦天监官员,吸收俄罗斯士兵加入皇朝的八旗精锐部队,雇佣荷兰军队作为反对郑成功的"同盟军",以及鸦片战争中一段时间内利用个别西方人充当雇佣兵和军事技术人员。[2]但是中国的 19 世纪环境至少在两个基本方面都是独一无二的。首先,帝国主义造成西方人在中国的政治和经济势力同他们的人数极不相称;其次,美国人和欧洲人在技术上,也许甚至在文化上给予中国的,远远超过了过去任何夷狄。

李鸿章于 1862 年 4 月署理江苏巡抚时,不用多久就认识到这两方面的情况。问题在于应当怎样应付这种情势。从某种意义上说,李鸿章几乎没有什么选择。他受任的地点和时间,都将他不可避免地置于省一级中外关系的漩涡中。随着太平叛乱汹涌而来,似乎已经无法控制,朝廷和地方官员都已采取行动,取得西方的帮助,同叛乱者对抗。1860 年,外国列强守卫上海,对付李秀成的太平军,尽管他们也为了使清政府遵守《天津条约》(1858 年)而同时采取军事行动。1860—61 年间中国开始谈判购买西方船只枪炮,以及正式和非正式地雇佣外国陆军和海军人员。到 1862 年初,不但清朝中央政府已经答应购买一支配备英国军官的海军,用于长江防务(李泰国—阿思本舰队),而且江苏和浙江地方官员也已开始招募像常胜军这样由中外雇佣兵组成的军队,全力对付太平军持续不断的威胁。与此同时,1854年在上海成立的中外海关税务司,已成为中国国家行政机构一个最引人注目的有影响的特点。尽管李鸿章向曾国藩声称,他只是"力求自强,不与外人搀杂",但是他却无法避免同外国人联系,即使他想要避免的话。[3]

李鸿章与常胜军

李鸿章于 1862 年很快对情况的发展作了估计。正如刘广京教授所指出,这位新任的署理巡抚立即认识到同外国人打交道的不可避免性,并且不失时机地努力使自己在同他们打交道中居于上风。在抵达上海后两个星期内,他看到了用近代西方武器直接对抗太平军的功效,开始为他的淮军购买这些武器,随后很自然地雇佣了常胜军中的西方教练。到 1862 年末,李的军队已有 1,000 余枝来复枪,雇佣了六七名常胜军的西方教练。不及一年,淮军已扩充到 4 万余人,这时它以拥有一万余枝来复枪、若干门大炮以及十几个新来的外国教练而自豪——这些教练大多数来自常胜军。[4]

　　李鸿章在他的军队实施近代化的早期阶段,深深依赖常胜军管带、引人注目的美国人华尔的个人帮助。他利用华尔的关系取得枪炮、船只和其他军需品,他设法赢得这个美国指挥官的友谊,以博取列强的欢心。过高地估计美国在地方上和首都的影响,成为李鸿章处理对外关系的特点,然而,他更加实际地把握住国内的政治现实。例如,他深知华尔同贪赃舞弊、但却有权势的当地道台吴煦私交密切,试图削弱其中一人地位的任何努力,势必招来另一个人的敌意。[5]

　　作为近代第一个取得清代军事等级制中官衔的西方人,华尔提出了责任和制约的特殊问题。虽然这个美国冒险家已经请求归化中国,而且娶了一个中国女子(他的商人—官员赞助人杨

121

坊的女儿),他的忠诚如何,却难以作出判断,更不用说对他深信不疑。虽然华尔在作为一名中国军官的早期经历中,以对付太平军勇敢善战而树立了非凡的声誉,但是李鸿章的前任薛焕于3月和4月报告,这个美国管带并未按照满洲式样薙发易服,因为他担心其他外国人的讪笑会引起朝廷为此而颁发几道令人不安的谕旨。然而李鸿章对此却相当冷淡。他6月间写信给曾国藩说,虽然华尔不薙发,也未对他作礼节性的访谒,但是他无暇同外国人"争此小过"。[6]

意味深长的是,清朝官员(包括恭亲王)对于华尔对帝国事业的忠诚所表现出来的关心并非全无理由。根据华尔于1862年夏写给美国公使蒲安臣的信函,他吵吵嚷嚷地抱怨上海"无赖的官员",说他们抹煞了他同太平军作战的功劳,拒付应给他的大约350,000两的酬劳。值得注意的是,华尔要蒲安臣"替我的人"向恭亲王"说句话",他并且说,"要不是我身陷困境太深,我就把他们全都甩掉"。这最后一句是表露他心迹的话,因为它表明,到1862年8月,华尔已经落入地方官员精心编织的控制罗网之中。虽然他声称他厌恶四周"撒谎、欺诈和走私",但由于他同贪污确凿的杨坊和吴煦多方面打交道,他自己已成为这个难题的一部分。[7]

李鸿章明知华尔至少参与了杨坊和吴煦的某些非法活动,然而他在这个美国管带生前并没有对他或他们两人公开采取行动。结果华尔继续同李鸿章密切共事,在获取武器方面提出建议和帮助,并且在对太平军的军事行动中,同淮军密切合作。尽管华尔偶尔抱怨这个"坏透的巡抚"的政策和做法,但是看来他同李鸿章的关系一般还是很好。这个美国管带认识到需要李的政治上支持,而这个江苏巡抚也在华尔身上看到一个"奋勇攻打"、"能倾服上海众洋人"的西方领袖人物,他的武器极有威力,而他的中国士兵"与洋人是一是二",没有什么区别。[8]

华尔于 1862 年 9 月末在慈溪战役中亡殁,给李鸿章同时带来了机会和困难。一方面,这帮助李削弱吴煦的势力,因为这个上海道台对华尔深为倚畀。另一方面,这又使这个江苏巡抚失去了一个重要的外国顾问,并且将大量管理上的难题带到了他的面前。这些都不得不涉及替代华尔充任常胜军管带问题的政治策略。虽然英国人和法国人都提出了他们自己领导这支部队的候选人,但是李鸿章坚定主张,如果由一个西方人带领常胜军,此人"必须如华尔之呈请归入中国版图,愿受节制,方可予以兵柄"——对他的"奖罚"要完全在中国管辖之下。北京表示同样的看法,指出如果外国人要带领中国军队,他们必须像华尔那样呈请成为中国臣民,受中国节制。[9]

华尔的得力助手白齐文——也是一个美国冒险家——看来正符合这样的要求。他和华尔一样,是一个勇敢的军官,曾具禀要求成为中国的臣民,娶了中国妻子,全心全意献身于反太平军的事业。不过,和华尔不同的是,他鲁莽暴躁,言行放肆,不负责任,难以共事。1863 年 1 月初,在同中国当局连续争吵几个月以后,白齐文为了常胜军的饷给问题,同杨坊有过一次特别严重的争吵,他打了杨坊,并且夺走 40,000 元。李鸿章立即要求将这个美国指挥官撤职,指责他抢夺、叛逆、不忠。据报导,中国政府曾悬赏 50,000 两要他的首级。白齐文在未能恢复原职之后,最终加入太平军,不料被清政府俘获。他于 1865 年在拘禁中"意外"失足溺水毙命。[10]

正在这时,李鸿章感到有必要派两名正规的英国军官统率常胜军——先是皇家海军奥伦(暂任);然后是 1863 年 3 月到任的皇家工兵队军官戈登。戈登有才能,但却令人难以捉摸,他设法把常胜军团结起来,再度用它有效地对抗太平军。他像华尔一样,和李鸿章密切合作,尽管他对这位江苏巡抚管理的一套做法也感到不满——最为不满的是他对部队饷给拖延拨付。事实上,戈登在他的常胜军管带任内,有几点同李鸿章意见基本分歧,这预示着他们的合作事业将受到损害。至少有两次常胜军和淮军几乎要闹翻。[11]

123   李鸿章和戈登之间最严重的争吵发生在 1863 年末这个江苏巡抚将几名太平军高级首领处决之后,这些人是在得到戈登亲自保证其人身安全后,于 12 月 4 日交出战略城市苏州,向淮军投降的。这起所谓"苏州事件"引起在华西人方面强烈抗议。例如,在上海,列强的代表以措辞激烈的声明斥责李鸿章。蒙受耻辱而愤慨的戈登扬言要将苏州交还叛军,并且用他的由外国人率领的常胜军攻打李鸿章的部队,甚至加入太平军。英国驻华陆军提督伯郎将常胜军改归自己指挥,并且指示戈登"中止给予帝国[即清朝]事业的一切积极援助",英国公使卜鲁斯通知清政府"除非得到他的命令",戈登不得同李鸿章有任何往来。[12]

中国政府方面认为,鉴于投降的叛军首领持威胁的态度,李鸿章对苏州局势所作的反应是完全合适的,外国列强没有权利或理由介入此事。因此,虽然李鸿章在上呈朝廷关于苏州事情的报告中曾自请严议治罪,以平息西方当局的愤怒,北京却没有这样的打算。朝廷只是指出"洋人不明事理",将这件棘手的包袱交给总理衙门。[13]

由于西方人情绪仍然激烈,外交上又陷于僵局,李鸿章从新任中国海关总税务司赫德的身上,找到了一个强有力的外国支持者。赫德在上海结清那注定要失败的李泰国—阿思本舰队的账目,并且处理条约口岸的海关有关业务后,很快而且几乎出于本能地开始作为清政府的斡旋者而进行工作。他这样做,不管有意还是无意,都成为李鸿章的重要的同盟者。在中国的长期生涯中,赫德以或多或少的热情,继续发挥李鸿章的中介人和拥护者这样双重的作用。[14]

这个总税务司一开始就相信,戈登应当上战场同太平军作战,而不是留守在大本营。在他看来,当务之急毫无疑问是将叛军迅速镇压下去。赫德认为,这一发展结果对外国列强和清政府两方面都有利——尤其在扩展中外贸易方面。而且,尽管常胜军最近存在饷给和纪律问题,赫德把这支军队看作是清朝同太平军战斗的有力武器。值得注意的是,赫德也想设法保护戈登,免受李鸿章对他违抗命令的"指责"——他根据李泰国—阿思本舰队事件和自己同清朝官僚打交道的日益积累的经验,预见到有这种可能性。最后,和李鸿章一样,赫德真诚地相信,由于中国人支持常胜军,他们有充分理由要常胜军为中国效力。

在中国的其他外国人,没有人和赫德持同样的观点。例如,伯郎将军力主常胜军立即遣散,"让中国人为他们自己而战"。1863 年 12 月 19 日的《北华捷报》社论说:"我们很高兴……戈登少校将避免采取进一步军事行动。只有这样的办法才能对中国人起作用。没有希望呼吁他们要有荣誉感,因为他们并没有荣誉感;但是他们对自己的利益深为关切,而不是牺牲这些利益,但愿他们的所作所为能同欧洲的原则符合一致……[如果李鸿章发现]他的行为结果必定使他失去这支训练有素的中国部队[常胜军]至关重要的帮助,他在将来就会放弃采取背信弃义的行动。"[15]

李鸿章虽然对这些外国侮辱十分怨恨,但是他也急于想安抚戈登。因此在苏州事件之后,他立即派马格里医生去见戈登,试图抚慰这个愤怒的外国指挥官,马格里也是在不久前作为独立的顾问和兵工厂监督而在李手下工作。正如后来所看到,戈登痛斥马格里充当李鸿章说客,指责这个好心的苏格兰人不合

124

乎英国绅士的行为。然而过后不久,也许出于李鸿章的主动,戈登同这位江苏巡抚重新有了往来——尽管他自己最初激怒不已,而卜鲁斯的指令又是一清二楚。为什么会这样呢?答案很简单:戈登极其希望回到战斗中去。

这个英国指挥官除了他那众所周知的对战斗永不满足的热爱外,还相信常胜军如果仍留在昆山大本营,就会日益蜕化,而且难于驾驭。而且戈登完全意识到淮军在他不在时也确有能力取得军事胜利。这就提出了一种令人不快的可能性,即他和他所自夸的中外合组部队会被看成对于上海安全和镇压太平军不再是必不可少的——这是对戈登自尊心的打击。最后,按照伯郎将军的说法,戈登曾接到"直接暗示",如果他拒绝上阵同太平军作战,李鸿章就会将他辞退。戈登后来在给英国公使卜鲁斯的一封信中声称:"我确信白齐文正在斡旋解决回到叛军之事,有多达 300 名品性不良的欧洲人准备加入叛军。如果我离职,抚台[巡抚李鸿章]不会接受另一名英国军官,[清朝]政府就会让某个外国人加入,要不部队就置于华尔或白齐文式的人物率领之下,对他们有时的行动我们从来就没有把握。"[16]

与此同时,赫德一直试图依靠自己的力量敦促戈登回到李鸿章那里效力。虽然这个江苏巡抚 1864 年 2 月 25 日写的一份奏折提出,他要利用赫德作为中介,主动同戈登和解,但是总税务司的日记却没有提供这样的暗示。1 月 18 日的日记只是记载:"我的意图是尽力使戈登重新工作,并且查明与抚台将苏州诸王* 斩首的行动有关的全部情况。"赫德在这时显然倾向于劝说戈登回

125

---

* 指太平军纳王部云官、比王伍贵文、康王汪安钧、宁王周文佳以及天将范起发、张大洲、汪绳武、汪有为,他们在苏州献城向程学启投降后,于同治二年十月廿六日(1863 年 2 月 6 日)被杀,即前述苏州事件。——译者

来作战, 而不问他对处决一事觉得如何。这不仅出于总税务司对上海安全的考虑; 而且正如他私人日记所指出, 他担心中国当局会将戈登拒绝作战看作是对这个"有能力而且可靠的人"无法驾驭的明证, 此人恰巧是一个在清朝供职的外国人。赫德自己也正是这样一种人, 他明显地感到加在戈登身上的任何诋毁或怀疑, 也会加到他身上。在这样的情况下, 个人道德问题便屈服于眼前利益的需要。[17]

无论如何, 经过多次失败的开端以后, 2 月 1 日赫德、李鸿章和戈登终于在苏州会晤, 并且同意常胜军应于中国农历新年过后出战。从此时起, 赫德在常胜军事务中扮演了一个不可或缺的角色。他帮助戈登按时而且正常地取得他的部队饷银, 他还派出海关职员好博逊充任部队的翻译。此外, 赫德又帮助李鸿章改善他在北京外国公使中那破烂的形象。例如, 2 月 6 日, 赫德写了一封长信给卜鲁斯, 为李在苏州的行动作了长篇有力的辩护。这封信毫无疑问地提高了李在外国的外交界中的声誉。[18]

赫德的日记表明, 这时他已成为李鸿章的顾问, 两人就出访欧洲的外交和教育使团、煤铁矿、外国轮船、武器和兵工厂, 以及海关的事务详细交谈。这些谈话留给赫德很深的印象, 他后来在这一年(以及随后几年)痛惜李鸿章没有在总理衙门任职——尽管他性格急躁, 而且对细节相当不留心。从这时起, 赫德终于将李鸿章看作是他寻求中国近代化的一个"支持者"; 在以后几十年中, 他继续给李鸿章帮助和建议。不过, 在这位巡抚同西方人联系的最初和发展时期, 总税务司绝非是他唯一的外国顾问。甚至也并不是最有影响力的西方人。所有迹象表明, 那个渴望在 19 世纪中国居于和清初耶稣会士汤若望和南怀仁相似地位的马格里, 才是李鸿章最重要的顾问。根据戈登自己的说

法, 李和马格里曾就西方发明、对外关系以及其他最关心的事
"谈话数小时"; 戈登并无明显妒意承认马格里为面对着重重障
碍的中国人做了许多事。不过, 这个英国指挥官并不太愿意承
认马格里在常胜军内部事务中所起关键的作用。[19]

126

常胜军于 1864 年 2 月恢复战斗以后, 在收复太平军几个主
要据点中起了重大的作用, 但是到 5 月, 不论对于李鸿章还是戈
登来说, 他们都很清楚这支部队已经走过了它的全盛时期。他
们因此匆匆作出裁撤的计划。根据他们的意见, 常胜军过于"靡
费", 也过于无能, 而且更多的财政支助证明它们过分忠于"地
方"。他们两人都相信, 淮军是保卫江苏省卓越的足以胜任的工
具。但是赫德和上海英国当局感到, 这支中外合组的部队不应
当太早贸然裁散, 常胜军至少有一部分应作为地方防卫力量和
训练项目而"永予保留"。在赫德、英国领事巴夏礼、戈登、李鸿
章以及不久前召来的李十分能干的助手丁日昌等人进行了广泛
有时却很艰难的谈判之后, 各方达成了折衷的方案, 常胜军中大
约 1,000 人保留下来, 由戈登指挥, 作为上海西南约 25 英里小
镇凤凰山的外国训练项目的核心。[20]

驭夷的早期教训

到 1864 年夏, 李鸿章事实上已经认识到他所必须知道有关他艰
巨复杂的自强事业中使用外国人的全部有利和不利之处。他同
常胜军接触的经验以及他同诸如华尔、白齐文、戈登、赫德和马
格里等外国人的联系——姑且不提他同形形色色西方文官和军
事当局频繁而且时有挫折的谈判——形成了此后 30 年间他关
于利用外国援助和西方军事技术的主张的基础。他究竟学到了
什么呢?

　　虽然李鸿章不难感受到利用外国武器、训练方法和人员而得到的种种好处,但是他也认识到接受外国帮助、尤其军事方面帮助所包含的具体问题。一种困难当然是外国过度影响的危险。在中国担任军事职务的西方人,几乎没有人愿意以传统的模式"向化"。大多数外国军官并不钦慕中国文化,正如很少有中国人学外国语言一样,只有包括华尔和戈登在内少数几个人才费心学习中文。西方军官和中国人之间时常发生争执。常胜军和其他相类部队的士兵穿着半西式的服装,应答外国语口令,他们在大多数中国人的心目中是"假洋鬼子"——薪饷过厚,粗暴好吵,对孔子道德教义无知,用曾国藩的话说,就是"粗野无文"。[21]

　　常胜军的外籍教练制度所产生的问题,远远超过了文化颠覆和中外日常接触不可避免的摩擦的范围。像华尔、白齐文以及他们的下属这样独来独往的海盗,往往桀傲不羁,难以驾驭,而像奥伦和戈登这些从正规的西方陆军和海军借调来的指挥官,招来了他们本国政府持续不断的干预。甚至像赫德这样的文职顾问——虽然是清朝的官员,而且据称"有着和中国人自己一样,彻底的中国人的思想感情"——也给李鸿章带来了难题。尽管李赏识这个总税务司供职有所裨益,而且精力充沛,但是李偶尔也说他"心虽深很[狠],而贪恋薪俸,愿为效力"。[22]

　　此外,外国人涉足中国军事事务,不可避免地构成了对国家安全的危害。华尔一生中谣言不断,说他计划推翻满族朝廷;白齐文实际上同常胜军其他一些军官于1863年叛逃太平军;戈登在"苏州事件"结束后威胁说要加入叛军,攻打淮军;1864年常胜军解散以后,这支部队几名主要的军官都加入太平军李世贤部。[23]

　　从清政府的立场说,暴露外国人在清朝军事内部的活动,只是增加授人把柄的可能性。根据一些报告,同常胜军中的西方军官接触,鼓励了汉族普通士兵中某些"反满"的倾向——虽然排外主义似乎一直是更为普遍的结果。此外西方人在清朝担任军事工作,显然是处于一种向他们自己政府报告中国军事情况的位置。即使是最受李鸿章钦佩的两个外国人之一的戈登(另一个为美国人格兰忒),根据梁启超的说法,他利用其对清朝军队的了解,向英国人建议怎样攻打中国最好。西式操练也有其明显的危险之处。因此恭亲王曾为了国家安全而猛烈抨击在中国军队训练中使用外国口令——虽然这种做法仍在继续下去。[24]

雇聘西方军人的另一个问题,虽然威胁性较少,但却令人沮丧,即它可能造成外国政府方面对中国军事事务的干涉。西方大国,尤其是法国和英国,在一种含糊的利他和私利混合的动机驱使下,在增强各自在中国军事影响力的竞争中,显得特别喜欢干涉。军事援助成为对外政策的工具。整个 1860 年代及其以后,北京外国公使在华供职,除要求给予他们各自国家荣誉、权威和其他特别的优惠外,还不断要求中国按照西方路线进行军事改革。在地方一级,外国文职和军事官员为了促进个人和国家的利益,不多加掩饰便进行威胁。白齐文事件表明,不让外国政府正式参加,甚至让外国人入籍,都不能杜绝外国列强干预理应属于国内的事务,而"苏州事件"则加强了外国控制中国武装力量的潜在能力。[25]

李鸿章了解这一切,并且深为遗憾,但是他也知道有办法处理它们。一个办法是利用国际竞争。例如,在 1863 年初,他写道,如果英国人竭力要求委派他们自己的常胜军指挥官而继续找麻烦,那么就不妨将这支部队由法国的买忒勒或庞发统率,他们两人都是不久前由北京授予军阶的法国国民。英国人如果未能自主行事的话,他们能够(而且已在)威胁撤走常胜军的枪炮,但是如果李鸿章宁愿依靠法国帮助,他们就无法肯定法国人会不向李的部队提供军官或大炮。与此相似,在苏州杀戮之后,英国人没有出于愤慨而简单拒绝给予清朝进一步帮助的一个理由,看来是担心李鸿章利用此事,使法国或其他国家取得对常胜军的影响力。1864 年 4 月,卜鲁斯写信给在伦敦的罗素勋爵*:"如果我们准备撤回我们的官员,我们将因此对这个政府采取了不友好的行动,但是我们不应阻止外国人接受聘任。"戈登于 5 月间用同一种腔调指出,"拒绝许可[为李鸿章]效力,将迫使中国人向除我国外的外国人求助"。[26]

李鸿章还学会如何操纵各个外国雇员。李尤其根据他同华尔和白齐文共事的经验,十分清楚了解到像"入籍"中国这样传统的外夷顺服的表示,既不能保证外国人的忠诚,甚至也不能确保他们会服从中国法律管辖。** [27]另一方面,李鸿章又诚然不能不赞赏个别人如娶中国人为妻的马格里和 1862 年起在李处担任军事工作的法国人毕乃尔在文化上的转变。

毕乃尔原属刘铭传的洋炮营,1863 年薙发,改着中国服装,开始学到中文知识。不久后,娶中国女子为妻,1866 年以战功接受几次奖赏(包括满洲巴图鲁名号和总兵身份)以后,禀请成为中国居民,并隶合肥县(安徽庐州)籍。李鸿章报告毕乃尔禀请的奏折措词符合标准的世界秩序,它提到外国人崇慕中国风

---

    *　约翰·罗素(John Russell),英国首相(1846—52 年,1865—66 年),时为英国外交大臣。——译者

    **　李鸿章认为,"通商海口练兵,如有不能骤废洋人之处,但令听受节制,不必虚假冠裳,或雇令充作教师,不必寄名版籍,因其旧俗,与为羁縻,庶几流弊渐冀减少"。(《筹办夷务始末》同治朝,10 :46b)——译者

土人情和"皇上怀柔远人"。但是李鸿章也认识到,与华尔和白齐文不同,毕乃尔的禀请有实质性的内容。毕乃尔彻底中国化使他在淮军中完全能够与中国同事融洽相处,而且这也有利于李鸿章对他的控制。[28]

对李鸿章来说,不幸的是,和马格里一样,毕乃尔的文化敏感性在 19 世纪中国的外国人中间是绝无仅有的。这位江苏巡抚认识到这一点,采取了一种强调具体劝诱比文化信奉更为重要的驭夷战略。两千多年来,中国人深深依赖金钱奖赏,将它作为吸引和维持外国人忠诚的手段。华尔对金钱臭名昭著的渴求,和长期存在的对外国人固定不变的成见若合符节,至少在李鸿章眼中,连戈登也是十分贪婪的。然而事实上,戈登鄙弃金钱奖赏,他辞受清政府在苏州事件后给他的一万两赏银,把它看作是一个行为准则问题。[29]

尽管戈登能够不为物质利诱所动,他却和华尔一样,渴望能够得到赏识。李鸿章因此有效地利用了他的自尊心,不断告诉戈登,他在奏折中提到这个英国指挥官的作战成绩,向他传达了对他表示赞赏的御批内容。他甚至给戈登这样的印象,慈禧太后个人对常胜军也深有兴趣。与此同时,李鸿章的淮军部属其他部队单位同戈登经常保持联系,不仅同他交流情况,而且向他问候致意。应指出的是,李对戈登的赞誉是出于真心实意。虽然偶尔受到后者急躁、狂暴和突然发脾气滋扰,李鸿章的奏折一再说及这个外国指挥官勇敢、坦诚、恭顺以及他的军事才能和有效地使用西方武器。[30]

李鸿章运用官僚控制作为自觉恭维的制度上补充。这位江苏巡抚一开始聘用戈登,就经常提醒这个英国指挥官以及其他英国文职和军事官员,常胜军是在李鸿军麾下的清朝武装力量。在戈登被任命为这支部队的管带后不久,李鸿章便告诉英

129

国领事马安,他最近已请求授予戈登总兵一职,使戈登能够想到他是"我的部属"。李鸿章事实上于 4 月 12 日奏折中提出此事——虽然他不得不承认自己是根据 1863 年 1 月中旬同英国人* 的定议,给予戈登总兵的职任。4 月 27 日,北京批复李的奏折,准授戈登总兵的临时职任,在其节制下负责管带常胜军。值得注意的是,给军机处的谕旨并未要求这个英国指挥官成为中国的臣民,或改着中国服装。李鸿章向戈登传达了这些内容和有关的文件,要他对自己的地位勿存错觉。戈登于 5 月初写道:"抚台认为这支部队是他自己的,由一个已在中国供职、并且在他供职中国期间不再与英国当局有关的军官指挥。"[31]

同时,李鸿章要他的外国雇员服从经常监督。向戈登送递信息和问候的清朝指挥官也同样密切注意他。例如,我们读到绿营军官李恒嵩单独送呈李鸿章关于戈登管理问题和军事行动的报告。其他清朝指挥官,包括淮军的程学启,也是如此。同时,文官如松江知府贾益谦也曾提出有关戈登活动的报告。[32]而且,李鸿章依靠淮军作为强有力的控制工具。到 1863 年末,淮军已经发展到约 6 万人,虽然他们有些是由外国军官训练,但却没有一个忠于他们——也许毕乃尔除外。外国观察家时常说到李鸿章部将统率下的许多"精锐部队",《北华捷报》甚至提出(在"苏州事件"后),常胜军将会失去对抗程学启部队的一个"可惜的机会",如果这两支部队冲突的话。李和他的部将显然并不为这种冲突担忧,但是他们也不惧怯戈登的部队。[33]

130

---

* 指士迪佛立,见《筹办夷务始末》,同治朝,15:10b。——译者

外国军事援助的遗产*

李鸿章在其成就卓著生涯的其余时期,在所有自强的领域,继续利用西方的援助。对这个广泛的论题作充分研究虽非本文所能及,但是有关 1864 年以后李鸿章对军事方面雇聘外国人态度的一些例子,也许表明他在太平天国时期的经验在若干方面影响了他后来的看法和政策。

凤凰山外国操练项目,向李鸿章提供了一个在没有太平叛乱直接而严重的压力情况下贯彻他的驭夷政策的机会。不过,他对这个操练营的由来,原不存有幻想;没有英国的压力和赫德的力劝,它也许决不会产生。李从同常胜军接触的经验中知道得十分清楚,外国的帮助会招致外国的干涉,他从西方要求扩充外国操练的项目中一开始就觉察到他们"揽我兵权,耗我财力"的企图。因此当巴夏礼领事于 1864 年秋要求委派 6 名英国官员充任凤凰山教练时,他感到"震怒"。[34]

李鸿章同赫德以及其他大多数外国观察家一样,知道一支"配备英国人充任军官——不论你叫他们是教官还是指挥官"的军队,都会引起其他西方大国之间的竞争。但是当时上海附近的英国军官鉴于法国在外国操练项目中的影响日增,认为这一举措无可非议,甚至是必要的。例如,1864 年 7 月 29 日,巴夏礼领事惊恐地向威妥玛报告,在清政府军事职任上服务的法国人,"也许"比英国人更多。在 1862 年表现突出的这一英法竞争的主题,一直是 19 世纪其余大部分时间内西方对清政府军事帮

---

* 遗产(legacy):喻指遗留下来的精神或物质财富及其影响。——译者

助的一个特点；具有讽刺意味的是，赫德自己海关的雇员，著名　　131
的日意格和美里登,＊ 在增进法国利益、反对英国人方面，表现
尤为积极。[35]

　　凤凰山操练项目轰轰烈烈地开始。8 月中操练营才设立一
个月左右，戈登就已经写道，他在部队操练、队列和演炮等方面
取得了"重大进步"。他写道："这比我所设想的要容易得多。"
但是这个精力充沛的英国指挥官也发现，仅有的军队操练，"过
于单调乏味"，需要有"比我多得多的耐心"。他因此决定返回
英国。他宣布离任，从而推动了中国人和英国人关于凤凰山前
途的谈判。戈登本人对于这个项目表示满意，他感到应当继续
"在……服装、薪饷和训练方面，吸收尽可能多的人到帝国[即中
国军队]那里"。戈登承认，没有理由对李鸿章管辖下的凤凰山
项目表示抱怨，但是他相信，必须同中国当局达成谅解，一旦李
调动的话，操练营将有一个更永久的基础。[36]

　　巴夏礼和丁日昌之间长期谈判的结果是 11 月 12 日达成的
双方都感到满意的十三点协议。虽然李鸿章不得不接受第 67
团陆军中尉质贝接替戈登作为总教练，但是他成功地将凤凰山
办成实际上和名义上都是一个中国的机构。根据协议条件，中
国统领负有升擢、斥革、营规、薪饷、给养以及其他军事管理重要
方面的全责。质贝和他的外国教官只负责教练操演。李鸿章以
当地淮军军官潘鼎新作统领，以丁日昌作道台(后为江苏布政
使，最终为该省巡抚)，他能够有理由确信凤凰山的事务是在中
国人掌握之中。赫德 1864 年 11 月 9 日日记指出，虽然中国当
局最初将操练营看作是给外国人的一个"抚慰品"，但是现在李

　　＊ 两人均为法国人。日意格于 1861 年进中国海关，美里登时为福州
海关税务司(1861—71 年)。——译者

鸿章却完全支持它。据他记载,"有3,000人和60只炮艇,整个部队总共4,500人,在潘藩台[布政使潘鼎新]治下,即将实现正规化"。[37]

几个月后,1865年5月,赫德重访凤凰山,对这个项目作了赞许的报告。根据这个总税务司的说法,有900名中国士兵在淮军余在榜和袁九皋直接统领下,"操演十分出色,教练干预极少"。虽然质贝告诉赫德,巴夏礼不时干涉"损害了"这个项目,并且使潘鼎新泄气,不愿更加积极地参与凤凰山的工作,但是他"不能抱怨中国人所作的一切,把有关操练营未完成的工作丢下不管"。[38]

然而次月质贝接受调动回英国,引起了由谁继任的麻烦问题。巴夏礼自然认为新任英国司令官盖伊将军应提名为继任人;但是丁日昌在李鸿章暗中支持下,巧妙地绕过正常的渠道,取得了对曾在常胜军供职的前英国军官司端里的任命。为了说明这一个举动是正当的,丁日昌强调戈登曾从国内来信推荐司端里,并且煞费苦心地指出,司端里同英国政府没有正式的联系,这是有利条件。上海英国当局高声抗议丁日昌的这项成功一举,但是没有用。在北京,威妥玛承认中国有权委派质贝的继任者,他只要求中国人在最后选定时通知他。[39]

在随后几年,凤凰山的日常工作像在戈登和质贝指挥下一样继续进行:由中国人而不是英国人发号施令;中国官员监督操练营的基本管理;淮军军官充任统领或营官的军职;以关税收入维持操练营。但是到1873年,在工作将近10年并且花费近150万银两以后,这个操练项目衰落了,没有任何挽救的希望。早在1869年,《北华捷报》就把它描绘成"从前的叛军、鸦片鬼和懒汉"的结集所。时任江苏巡抚的丁日昌表示了类似的看法,他写道,营中士兵训练不当,贪污成风,奢侈铺张,肮脏混乱,领导

132

无力。大多数中级军官吸食鸦片,他形容凤凰山两个中国营官"郑有暮气,袁多滑气"丁日昌认为整个项目"有名无实"。[40]

　　司端里也强烈抱怨这种情况,但是限于 1864 年的协议,他和他的外国同事"无权纠正内部弊端"。上海的英国官员和司端里本人试图扩大外国人在凤凰山的作用而未成,中国人认为外国人干预营内事务已经过于明显。1879 年中,凤凰山项目突告中止,当地英国官员对此极感不快,而清朝当局则非常满意。过于注意西方人方面,并没有抵消对中国人方面的忽视。的确,两种趋向在加速这个项目的衰落中起了互为补充的作用。

　　凤凰山的失败总的反映了同治时期(1862—74 年)外国训练项目的失败。这些项目缺乏中央政府指导和支持,只能靠地方赞助人的热情和他们的在任得以维持下来。大多数项目在凤凰山之前便已萎缩消亡。[41]然而,在缺乏产生中国军官近代西式训练营的正常制度的手段下,包括李鸿章在内的清朝官员继续利用外国人训练他们的军队。[42]不过,李鸿章从两个方面对待利用西方人才的问题。一个自然是众所熟悉的根据当前需要雇聘在华西人的临时权宜的战略。另一个在观念上和实施中都更加复杂的是派遣中国人出国探究西方军事的作用。

　　1870 年李鸿章出任直隶总督后,他感到他现在能够利用更加广泛的对外联系来追求这两方面的目标。这一发展可从他自己迅速扩展包括像丁日昌那样具有进步思想的受庇护人的关系网得到部分解释,丁不仅在清朝官僚中权势日增,声望日隆,而且在在华外人中名声也很好。李鸿章能够更多地接近外国人才,还由于他同赫德的长期友谊日臻成熟,赫德允许海关的西方雇员在不同的近代化企业为李(以及其他中国官员)效力。不过,李鸿章成功的另一个解释是他在天津——同时作为畿辅省份的总督和北方三口通商大臣,事实上成为一个中央政府的官

133

员,身居致力协调中国外交、军事防务和自强计划的地位。外国代表在去北京途中,很少会放弃拜访李鸿章的机会,探询他的看法,并强调他们自己特别倾心的计划。[43]

1870 年代中期一位杰出的外国来华访问者、美国将军埃默里·厄普顿把访谒李鸿章并且检阅淮军,将它作为他宏伟的亚洲军事旅行的一部分。根据李的说法,两人谈了关于设立中国军事学校的想法,但是讨论并未产生结果。虽然李鸿章当时写的东西表明他清楚地意识到采取这样一个步骤的价值,但是考虑到在中国国土上建立一所完全合格的军事学校所需的费用,他显然认为这一需要并不十分迫切。在同一时期,李鸿章还探讨派出一些中国军官到西点的可能性——这大概是著名的1872 年赴美教育团的具体而微的小试,结果也是什么都没有实现——这一次是出于政治原因。不过,在 1876 年,李鸿章能够派 7 名淮军军官由他最好的教练之一李劢协陪同前往德国学习"战术"。[44]

德国人由于新成立了一支东亚海军中队,并且试图在中国建立一个稳固的立足之地,非常乐意帮李鸿章的忙。虽然赫德为了推进英国的利益,继续不停地工作,但是他的热忱现在却遇到了克虏伯和德国帝国公司的挑战,他们通过给予未来的教练津贴这样的手段,以巨大的努力,为德国人到中国工作打开方便之门。德国军人麋集于李鸿章的旗帜下,其中包括有影响的顾问、曾任校官的汉纳根,他于 1879 年开始作为副官为李效力。[45]

在此期间,李鸿章派出国的一些学生已回到淮军中。其中查连标的经历富于启发性。查在周盛传强兵 1 万的盛军效力——在 1885 年周去世前,盛军也许是全中国最精锐的一支淮军部队。周盛传在李鸿章部队(从太平天国时期起)同外国教官长期接触中深信西式训练和操演的价值,他痛惜外国训练的精髓没有充分灌输到淮军中去。他希望挽回这种局势,并且赞扬查连标对提高盛军全面效率的贡献,力恳李鸿章给他"破格"增俸,以资奖励。不过,值得注意的是,周并未建议在绿营系统提升他的军阶——大多数勇营军官特别重视这种奖赏。虽然周盛传卷帙众多的著述中一再强调西式操练的重要性,但是很明显,不论出于什么理由,他自己并不准备为精通西式操练的人请求给予最高的奖赏。[46] 在其他进步较逊的部队中,问题是否比这里更多呢?

我们在盛军中还发现对于外国人和外国影响的某种敌意,这使人联想起常胜军和同治时期凤凰山那样的外国训练项目。虽然在这支淮军部队中,外国的干预似乎最小,虽然周盛传尽力指出他的受过外国训练的军官得到士兵的信赖,但是很清楚,在李鸿章的部队中,接受外国人影响是很不全面的。用一名十分了解淮军情况的观察家的话说,"[西式操练中]漂亮得像一个可恨的外国人,就会失去社会地位"。这种态度,连同对于操练中[西方人]积极参与的沿习下来的反感,无疑损害了淮军军官的军事战斗力。[47]

为了使淮军更符合西方惯常做法,周盛传在他去世前不久提出建立一所洋式的军事学校"武备院"。他显然担心这会打乱淮军内部的既得利益,强调训练军官"不必多数"。不过他确曾怂恿李鸿章尽早建立一个"公所",以便在德国人监督下,给中国士兵以系统的指导。[48] 直接的动机有三个方面:中法冲突的军事需要,其他淮军将领的支持,以及一个能干的德国教练的核心群体已经出现。

饶有兴趣的是,戈登在面临对俄国开战威胁的所谓伊犁危机中回到中国帮助李鸿章时,他也建议于 1880 年采取类似的步骤。李鸿章这时任用戈登的努力,正如他在太平天国时期聘用这个怪僻的英国指挥官一样,再次说明了中国对于军事改革和利用外国人才所采取临时权宜态度的缺陷。李和戈登 1869 年的通信就已预示后者于 11 年后重返中国。那时,英国臣民只允许在和平时期而不是在战时为中国人效力。据说这一规定曾使赫德灰心丧气,他放弃了一个雇聘约 100 名英国人作 10,000 人的中国军队教练的计划。然而它却阻止不了戈登。他一来到天津,便告诉李鸿章,如果俄国进攻,他愿为中国作战;李问他是否能够不受英国政府约束,自由行动,后者回答说:"我已辞去本国官职,英国不能管我。"[49]

李鸿章对戈登的个人忠诚和"热爱中国",印象深刻,他写信给总理衙门说:"戈登既云不为英官,英使不能管他,亦不怕俄人嫉忌。楚材晋用,敝处极应留商一切,以收驾轻就熟之效。"他接着说:"盖戈登心地忠诚,不为利动[……]声名赫著,朴勤如昔,与鸿章意气相许,有急必出死力相助。"* [50]

但是戈登关于中国不应同俄国作战以维持"体面"的建议,在北京十分不受欢迎。即使李鸿章非常赞佩戈登挚爱中国,也感到他的这个外国朋友没有同中国现实接触,"喜听间言,主意不定"。** 赫德写信给他在伦敦办事处说:"尽管我十分喜欢并且尊敬他,可是我得说他'神志不正常'。"戈登最失去理性的行为是他试图劝说李鸿章"向北京进军,僭称'监国'"。*** 李鸿章当然没有这样的打算,但是外国报纸充斥着他和戈登正在阴谋把满人赶下台的谣言。戈登为这些谣言所苦恼,并且因中国和西方的政策制定者而灰心丧气,他决定离去。他在 8 月下半

---

* 引文见《李集》,译署函稿,11 :14b。——译者
** 引文见《李集》,译署函稿,11 :24b。——译者
*** 原文为"皇帝监护人"(Guadian of the Emperor)。——译者

月写道,"如果我留下,将对中国不利,因为它将使美国、法国和德国政府恼怒,这些国家要派他们的军官到中国来。再说,我是他们不需要的人"。[51]

　　这一依靠外国帮助不幸的模式本身在整个 1880 年代一再重复,一直延续到 1890 年代。外国教练使李鸿章的部队跟上西方军事科学的新发展;但是他们也像他们在同治时期的对手一样,并不能够在淮军中实行根本的变革,更不用说整个中国军事了。正如《中国时报》在 1887 年初所评论的:"的确,外国军官已经受雇[于中国各部门],他们已在教中国新手许多操演……但是改革还没有渗透到战役的基本要素中,如军队管理、运输、给养部门、医务人员等,而没有这些,一支受过训练的军队就和没有受过训练的一样,至多是一群乌合之众而已。"[52]中国的观察家也得出类似的结论。像李鸿章所部这样受过西式训练的军队,能够对付装备简陋的国内反抗者,但是他们却不足以应付外国侵略的挑战。

　　此外,1874 年以后外部威胁日增,连同与之相关的中国排外主义的发展,使获得和系统地利用外国军事援助——中国继续获得这些援助——变得复杂了。作为遏制外国侵入的手段,雇聘西方人日益明显地受到限制,这种限制丝毫不是由于这个或者那个西方大国经常是敌人的缘故。《经济学家》在伊犁危机时曾经有针对性地指出,如果中国人要组织一支由欧洲人作军官的军队,"也许它不能用于对[外国]租界作任何一般的攻击"。[53]甚至在 1880 年忠告中国人应如何保卫自己、反对外国侵略的戈登,也向英国人建议如何攻击中国最佳。[54]民族的自我利益似乎最终还是使外国人提出的改革建议添上了最利他主义的动听音调。[55]

　　在 19 世纪其余的时间,外国的竞争继续助长了阴谋诡计和

136

幕后操纵,并且增强了中国官员身上的外国压力。同时,具有讽刺意味的是,中立法和其他法律上的障碍,妨碍了自由雇聘西方军事人员。而且,对中国军队中聘用外国军官和教练的忿恨也日益增加。[56] 所有这一切问题都曾出现在太平天国时期,但是随着时光流逝,它们变得越来越难解决。因此迟至 1895 年,仍然有些人——中国人和外国人——鼓吹中国要有一个与大约30 年前华尔和戈登领导的军队十分相仿的军事模式,便令人特别惊奇了。虽然建立一支汉纳根领导下由外国人充当军官的中国军队的雄心勃勃的计划成为泡影,但是张之洞那支由德国人充任旅、营、连队军官,直至中国军官经过训练能够取代他们的自强军,却承受了常胜军的全部主要的缺陷:不合格的吵吵闹闹的外国军官、中外摩擦,以及最后,西方的干涉。[57]

总之,19 世纪临近结束之时,李鸿章和与他思想接近的人仍然没有解决由于利用外国援助而带来的基本问题。尽管有了30 多年痛苦然而却深含启迪的经验,中国关于军事方面雇聘西人的改革,仍然和太平天国时期并无二致。西方人仍被李鸿章等人聘为顾问、教练甚至军官;但是北京并没有真正试图对他们的近代化努力加以协调或监督。武器、训练、甚至教练用语,在军队与军队之间,地方与地方之间都相去悬殊。像同治时期外国训练计划一样,1880 年代和 1890 年代建立的少数几所军事学校,主要依赖地方的赞助和不稳定的经费筹措,它们培养出来的军官人数太少,不能满足中国的需要。[58]

137 结束语

看来也许奇怪,李鸿章大量而且持久使用外国雇员,同他所表达的消除对他们的依赖之间,并没有真正的矛盾。他自己的著述和他的外国和中国同事的记述都清楚地表明,他是真正鄙视仰赖西人帮助——尤其军事方面帮助的想法。即使他的好友赫德也责备他那自成一格的排外主义。赫德在 1874 年 11 月 24 日一则引人入胜且多少有些冷嘲式的日记中,描述了李的一名姓许的洋务委员造访——此人是一位前工部尚书之子,* 两年前派往日本 6 个月,"为李作考察"。在他们谈话过程中,赫德表示对总督促进变革所作出努力的赞颂,并且一针见血地指出李同后来成为他最有用、最信赖的雇员之一的毕德格** 之间的"伟大友谊"。然后,总税务司又向许发牢骚说,李没有"充分了解外国事务",因为他反对"同外国人有更多的联系"。[59]

当然,问题不在于李鸿章的偏执。正如我已试图指出,中国人的某种排外主义的确阻碍了中国近代化的努力,但是李鸿章本人并不是盲目仇外。不论由于他拒绝雇聘大量外国人,还是由于他的西方雇员一般不愿意入中国籍,或接受中国文化,他建立一支近代受西式训练的军官队伍的尝试显然并没有失败。这也不是由于在 1895 年以前大多数中国人——包括李的淮军官兵——缺乏对外国事物的热情,这种热情曾使西化的浪潮于1870 年代席卷明治时期的日本成为可能。[60]可以肯定,这种热情将明显有助于为外国促成的中国军事改革排除障碍,但是在19 世纪,这却是不可思议的。

李鸿章在军事领域的困难,即使用对儒学"正统"的顽固坚持,也不能作出令人满意的解释。批评他的近代化方案、包括外

---

* 即许钤身,其父许乃普,道光(1844 年兼署)、咸丰(1853、1856—58年)两朝为工部尚书。——译者

** 毕德格,美国人,1874 年来华,时为天津副领事,后辞职为李鸿章英文秘书。——译者

国训练项目的保守的人,常常抱怨改革者"用夷变夏",但是朝廷对于按照西方路线进行军事改革缺乏热情,不能只用思想意识加以解释。首先,我们应当记住,对于清朝正规军队的军官,根本难以期望他们有什么儒学知识。反常的倒是革新的勇营雇佣军——朝廷对它抱有矛盾的感情——而不是帝国的绿营或八旗部队,特别强调儒家道德的灌输。即使像李鸿章这样"务实"的官员,也不断强调在中国士兵中——不仅勇营,也包括 1880 年代和 1890 年代的新式军事学堂,灌输正统的儒家价值观。李鸿章的淮军军官尊奉儒学,的确不亚于他们的对手绿营和八旗。[61]

从外国训练的视角看,中国有效的军事改革的主要绊脚石看来是清朝中央政府不愿意促进有目的的制度变革。造成这种态度的,不仅由于长期以来军事责任分散的管理原则,而且还由于缺乏持久的危机意识。正如总理衙门于 1870 年代初所说,"有事则急图补救,事过则仍事嬉娱耳"。*[62] 暂时利用像常胜军这样由外国人充任军官的部队,如同暂时支持像凤凰山操练营这样的外国训练项目,是同北京的临时权宜之计和军事管理地方化的态度完全一致的。但是,从长远观点看,它是与中国的需要相违背的:为全力对付迫切的问题而采取这样临时对策所取得的成功,扼杀了西方人期望他们发动改革的冲力。

满人朝廷担心扰乱社会各阶层的既得利益,意识到自己岌岌可危的治理地位,它直到 1895 年溃败以后都在抵拒根本的制度改革。虽然传统主义和排外主义在中国仍然是强大的力量,但是如果清政府对于取得新的军事和其他的技术给予可观的奖赏——如授以受人尊敬的科名和令人歆羡的官职,这些阻力便

---

* 见《李集》,朋僚函稿,14：30a。——译者

不难克服。当然,在最好的环境下,改革也会进展缓慢,备受折磨。政府岁入非常微少,而北京对外国干预中国军事的忧虑也并非全无事实根据。但是同样明显的是,满人作为外来的统治者和自命中国传统的保卫者,并不想在中国设立系统的集中的近代军事教育项目——尤其是当西方的武器和训练明显地不能限于帝国传统的八旗和绿营的范围内的时候。[63]

具有讽刺意味的是,如果在 1860 年代和 1870 年代反满情绪不再成为政治问题,帝国主义的压力还很小的时候,满人就着手目的明确的、集中的改革,那么,清王朝也许能够建立一个明治式的军事教育体系,并且最后像日本那样废除所有外国教练。[64]相反地,清政府却逐渐对爱国的汉人抱着敌对的态度,而且由于未能建立一支不仅仅能够制止国内叛乱的近代西式的军队,而使外国列强失望。最具讽刺意味的是,在中日战争后觅求外国人才中,中国人转向了从前的"倭寇"日本,日本开始用近代军事方法在国内和国外训练一大批富有军事才能的中国人。这一新的教育和推动它的民族主义,带来了革命的后果。

注　释:

[1]《筹办夷务始末》,同治朝(北平,1930,以下作《始末》),25∶10。亦见刘广京:《儒家务实的爱国者:李鸿章事业的形成阶段,1823—1866年》,《哈佛亚洲研究杂志》,30(1970);本书第 2 章。在此我不仅对刘教授在中国历史研究领域所作许多卓越的贡献表示敬意,而且对他作为我的老师和同事,表示深切的感谢。

[2] 见司马富:《外国军事人才的雇聘:中国传统与晚清实践》,《皇家亚洲文会香港分会学报》,15(1975)。

[3] 关于背景,请查阅司马富:《雇佣军与官员:19世纪中国常胜军》(纽约,米尔伍德,KTO 出版社,1978),第 3 章;亦见司马富等编:《赫德与中

国早期近代化:赫德日记,1863—1866 年》(麻省坎布里奇:哈佛大学
出版社,1991)。

[4] 刘广京:《儒家务实的爱国者》,第16页以下各页。

[5] 司马富:《雇佣军与官员》,28—40,54—57,83—91等页。有关华尔业
绩的最新记述是卡利布·卡尔的《鬼子兵》(纽约,兰登出版社,1992),
该记述利用耶鲁大学"华尔藏件"中的中文资料,对华尔同吴煦的密切
关系作记实性描述。

[6]《李文忠公全集》,吴汝纶编(南京,1905,以下作《李集》),朋僚函稿,
1 :29。参见司马富:《雇佣军与官员》,75—78。

[7] 见上注[5],亦见下注[32]。

[8] 见《李集》,朋僚函稿,1 :30b,39,43,54。

[9]《始末》,同治朝,9 :4,13b。参见《吴煦档案中的太平天国史料选辑》,
静吾、仲丁编(北京,1958,以下作《吴煦档案》),112,137。

[10] 关于白齐文,请查阅司马富:《雇佣军与官员》,108—14,120—22。

[11] 关于戈登管理常胜军,见上书,第7、8章。

[12] 司马富等编:《赫德日记》,33—44,47—79等页。关于中国人和西方
人两方面的意见,见雷禄庆:《李鸿章新传》(台北,文海,1983),1 :159
—62。

[13] 见《始末》,同治朝,22 :9—10b; 22 :17b。

[14] 证据可见于司马富等编:《赫德日记》;费正清等编:《总税务司在北京:
赫德中国海关信函集,1868—1907 年》(麻省坎布里奇:哈佛大学出版
社,1975),两卷。

[15]《北华捷报》,1863年12月19日。参见《李集》,朋僚函稿,4 :29—30。

[16] 见司马富:《雇佣军与官员》,146—48,160—61。

[17] 关于赫德在"苏州事件"中的作用,见司马富等编:《赫德日记》,第1,2
章,有关各页。

[18] 同上,第41—42页包含此信若干段落。

[19] 关于马格里的作用,请查阅英国图书馆,"戈登文件",新增手稿
Ad.Mss.52,386。这一藏件包含马格里致戈登的大量信件,其中许多
未署日期。亦见《李集》,奏稿,7 :34; 10 :38 等;德米特里阿斯·鲍尔
格:《马格里爵士传》(伦敦:J·莱恩,1908),有关各页。

[20] 见乔纳森·奥科:《中国省级官僚政治改革:江苏善后中的丁日昌,

1867—1870 年》(麻省坎布里奇和伦敦: 哈佛大学出版社, 1983), 18—20。

[21] 引文见解维廉:《曾国藩与太平叛乱》(纽黑文: 耶鲁大学出版社, 1927), 260。亦见司马富:《雇佣军与官员》, 88, 98—102, 154。

[22]《始末》, 同治朝, 55 :8。

[23] 司马富:《雇佣军与官员》, 54—56, 111—14, 145—48, 159, 162, 181。

[24] 同上, 181; 亦见《洋务运动》, 3.510。参见《李集》, 朋僚函稿, 2 :37b—38; 奏稿, 20 :46。

[25] 关于外国竞争和干涉的主题, 见司马富:《雇佣军与官员》, 58—60, 67—71, 102—105, 107—12, 178—82; 史蒂文 · 莱博:《向中国转移技术: 日意格与自强运动》(伯克利: 中国研究中心, 1985), 72—73, 84—87; 史蒂文 · 蒂博编:《1864 年中国内战日志》(火奴鲁鲁; 夏威夷大学出版社, 1985), 26 以下各页, 尤其 39。

[26] 司马富:《雇佣军与官员》, 151—55。

[27]《始末》, 同治朝, 10 :46, 49b—50。关于李鸿章力图驾驭华尔、白齐文和戈登, 请查阅司马富:《雇佣军与官员》, 54—58, 105—06, 115—117, 153—60, 164—67。

[28]《洋务运动》, 3.479—80。关于马格里, 见鲍尔格:《马格里爵士传》, 140—41; 亦见《始末》, 同治朝, 44 :20。

[29]《太平天国史料》, 田余庆等编(北京, 1950), 357—58;《始末》, 同治朝, 22 :18—19。

[30] 例如, 见《李集》, 朋僚函稿, 3 :8, 10, 14, 16—17;《太平天国史料》, 299—438, 重印李鸿章及其下属致戈登的许多信件。亦见英国图书馆"戈登文件"(原稿 Orig. Mss. 2338) 内中文文献译件。

[31] 英国图书馆"戈登文件"(新增手稿 Ad.Mss.52, 393), "关于松江兵力的看法", 1863 年 5 月 5 日。参见《太平天国史料》, 309—10,《始末》, 同治朝, 15 :10b—11。

[32] 例如, 见《太平天国史料》内通信, 313—14, 318, 321—22, 326。如耶鲁大学"华尔藏件"中许多文献所指出, 华尔时期已经有这方面先例。见"戈登手稿杂件"(Misc.Mss.Coll.Ms.Gr.), 352。

[33]《北华捷报》, 1864年6月18日;《李集》, 朋僚函稿, 4 :24。关于李鸿章的一名主要部将的最近分析, 见张延中:《刘铭传参与平吴剿捻战役之

141

探讨》(台北: 文史哲, 1986)。

[34] 《始末》,同治朝, 25 :27, 亦见赫德同李鸿章关于这个问题谈话记述,见司马富等编:《赫德日记》, 262。

[35] 见上注[25]。

[36] 关于这个项目的一般概述, 请查阅司马富:《外国训练与中国自强: 凤凰山情况, 1864—1873 年》,《现代亚洲研究》, 10.2(1976)。

[37] 司马富等编:《赫德日记》, 230。

[38] 同上, 260—61。

[39] 见司马富:《外国训练与中国自强》, 203以下各页的讨论。

[40] 丁日昌:《抚吴公牍》, 50 :7b—8; 参见《北华捷报》, 1869年10月2日。

[41] 见司马富:《外国训练与中国自强》, 210—15。

[42] 关于这个问题的文献资料很多。见《洋务运动》, 3.有关各页。李鸿章的撰述有许多关于他利用外国人训练中国军事的内容。例如, 见《李集》, 奏稿, 20 :46。参见赫德1867 年 10 月 15 日日记所载, 赫德称李鸿章批评左宗棠在福州船政局雇聘外国人过多。"赫德藏件", 北爱尔兰贝尔法斯特女皇大学图书馆。亦见下注[59]。

[43] 关于赫德的支持, 同上, 1867年2月16日, 在这一则日记中总税务司将李鸿章说成是"我的同盟者"。李鸿章在1870 年以后许多近代化项目中利用外国人, 刘广京《李鸿章在直隶: 一个新政策的呈现, 1870—1875 年》曾加讨论, 见本书第 3 章; 费维恺等编:《近代中国史研究》(伯克利: 加州大学出版社, 1967); 亦见肯尼思·福尔森:《朋友、宾客和同僚: 晚清时期幕府制度》(伯克利: 加州大学出版社, 1968), 有关各页。

[44] 我曾在《晚清中国军事教育改革, 1842—1895年》中讨论这些努力, 该文载《皇家亚洲文会华北分会学报》, 18(1978), 22。

[45] 关于汉纳根, 见约翰·罗林森:《中国发展海军的努力, 1839—1895 年》(麻省坎布里奇: 哈佛大学出版社, 1967), 147, 175, 178—80, 183, 186—87, 198。

[46] 刘广京、司马富:《西北与沿海的军事挑战》, 载费正清、刘广京编:《剑桥中国史》, 卷 11, 第 4 章 (剑桥: 剑桥大学出版社, 1980), 244—46。

[47] 司马富:《晚清中国军事教育改革》, 23。

[48] 周盛传:《周武壮公遗书》(南京, 1905), 4 :33b—34; 亦见1(下) :41b—

142

42。

[49] 《李集》，译署函稿，11 :14a。关于背景，请查阅徐中约：《戈登在中国，1880 年》，《太平洋历史评论》，33.2(1964 年 5 月)。

[50] 徐中约：《戈登在中国》，157—58。

[51] 同上，163。

[52] 《中国时报》，1887 年 1 月 29 日；亦见 1887 年 2 月 19 日。

[53] 引自《北华捷报》，1880 年 6 月 29 日。

[54] 马克·贝尔：《中国》(西姆拉，中央政府分出版处，1884)，2 :104。

[55] 在一份日期署 1880 年 7 月 25 日的致英国外交大臣格兰维尔的绝密信件中，英国驻华公使威妥玛写道，对于赫德领导下外国海关税务司的状况给予"特别关心"的一个重要理由是，"除非我大大错了，……[它采取]一切防备措施以阻止她[中国]获得一支舰队或组织一支陆军"。换句话说，赫德想要通过外籍税务司，使中国仍然依赖英国的建议和帮助。见英国公共档案局，F.O.418/ 1/ 242。赫德致格兰维尔。我对此处所引《赫德日记》稿本不知名的审读人谨表谢意。

[56] 司马富：《雇佣军与官员》，180—81，190。

[57] 拉尔夫·鲍威尔：《中国军事力量的兴起，1895—1912 年》(新泽西州普林斯顿：普林斯顿大学出版社，1955)，60—68。

[58] 同上，106—107；亦见刘广京、司马富：《军事挑战》，268—73；司马富：《外国训练与中国自强》，220—23；司马富：《雇佣军与官员》，192；司马富：《晚清中国军事教育改革》，25—29。

[59] 1874 年 11 月 25 日日记，见"赫德藏件"，北爱尔兰贝尔法斯特女皇大学图书馆。参见上注[42]。

[60] 见司马富：《中国和日本近代化比较研究的思考》，《皇家亚洲文会香港分会学报》，16(1976)；亦见司马富等编：《赫德日记》，293。

[61] 然而在一些新式军事学堂，传统的价值观受到损害。例如，见王家俭：《北洋武备学堂的创设及其影响》，《台湾师范大学历史学报》(1976 年 4 月)，9，11—12，19—20，及注。

[62] 引自邓嗣禹、费正清编：《中国对西方的反应：文献概览，1839—1923 年》(纽约：雅典娜，1969)，119。

[63] 司马富：《雇佣军与官员》，192—94；司马富：《晚清中国军事教育改革》，32—33；司马富：《外国训练与中国自强》，220—23。关于军事方

面雇聘外国人的昂贵代价, 例如见康念德:《江南制造局的武器: 中国军事工业的近代化》(科罗拉多州博耳德, 1978), 尤见 155。

[64] 见恩斯特·普列森:《侵略之前: 欧洲人防备日本军队》(土孙: 亚利桑那大学出版社, 1964); 亦见梅溪升:《近代化年代受雇日本的外国公民》,《东亚文化研究》, 10.1(1971 年 3 月)。

第 四 编

作为外交家的李鸿章

7

李鸿章对日本和朝鲜政策的
目的，1870—1882 年

金 基 赫

1870 年 8 月 29 日，李鸿章授直隶总督，接替正处困境中的曾国
藩，在此之前 6 月间，他已奉派直隶处理因天津教案而引起的中
法危机，带淮军 25,000 人随行。不到 3 个月，即 11 月 12 日，他
增授北洋通商大臣。李鸿章受命驻在天津，只是在冬季月份天
津封河时，才到省城保定。此外，李还是没有正式称衔的淮军统
帅，当时淮军除承担其他任务外，还负责警卫畿辅。他还从自己
在清政府的重要职位上，在自强活动中起着非正式的中央协调
人的作用。[1] 李鸿章通过多重的职务在清政府对外政策的实施
中，起领导作用达四分之一世纪之久。尤其是他负责对中国东
邻日本和朝鲜的政策，这两个国家同中国的关系，向李鸿章提出
了他漫长的一生事业中面临所有外部问题中最为棘手的难题。

在李鸿章积极而密切地参与清朝处理对外关系的整个时
期，他的对外政策，用单独的一章作充分的论证，既不切合实际，
或许也难以做到。因此，本章将考察从 1870 年代初至 1880 年
代初这一时期，将注意点专门集中在他对日本和朝鲜政策。他

对这两个国家的政策,将作为一个整体加以讨论,而不是作个别的探讨。

146 1870 年前李鸿章的日本观

李鸿章对日本和朝鲜发生兴趣,时间上要比 1870 年他受任直隶总督后很快就亲自涉足日本和朝鲜事务更早。李鸿章在同太平军作战中对西方武器的兴趣,第一次吸引他注意日本——以及俄国——为了军事自强而学习和采用西方科学技术。1863 年 5 月,李到上海指挥对太平军的战事后,从上海写信给曾国藩。西方武器的功效给他留下深刻的印象,他告诉他的导师:"俄罗斯、日本从前不知炮法,国日以弱。自其国之君臣卑礼下人,求得英、法秘巧,枪炮轮船渐能制用,遂与英、法相为雄长。"[2] 在 1864 年春致总理衙门信中,李再次赞扬日本在军事自强方面的努力。他赞扬日本,同时也是在提醒中国。他回溯今天的日本人即明代倭寇后裔,预言如果中国有以自立,日本人将附丽中国,如果中国无以自立,日本人就将效尤西方。李强调中国要成功地对付西方威胁,就绝对有必要去做日本正在做的事情——觅购制器之器,使聪秀青年致力于工业工作。他建议在现行科举制度中,为专攻技术的考生创设一个新科,以资鼓励。[3] 他的建议为保守的满族宫廷所拒绝。

在清朝士大夫普遍以轻蔑和偏见的眼光看待日本,将它主要看成中国麻烦的潜在根源的时代,李鸿章却没有表露出这样的看法或情绪,至少在外表上没有流露出来。相反地,他赞扬日本是中国军事自强的榜样。虽然李鸿章不可能完全信任日本人,但是看来他对于中国在反对西方侵略斗争中实现中日合作,抱有某种模糊的希望。

至于朝鲜,李鸿章卷帙浩繁的著述,并没有提供有关这一时期他对这个半岛王国态度的明晰的暗示,或直接的线索。李没有理由怀疑朝鲜这个最紧邻、最重要的属国对中国的忠诚。他的中国国防战略观念还有待发展,而朝鲜则在这一国防战略中占有重要的地位。

遏制日本同西方合作,1870—1874 年

1870 年秋,李鸿章开始了他对于中国对日外交政策长达四分之一世纪的处理,当时日本外务大臣柳原前光衔命向中国当局试探两国订立条约的可行性,抵达天津。总理衙门获悉柳原的使命,先是决定拒绝日本的要求,因为它担心同日本立约,可能给中国同朝鲜和越南这样属国的关系,带来令人不快的后果。处于困境的柳原前光求助于李鸿章和曾国藩,他们两人当时都在天津。

柳原前光早些时候曾告诉李鸿章,日本被迫同英国、法国和美国通商,这些国家利用日本,日本因而心怀不服。但是日本力难独自抗拒这些大国,希望同中国合作。不管李鸿章是否完全相信柳原前光,他对柳原的话却没有表示疑问。李鸿章致函总理衙门,表示同日本立约不仅不可避免,甚且是可取的,劝它接受日本的要求。[4] 在总理衙门拒绝柳原的要求后,作为对这个日本专使的新求助的反应,李鸿章再次写信给总理衙门,坚持中国既已与西方许多国家立约,不宜拒绝同日本这样一个紧邻的国家缔结条约。他指出,一旦日本复浼英、法斡旋,中国除了给予通融,将别无选择。他提醒说,这将不仅有损中国的威信和声望,而且还会使日本转而成为中国的敌人、西方的盟友。他强调中国自己必须同日本结盟,决不应让日本变成西方侵略中国的

147

基地。[5] 然而,李鸿章当时还无法知道同时代的日本明治领导人的态度和意图,这些领导人正在心理上而且也在外交上使他们的国家同西方大国结盟。[6] 由于李鸿章的干预,总理衙门改变了早先的决定,奏请由李鸿章负责准备对日本订约谈判,谈判预期于次年春季开始。

李鸿章在追求他的目标时,表现出愿意支持日本人,并且在没有相反证据之前,肯定他们的要求,虽则他自己并不可能充分相信他们。1870 年 12 月,拟议对日条约受到极端保守的安徽巡抚英翰的抨击,英翰回顾明代的倭寇,怀疑日本乘中国正因天津教案而引起的危机之时谋求立约的动机。英翰还担心同日本订立条约,会鼓励像朝鲜和越南这样一些属国纷至沓来,谋求同样的待遇和优惠。[7] 李鸿章在 1871 年 1 月的一份奏折中指出,在 1860—61 年事变以后几年,江浙因太平军打击而衰敝糜烂,西方各国正在胁迫中国,日本并未乘此情势要求同中国立约。他争辩说,由此可见日本安心向化。至于明代倭寇,李说,那是因明朝禁绝互市所造成。李在指出日本通过采用西方技术实现军事自强所作努力成功时,再次提醒说,日本如果受到中国拒绝,必将同西方结盟,而如果加以适当笼络,它将为中国所用。他重申自己先前的建议,在同日本条约签署之后,中国派外交和领事官员往驻日本,以促进中日合作,制止日本不利于中国的行动。[8]

李鸿章虽然愿意对日本人通融,但是无疑,他对他们的意图和行动并非视而不见。他对日本策划侵略朝鲜,保持警惕。早在 1871 年,据报导,日本兵船可能随同美国兵船即将来到朝鲜,后者是由华盛顿派来查问"谢尔曼将军号"(一艘于 1866 年冒险驶入朝鲜内陆水域后被毁的美国商船)的结果,李鸿章开始关注日本和美国针对朝鲜而秘密合作的可能性。在关于此事致总理衙门的一封信中,他表示担心日本可能成为朝鲜的直接威胁,后者对此恐难独抗。[9]

在签订 1871 年 9 月达成的中日修好条规谈判中,李鸿章是中方主要谈判人,这个谈判第一次向他提供了采取具体步骤实现其遏制日本侵朝计划、阻止它同西方合作对付中国这一外交政策目标的机会。李鸿章的务实精神使他愿意在国际外交上给予日本以同中国平等的地位——这是一个重大的让步,一种对于清朝确立同东亚国家和民族间关系行为的传统惯例前所未有的背离。另一方面,李鸿章在要求他认为与中国攸关的重大利益方面,并不妥协。他克服了日本长时间的强烈反对,成功地将互不侵越"邦土"、保证缔约双方中任何一方同第三国发生冲突时彼此相助,载入条约。李鸿章加上"邦土"一词,未作具体指明,意在保护朝鲜免遭日本侵略。彼此相助一款,则是他想出来用以防止日本同西方大国结盟的手段。[10]

许多西方观察家指责这个条约是针对西方的中日军事同盟的象征。[11]尽管日本领导人曾公开表示同中国合作的愿望,这却远远不是他们的意图。这也不是李鸿章的意图。虽然李鸿章在早些时候有可能抱有同日本人建立某种形式的合作的模糊希望,然而他过于现实,以致无法在很长时间内一直持有这样的看法。他的目标更为有限而且明确。他认为,朝鲜比起中国南方沿海各省,对于清朝国家防务更是生死攸关,根据他对朝鲜战略重要性的这种观念,他需要利用条约作为工具,以保护朝鲜和中国战略利益,以及中国在这个半岛王国传统的宗主权,免受日、俄侵凌,并且防止日本同西方结盟,转而反对中国。[12]

在条约签订后几年中,李鸿章的政策经受了日本政府行动的严峻考验。日本人对中国没有给他们以西方各缔约国在不平等条约下所享有同样的在华权益和特殊权利,感到不快,甚至在新约批准之前,就试图修订条约,虽然并未获成功。具体地说,他们要求取消彼此互助的条款,以免"西方生疑"。此外,他们希望增加最惠国条款,以便日本能够得到和西方缔约国同样的法律上平等地位,以及由此产生的在华实际利益。由于这一点以及其他原因,一直到 1873 年 4 月,条约才正式签署认可。[13] 然而有两件事几乎接踵而来,它们一定会打消李鸿章也许曾经有过的在共同反对西方的斗争中中日合作的任何幻想: 1873 年日本的征韩论和 1874 年它对台湾的出兵。[14] 虽然前者未立即导致日本对朝鲜的军事行动,但是它却清楚地显示日本对它的半岛邻国傲倨态度和侵略野心。后一个事件造成一场严重的国际危机,它能够激化成为中日之间重大的军事冲突。结果并没有这样,这在很大程度上是由于李鸿章慎重从事和劝告克制的缘故。

　　出兵台湾起因于 1871 年 2 月琉球船只失事,水手被台湾南部土著杀害。东京政府不顾琉球作为中国的朝贡国和已废的日本萨摩藩封臣的双重地位,于 1873 年单方面将这个半岛上的小王国置于日本独自控制之下。它借口为被害水手报仇——宣称这些水手是日本臣民——在次年 4 月没有正式知照中国,便发动了一场征伐。李鸿章闻悉发兵消息,惊骇之下,表示不敢置信。在 4 月末致总理衙门信中,他表示这样的看法,即在征韩论争中鼓吹对朝鲜采取军事行动而被驱逐出政府的前参议江藤新平所领导的叛乱刚刚平定不久,日本不会有能力举行远征。李说,如果日本使用武力,它极有可能针对朝鲜,而不是针对台湾土著,因为江藤是在请伐朝鲜被拒绝后,才谋划作乱。[15] 在 6 月初给总理衙门另一封信中,李劝告慎重从事,因为兵端一开,便可能有意外之变。[16]

　　在接踵而来的危机中,李鸿章起着中国防务非正式协调人的作用。他建议总理衙门采取加强中国在协议谈判中地位的军事措施。他同沿海各省有关督抚,包括福建船政大臣沈葆桢密切合作,部署台湾沿海防务,沈是由他推荐,经总理衙门奏请,增派为办理台湾等处海防事宜钦差大臣。[17] 虽然李鸿章一再敦促总理衙门在谈判中对日本采取坚定的立场,他的目的仍在于谋求和平的外交解决,而不是军事对抗。他劝告总理衙门,"明是和局,而必阴为战备,庶和可速成而经久"。他建议沈葆桢,"冲突要避免,而战备要加紧做好"。[18] 李获悉日本内务卿大久保利通即将来北京谈判议结,建议总理衙门要以礼相待。他甚至认为,就琉球水手被害一事来说,此案已有 3 年,福建当局并未认真查办,因此中国亦小有不是。他劝总理衙门从被害水手人道主义立场和对日本士兵远道艰苦的考虑出发,付钱解决。[19]

李鸿章坚定然而却是和解的立场,无疑来自他的务实精神和他相信此时清朝陆军和海军尚不足与日本抗衡。但最为重要的是,这和他旨在防止日本同西方针对中国而合作的外交政策是一致的。他已不再以中日合作对付西方挑战的任何希望欺骗自己,但是无论如何,他希望在中国军事上仍然衰弱之时,避免中日关系完全破裂或疏远。1874 年 10 月底在北京签订的最后协定,* 反映了成为李鸿章对日外交政策特征的现实主义、中庸调和与克制精神。

探求新的战略,1875—1879 年

1870 年末李鸿章第一次被置于负责中国对日外交政策的职位上,他开始以起码的善意对待日本人,赞扬他们军事自强的成

---

　　*　即 1874 年 10 月 31 日签订的中日《北京专条》。——译者

功。虽然李并未对日本同中国积极合作持乐观态度,他至少希望防止日本同西方结盟或合作,转而反对中国。虽然他并未将日本自身看成是中国的敌手或威胁,他却相信一个被西方主要大国支配或同它结盟的日本,将成为清朝国家安全的严重威胁。

随后,随着李鸿章同日本人接触增多,他开始认识到,他们彬彬有礼的外表却掩盖着工于算计和诡谋多端的性格。[20]日本的一系列行动——要求独享对琉球的统辖权,征韩论,出兵台湾,突出地显示出日本对其邻国的扩张主义野心。李鸿章尤其将日本人在各处种种行动看成是日本未来侵略朝鲜的前奏。他深信一个由日本人控制的朝鲜,将是清皇朝故土满洲的致命威胁。[21]正如出兵台湾所充分显示的,不论日本是否同西方大国结盟,它本身已成为一种威胁。李鸿章显然相信,这使得他的政策仅仅限于遏制日本同西方合作,不仅过于消极,而且不够适当。形势明显要求有一个新的政策。

在紧接台湾危机解决后的一段时期,李鸿章似乎已开始探求一项新政策。具体地说,李的目的在于保护朝鲜和中国的战略地位,以及中国在朝鲜传统的宗主权,以免受到日趋严重的日本军事威胁。这是同清政府高层领导内部海防与塞防主张者之间著名的政策论争同时发生。李鸿章几年来一直要求建设一支西式海军,以对付中国面临的新的挑战,他领导前一派,有力地坚持大规模的海军扩充和近代化方案。左宗棠代表后一派,雄辩地鼓吹当前塞防优先的战略。虽然已有不少官员认识到日趋严重的日本威胁和伴随而来的海防重要性,李鸿章的立场仍然代表了对清代传统战略前所未有的背离,这一传统战略在历史上将塞防置于优先地位。还有一个引人注目的事实,那就是除有战略意义的伊犁地区为俄国占领外,整个新疆这时都在回民反叛者手中。决定两派争论结果的关键性意见,也许来自文祥,一个有影响的受人尊敬的满族政治家,他告诫回民叛乱已影响到外蒙古,如不加以制止,将会扩展到内蒙古,从而构成对帝国首都北京的直接威胁。朝廷作出决择,左宗棠收复新疆的战事继续进行,这在以后几年内将要求清政府投入巨额的财政岁入。[22]

在这些紧张的事态下,李鸿章和各省一些持相同想法的官员关于拨给必需的资金进行他们所企望那样规模的海军项目的要求被否定了。李鸿章被委任利用军事以外的其他手段应付围绕着朝鲜的形势。他的保护朝鲜免受日本侵略的目标虽然十分清楚,可是达到这一目标的手段和方法却决非轻易可以得到。李探求一种新的方法,如果不是探求一种新的政策的话,将要持续几年。

随着台湾事件的解决,日本政府采取步骤巩固它在外交上的收获。1875 年初,它命令琉球停止向中国派遣贡使。日本人在台湾的"成功",使他们更加放胆,决定进而解决朝鲜问题。由于日韩外交争吵再度激化——自 1868 年明治维新以来,据说由于朝鲜公然拒绝同日本新政权打交道,就一直在争吵,在中国,许多人疾呼应关注日本对中国和朝鲜的日趋严重的威胁,这种情绪也存在于西方人中。1875 年 5 月,同文馆英国教习柯理士向总理衙门呈递一封信,信中他推断日本侵略朝鲜可能造成的后果,他说:日本或索地于朝鲜,或令朝鲜向日本进贡,使它同中国断绝关系。他接着说,也许日本人会不惜金银引诱朝鲜人;后者对日本武力已怀畏惧,可能会被说服,同意日本人在境内驻兵,或准许他们假道自由通行。日本人于是暗中向朝鲜—满洲边境移动,待时乘隙跨越鸭绿江,直迫盛京(沈阳)。[23] 柯理士所描绘的这样一个可怖的局面,使任何一个清朝官员都不得不予

152

以认真思考。

在这个时期,日本领导人步美国人开放日本的后尘,凭借炮舰外交,于 1875 年 9 月故意挑起所谓江华岛事件。1876 年 1 月初,日本公使森有礼抵达北京,想弄清中国政府对日朝争端的态度。李鸿章于 1 月 19 日写信给总理衙门,对于两国如果发生战争,朝鲜将无力对敌,表示忧虑。他几乎无望地问道:"将来该国或援前明故事,求救大邦,我将何以应之?"李在推测日本侵犯朝鲜造成对中国的可怕后果之后,请总理衙门设法劝说朝鲜政府容忍小忿,以礼对待日本人,甚或派遣使者前往日本,解释江华岛事件。[24]次日,他写信给不久前作为特使出访北京的朝鲜前执政李裕元。李鸿章微妙地表达了他对日朝关系新近发展的关注。几天以后,日本公使森有礼在保定访谒他时,他警告说,一旦日本攻击朝鲜,中国和俄国将出兵朝鲜,这样徒伤和气,对各方都毫无利益。[25]1876 年 2 月 27 日日朝《江华条约》签订,这个条约正如李鸿章期望的那样,至少暂时避免了两国武装冲突,李鸿章和总理衙门获悉这个消息后,显然都松了一口气,如果不是镇定自若的话。

李鸿章继续探求解决朝鲜问题的有效办法。由于缺乏任何实在的手段遏制日本野心,在争取日本友善的努力中,他主要依靠自己的说服力量和友好的外交姿态。1876 年 10 月初,日本前外务大臣副岛种臣路过天津,告诉李鸿章,日本担心俄国侵略,希望同中国并力抵拒。[26]一个月后,即 11 月间,日本驻华公使森有礼再次访晤李鸿章。他也告诉李,日本希望同中国和朝鲜合作,抵御俄国侵略,而不愿彼此争吵。李鸿章对这一合作表示真诚欢迎,他强调朝鲜是中国的东藩,也是日本的北鄙,中日两国都应当体恤它的孤立之情,不应向它提出难堪的要求。[27]虽然李鸿章不可能因日本自称合作的愿望而沾沾自喜,但是看来此时他还没有完全放弃从前的希望,即日本接受劝说,对中国保持友好,并且克制对朝鲜的侵略。1877年日本爆发萨摩藩叛乱,李鸿章很快就借10万发弹药给压力重重的日本政府——这种友好的表示显然意在赢得日本的好感。[28]

在此期间,造成朝鲜局势日益紧迫,似乎是来自北方的日趋严重的俄国威胁。早在1876年,当江华岛事件引起的危机看来向日朝之间大规模的军事冲突发展时,焦灼不安的总理衙门通知满洲三省将军,*警惕俄国可能沿俄朝边界的军事行动。谣传俄国可能允许入朝作战的日本军队在其领土上自由通行,更增加了对俄国侵略的恐惧。[29]恐俄心理无疑支持了上文提到的副岛种臣和森有礼所表示的日本对日中合作拒俄的愿望。就李鸿章本人来说,他这时也许认为,鉴于日本正忙于自卫,无暇考虑反对他国的任何计划,在东亚推行扩张主义政策的俄国正在寻求机会攫取朝鲜港口或商埠,建立一个海军基地。因此,在俄国和日本之间,李鸿章在这一时期看来倾向于赞同后者。[30]

正如前已指出,《江华条约》签订所造成的日朝和睦关系避免了两国间的战争,维护了东亚和平。但是随后1876年至1878年,对于中国至多是一段和平动荡不定的时期。面对着看来日渐严重的日本和俄国侵略的危险,李鸿章外交政策的首要关注在于如何保护朝鲜,免遭这一危险。然而在这一时期,李显然还没有制定出一个达到这一目标的明确的战略。只有到中国面临由俄国人促成、日本人使之进一步加深的另一个外部危机后,李鸿章和他的同僚才制定出一个旨在保护具有战略意义的朝鲜半岛使其避免俄国和日本威胁的明确有力的政策。

---

*　即盛京将军崇实、吉林将军穆图善。——译者

朝鲜国际均势,1879—1882 年

东京在出兵台湾结束后,在琉球建立起它事实上的独有支配权,继续加强对这个多岛屿的王国的控制,而对北京一再要求恢复154 琉球对中国的朝贡关系,则予以轻蔑拒绝。然而由于东京正全神贯注于诸如 1877 年萨摩藩叛乱和随后 1878 年大久保利通被暗杀的国内危机,它没有对这个王国予以正式兼并。日本人能对采取这样的行动表现克制,是因为他们事实上希望同中国合作,以遏制俄国侵略,而不想同中国作进一步无谓的对立。1878 年左宗棠成功地结束了他的军事行动,重新确立清帝国在新疆的统辖,除了伊犁一小块地方仍在俄国占领之下。可是俄国人拒绝它先前所允诺从这一地区撤出,从而引起了一场重大的国际危机。东京利用这种局势,正式废除琉球王国,将它并入日本,改称冲绳县。日本这一单方面的行动并没有征询中国人或琉球人的意见,自然激怒了中国人。它也使李鸿章原先关于中日合作抵拒西方侵略的希望一扫而光。只不过一年以前,李给朝鲜政界元老李裕元信中,还劝说朝鲜应联日制俄。[31] 李鸿章永远不会再抱有这样的希望了。

日本正式吞并琉球后不久,前福建巡抚、也是李鸿章挚友的丁日昌奏请谕令朝鲜同西方大国建立条约关系。丁解释说,由于朝鲜已被迫同日本订约,如果朝鲜也同其他国家订立条约,那么,日本一旦采取行动,就会受到所有同朝鲜有条约关系国家的谴责,日本对朝鲜采取侵略行动将受到制止。英国驻北京公使威妥玛也向总理衙门提出类似的建议,他提醒说,如果朝鲜未能同西方大国建立条约关系,它肯定会重蹈琉球的覆辙。1879 年8 月 21 日,总理衙门奏请朝廷下旨李鸿章,依丁日昌建议,劝说

并指导朝鲜同西方国家建立条约关系。[32]同一天李便接到这个谕旨。

　　李鸿章在他的同僚提出设想的基础上,制定了一个以保护朝鲜为目的的清朝新政策,朝鲜对于作为直隶总督和北洋通商大臣的李鸿章说来,是一个外交和战略上最为关切的主要地区。为达此目的而制定的战略是,使朝鲜在从西方引进的条约体系下,同尽可能多的国家建立条约关系,这样一种国际权力和利益的均衡将在朝鲜创立,它将防止任何一个大国独占这个国家。作为李鸿章战略基础的均势观念和中国传统的"以夷制夷"计策并无不同之处,中国曾在历史上常用这一计策维持自己在亚洲内陆边疆内外游牧民族中间至高无上的地位。在这一计策下,中国利用这些地区一部分所谓夷狄去遏制另一部分更为强大的夷狄,或者利用一些强大的夷狄去控制另一些弱小的夷狄。[33]除此之外,李鸿章知道同时代的欧洲大国,像维多利亚的英国和俾斯麦的德国,都是均势外交的经常实践者。李更直接地从中国当时同西方大国打交道的经验中得到启示。在1876年解决马嘉理事件的中英谈判中,他有机会亲睹英国这样一个强大的国家由于其他西方国家的关系,而采取克制的态度。因为中国自己此时是现行在华国际均势的受益者,所以李鸿章也希望通过发展西方在朝鲜半岛的商业利益,作为对抗日本和俄国的制衡力量,在朝鲜造成类似的局势。[34]

　　李鸿章对于他的这一任务谨慎从事。8月26日,他接到任命5天之后,给朝鲜政界元老李裕元发出一封信,自1876年以来,他就同李裕元有通信。在信中,他引最近琉球被占一事,作为日本行事乖谬、居心叵测的例证,提醒朝鲜务必秘密加强军事,以准备应付日本侵略。他接着写道:"贵国既不得已而与日本立约,通商之事已开其端,各国必将从而生心,日本转若视为

155

奇货。为今之计,似宜用以毒攻毒、以敌制敌之策,乘机次第亦与泰西各国立约,借以牵制日本。"李鸿章提到不久前俄土战争中英国有效的干涉拯救了土耳其,使它免遭全局惨败。他引述比利时、丹麦和土耳其这些弱小国家受到国际公法的保护,称赞它的效验。他坚持,同英国、德国和美国订立条约,将是朝鲜安全、免遭俄国和日本侵略的最好保证。[35] 几天以后,李在一份奏折中陈述,因朝鲜未谙洋情,它如决定同西方大国讨论立约,中国不能不代为参酌,随时随地妥为调处,以预防种种麻烦。[36] 他深惜朝鲜仍囿于旧有习俗,未能重视中国为它制定的周密计划。他进一步指出,引导朝鲜进入国际舞台,殆非朝夕之功。[37]

一年以后,1880 年 8 月末,美国水师提督薛斐尔在天津访晤李鸿章时,李第一次有机会将自己对朝新政策付诸实施。薛斐尔负有试图同朝鲜立约的使命。围绕朝鲜的国际形势因中俄伊犁危机和日本连续拒绝讨论琉球问题而更加紧迫,这使李鸿章显然放弃了他早先的谨慎态度,进一步背离了中朝封贡制度下互不干涉的传统。当薛斐尔试图取得日本人协助同朝鲜政府商洽时,是李鸿章邀请薛斐尔到天津。李鸿章没有事先向朝鲜政府征询,便告诉后者,他将运用自己的影响力,使朝鲜政府同意美国的订约要求。薛斐尔对李给予的帮助感到满意,他于次月离开中国,寻求华盛顿的新指示。[38]

李鸿章劝说朝鲜的努力,得到当时驻东京的两名中国外交官员——公使何如璋和公使馆参赞黄遵宪的重要帮助。何如璋不论私交还是工作,都同李关系密切。他在 1877 年作为中国第一个驻日公使前往东京就任时,李请他关心朝鲜,必要时及时采取行动,在日本和朝鲜之间进行调处。[39] 虽然他们共同关心朝鲜的安全,以免受俄国和日本的侵略,但是两人在处理方式和策略方面有某些不同。何如璋对日本采取一种虽非不友好、但却

更加不妥协的立场；他一再敦促李鸿章和总理衙门在琉球争端
上采取激进立场，必要时出兵日本，以武力解决问题。何认为日
本还未强大到足以在军事上公然违抗中国。他因而坚持，对中
国——而且也是对朝鲜——最大的危险，在于来自北方的俄国
侵略，而不在于来自南方的日本侵略；比起中俄合作拒日，他更
偏向于中日合作拒俄。[40]

　　李鸿章同意何如璋的看法，认为如果日本人在琉球不受到
抑制，他们下一步就将侵略朝鲜，不过他采取更加现实的立场。
他认为，琉球是一个小小的王国，它向中国进贡，不过是象征而
已；对于中国来说，为了这种象征而作战，没有实际意义。虽然
李鸿章在早些时候曾抱有中日在国际事务中实行某种合作的愿
望，但是到这时，他对日本人已经完完全全不存幻想；他采取了
中国在新疆向俄国让步，从而取得俄国的善意与合作以遏制日
本对朝鲜野心的立场。他认为，由于中日联合的军事力量仍然
不足与俄国颉颃，一个中日联盟，其结果将给中国带来双重的危
害：让步于日，败北于俄。李鸿章反对对日本采取军事行动，主
张在中国具有足够的海军力量之前，不妨将琉球问题拖延下去
的战略。[41]

　　1880年夏，朝鲜修信使金弘集访问东京时，何如璋和黄遵
宪常和他相晤，作长时间的热情友好的谈话。他们要金记住，朝
鲜亟须同西方国家、尤其同美国建立条约关系，以便在朝鲜创立
国际均势，这将防止俄国和日本两国单独占夺这个半岛。黄遵
宪为金写了一篇题名《朝鲜策略》的文章，黄在文章开首简要地
提到俄国向东扩张以后，阐述由于朝鲜关键性的地理位置，它现
在正成为俄国扩大其东亚版图的首要目标。为了应付这一威
胁，朝鲜必须"亲中国、结日本、联美国"。黄解释说，日本和朝鲜
如此紧密相依，一旦一国为俄国夺取，另一国势难独存。因此，

157

朝鲜对日本必须克服次要的疑虑,而提出重大的对策。黄赞扬美国是唯一的"维持公议,使欧人不敢肆其毒"的西方大国。如果美国同朝鲜立约,英、德、法、意将亦步其后尘;那时俄国即使攻击朝鲜,由于其他西方缔约大国不会允许,它的野心将无法实现。[42]

何如璋和黄遵宪给金弘集这个深得高宗信任、才智超凡的官员以深刻的正面印象。金一返国,就说服高宗及其廷臣,使他们认识到朝鲜务须建立起同外部世界的公开交往。然而,过了一年多,李鸿章才得到朝鲜宫廷请他代表朝鲜同美国进行谈判的信息。李带着这个一揽子的要求,于1882年春全权同薛斐尔谈判。他长期的耐心的努力,终于达到了这样的结果:1882年5月22日朝美条约签订。几个星期内,英国和德国亦步亦趋。[43]为达到李鸿章的目标而采取的第一个重要的具体步骤,便这样完成:通过利用从西方引进的近代条约体系,在朝鲜半岛创立内部均势。

不幸的是,在此期间发生了李鸿章和他的同僚及合作者所未预见到的事件。7月中——距3个条约中最后一个签订不及一个月——汉城发生积怨不满的士兵暴力骚乱。暴乱者冲击王宫,杀害了几名大臣,焚毁日本使馆,恢复恐外的大院君及其守旧的追随者的权力。人们担忧大院君将会废除新订的条约,使国家重新对外国人封闭,从而引起同日本的军事对抗。暴乱还在朝鲜造成危险的军事力量真空,使日本人得以乘虚而入,征服这个国家。为了填补这个真空,防止大院君破坏李鸿章谨慎制订、艰巨实施的对朝战略,中国当局于8月间派出淮军3,000名进入朝鲜。与此同时,在暴乱中从汉城逃出的日本公使花房义质也带着4艘战舰、3艘运输舰和1营步兵回来。中国军事力量的优势显然阻止了双方的武装冲突。[44]8月底,日本和朝鲜签订了一个新的条约,从而暂时解决了这个半岛上的危机,恢复了和平。

158 结束语

1870 年李鸿章开始他的中国首位外交官和对日本与朝鲜政策主要设计者的事业时,相对地说,他摆脱了当时士大夫中普遍存在的对日本和日本人的偏执或成见——对明代倭寇记忆犹新,渲染了这种偏执;悠久的中华帝国传统和文化优越感造成了这种成见。对于日本人,纵使李鸿章的确并不充满友善之意,而且也非始终赞成友好相待,他至少思想开阔。他赞扬日本人所作军事近代化和自强的积极而成功的努力,感到中国在这方面必须效法他们。李对日本人虽不完全信任,但也不将他们看成有意同中国敌对,或者侵略中国。他并不怀疑日本声称同中国合作共拒西方侵略的愿望。他也不认为日本本身这时已强大到足以构成对中国的直接威胁。然而,他的确认为,一个为西方主要大国所控制或结盟的日本,会成为西方侵略中国的危险基地。这种对日本现实主义的评价和基本上用心良好而思想开阔的态度,构成了 1870 年代初期李鸿章最初的对日政策的基础,这一政策的目的在于防止日本本身同西方结盟,如果可能的话,在抵抗西方侵略中,取得日本的合作。这一战略连同李的务实精神,使他在 1871 年谈判中日之间第一个近代条约时,对于日本提出同中国平等的要求,容易作出通融。

然而,日本随后所作所为很快使李鸿章打消了他也许曾经有过的中日合作对付西方的想法,使他逐渐改变了态度。在新约正式批准之前便要求中国修约,征韩论的掀起,以及随后出兵台湾,看来这一切都清楚而突出地暴露出日本对朝鲜的侵略图谋,而李鸿章正是将朝鲜看作比中国自己南方沿海省份对于清朝国家存亡具有更加重大的战略重要性。从而在这时,以及随后几个时期,李鸿章外交政策首要关心的是如何保护朝鲜,免受日本和俄国侵略。为了对付来自日本和其他海上国家的威胁,李鸿章一再要求中国开展大规模的西式海军建设。[45]

1874 年日本出兵台湾,使对西式近代海军的需要更见迫切,几乎人人都认识到这种需要。然而清政府正全神贯注于从回民反抗者手中收复新疆,无法为这个目的提供必要的资金。在这种情况下,李鸿章不得不依靠外交,而不是依靠军事力量保护朝鲜。尽管李的防止日本和俄国威胁的目的仍然很清楚,而且实际上变得更加紧迫,可是达到这一目的的手段和方法却非轻易所能获致。在日本的一系列行动,包括出兵台湾和江华岛事件以后,情况尤其如此,这表明把同日本订立条约作为制止日本侵略中国和朝鲜的手段,是靠不住的。在 1870 年代中期——一个和平动荡不定的时期,当李鸿章继续推行他的谨慎而克制的对日政策时,他为了保护朝鲜以及中国在这个半岛的宗主权和战略地位,在探求一项有效的战略。日本于 1879 年初最终夺取了琉球——其时中国正在伊犁问题上卷入充满危险的同俄国的争端,这使李鸿章很难不作某些修正或变更,将他的政策继续推行下去。李鸿章和他的同僚制定了新的均势战略,以保护朝鲜免受日俄侵略,正是对这一国际危机作出的反应。

和中国传统的"以夷制夷"计策的观念相似,这一新的战略更直接受到中国同时代经验的鼓舞,中国正是受惠于西方在华缔约大国之间的国际均势。就李鸿章本人来说,他还受到 1876 年同英国谈判解决马嘉理事件经验的进一步鼓舞。在这一新的战略下,朝鲜同西方大国建立条约关系,将得到鼓励和指导,以便使这些国家在朝鲜充分发展其商业利益,作为日本和俄国的平衡力。在朝鲜由此创立起来的均势,将防止日本和俄国两个国家独自夺占这个半岛。

　　朝鲜于 1882 年夏同美国、英国和德国签订了第一批条约,似乎已造成了这样一种制度体系,李鸿章所想象的这个半岛上那种均势得以在其中创立。但是,接踵而来的事件不仅使李鸿章的计划在朝着它的方向坚决实施之前便中途变更,而且使它破坏殆尽。代替均势的是朝鲜紧接着出现这样一种形势:中国和日本不但为了控制这个半岛,而且也为了争夺东亚霸权,彼此之间进行决斗。新的形势使李鸿章不得不朝着他最初未曾考虑过的方向行动。这一切的结果是朝鲜受到中国的帝国主义统治,这同基本上支配清代大部分时期中朝关系的儒家原则和标准,在理论上和精神上都格格不入,如果不是经常在实践上圆凿方枘的话。接着便是朝鲜对它传统的宗主国幻想迅速破灭,而且逐渐同它疏远。

注　释:
[1] 关于李鸿章的多重作用,见刘广京,前第3章。
[2] 李鸿章:《李文忠公全集》,100册(南京,1908,以下作《李集》),朋僚函稿, 3 :16b—17a。亦见刘广京,前第 2 章。
[3] 刘广京,前第2章。
[4]《筹办夷务始末》,100卷(北平: 故宫博物院, 1930,以下作《始末》),同治朝, 77 :35a。
[5] 同上,78 :23a—24b。
[6] 关于日本在这时期在外交政策上与西方结盟,见金基赫:《东亚世界秩序的最后阶段: 朝鲜、日本和中华帝国, 1860—1882 年》(伯克利与洛杉矶: 加州大学出版社, 1980), 155—69。
[7]《始末》,同治朝, 79 :7b—8b。金基赫:《东亚世界秩序》, 143。
[8]《李集》,奏稿, 17 :53a—54b。

160

[9]《李集》，译署函稿，1 :13a—14a。

[10] 金基赫：《东亚世界秩序》，149—50。

[11]《日本外交文书》(日本：外务省编，东京：日本国际协会，1936—　；以下作《文书》)，8 :238, 245。

[12] 李鸿章关于朝鲜战略上重要性的看法，见《李集》，译署函稿，1 :49。

[13] 关于日本修约的企图，见金基赫：《东亚世界秩序》，166—68。

[14] 关于征韩论的详细情况，见上书，169—87。

[15]《李集》，译署函稿，2 :20。

[16] 同上，2 :30b。

[17] 刘广京，前第3章。

[18] 同上。

[19]《李集》，译署函稿，2 :42。

[20]《李集》，朋僚函稿，13 :3a。

[21]《李集》，译署函稿，1 :49。

[22] 关于争论的详细情况，见徐中约：《中国海防与塞防政策的大论争，1874 年》，《哈佛亚洲研究杂志》，25(1964—65)，212—28。

[23]《清季中日韩关系史料》，11卷(台湾中央研究院近代史研究所，1972；以下作《关系史料》)，2.262b—63b。

[24]《李集》，译署函稿，4 :30b—31a。

[25] 关于李鸿章致李裕元信和后者复信，见上书，4 :30a—32a。关于李同森有礼的谈话，见上书，4 :33。

[26] 李守孔：《李鸿章传》(台北：学生书局，1979)，226。

[27]《李集》，译署函稿，6 :31。

[28] 同上，7 :3b—4a。

[29] 关于致各将军函及其复函，见《关系史料》，2.294, 297—298, 300—303。

[30] 李守孔：《李鸿章传》，226。

[31] 同上。

[32]《清光绪朝中日交涉史料》，88卷，重印合订为2册(台北：文海，1970；以下作《交涉史料》)，1 :31b—32b。

[33] 余英时：《汉代中国贸易与扩张主义：华夷经济关系研究》(伯克利：加州大学出版社，1967)，14—16(英文)。

[34] 金基赫:《东亚世界秩序》,342—43。

[35]《关系史料》,2.366—69。

[36] 同上,2.373—74。《李集》,译署函稿,10 :23。

[37]《关系史料》,2.397。

[38] 金基赫:《东亚世界秩序》,304—05。

[39] 同上,277。

[40]《关系史料》,2.403。

[41] 见李鸿章关于琉球问题的奏折,《交涉史料》,2.14b—17a。亦见梁伯华,以下第 8 章。

[42] 关于黄遵宪文章,见国史编纂委员会编:《修信使记录》(汉城: 探究堂,1971),160—71。

[43] 关于这些条约的详细情况,包括导致条约签署的谈判情况,见奥平武义:《朝鲜开国交涉始末》(重印)(东京:刀江书院, 1969)。

[44] 详见金基赫:《东亚世界秩序》,316—25。

[45] 见王家俭,本书第12章。

161

8

李鸿章和琉球争端，

1871—1881 年

梁伯华

162　李鸿章在晚清时期中国外交中的作用，是一个已有很多研究的课题。然而，关于他在 1871 年至 1881 年间中日琉球群岛争端中的作用，人们却知之甚少。在争端期间，李鸿章对于属国的一般态度，尤其对于非属国日本的态度如何？李在这一时期中国外交决策中影响力如何？中国在维持传统的封贡国家体制的同时，被强行推入近代化国家—政府体系（nation—state system）。在这一时期，李是否解决了（或没有解决）表面上的两难问题？尤其是李对于琉球与日本的政策如何？

　　这一章试图通过集中讨论琉球争端回答这些问题。争端起于琉球作为中国和日本两国的"双重属国"地位，这种地位在近代国际公法中，即使最乐观地看，也令人困惑。[1] 当琉球国王面对日本兼并，试图保持他的国王地位而转向中国寻求保护时，日趋衰败的清朝君主显然无力向忠顺的琉球派出一个援救的使团。然而，正如本章所指出，在琉球争端时期，李鸿章却在构想形成一个中日"联盟"，以对付侵略的西方大国。他将这个有可能实现的中日联盟看成是优先于中国宗主国对属国琉球"虚名"的政策。他在整个 1870 年代,以务实的精神和小心谨慎的态度将这个想法向来访的日本领导人灌输,只是到了 1879年日本兼并琉球以后,他才知道明治政府实际上并无意合作。尽管李鸿章最初的计划是为了加强中国反对西方帝国主义者的地位而去联合日本,但是事后看来,他对日本兴趣的错误判断,削弱了在旷日弥久的琉球争端中中国对日本的地位。本章还将指出许多日本领导人对李的"结盟"思想表示相同的兴趣,他们使李相信要达到这个目标的,并非只有他一人。因此,日本人对琉球强力行动猛烈冲击了李鸿章,使他认识到中日联盟是不可能的。在琉球争执即将结束时,李鸿章以务实精神很快地从他的亲日政策转向抵制日本势力在亚洲世界秩序中的兴起。

到 1871 年,中止了 300 余年的中日正式邦交又建立起来。在明代,日本也是中国的一个朝贡国。日本幕府时代的将军足利义满为了通过贸易充裕国库,接受了朝贡地位——从 1433 年到 1549 年有 11 个朝贡和贸易使节航驶中国。然而随后日本民族主义的政治家感到这样的关系是屈辱的,在 16 世纪中叶以后中断了这一做法,从而结束了与大陆的官方接触。

　　1871 年标志着中日外交关系的新变化。在 1870 年新设的外务省出现不久,柳原前光受政府派遣前往北京,试图订立一个类似中国与西方国家订立的那种商约。他特别受到指示,在条约中谋求最惠国条款。虽然他的使命被中国政府中极端保守分子看作是机会主义,而且不合时宜,它却被新授直隶总督和北洋大臣的李鸿章,这样比较务实和进步的领导人热情地接受,李感到:

　　　　该国向非中土属国，本与朝鲜、琉球、越南臣服者不同。若拒之太甚，势必因泰西各国介绍固请，彼时再准立约，使彼永结党援，在我更多失计。……究之距中国近而西国远，笼络之或为我用，拒绝之则必为我仇。将来与之定议后，似宜由南洋通商大臣就近遴委妥员……往驻该国京师或长崎岛，管束我国商民，借以侦探彼族动静，而设法联络牵制之，可冀消弭后患，永远相安。* [2]

　　李鸿章考虑到紧接西方在亚洲侵略之后可能形成的中日"联盟"，可是并不太认真对待。他建议同这个中国过去的朝贡国"永远相安"，并非出于对日本有所偏爱，而是出于必须加强中国地位以避免西方侵略这一冷静的认识。李也注意到日本"距中国近而距西国远，笼络之或为我所用，拒绝之则必为我仇。"[3]

164　　由于这些原因，柳原的出使受到很好的接待。事实上，为了表示中国的善意，李鸿章终于 1871 年和柳原的继任者伊达宗城共同签署了一项共有 18 条的中日条约和 33 款的通商章程。** 除了其他各条款，条约同意两国互遣使驻领，如果第三国威胁恫吓缔约国一方，必须彼此相助，或从中善为调处。李鸿章通过谨慎的谈判，特意将最惠国条款排除在条约之外。[4]

　　《条约》第一条是一项重要规定："两国所属邦土亦各以礼相结，不可稍有侵越。"[5] 中国同意使用"所属邦土"一语，意指包括中国周边各属国。但是中国这一假定并未为日本所接受。直到几年以后，琉球和朝鲜问题争端发生时，人们才开始认识到这种说法含糊不清。

---

　　*　　引文据《李集》，奏稿，17：53—54。——译者
　　**　　即中日《修好条规》和《通商章程：海关税则》。——译者

1874 年日本出兵台湾,"惩罚"早先粗暴对待船只失事的琉球人和日本人的当地土著。1871 年发生一起关于琉球公民的事件, 1873 年另一起事件涉及日本国民。日本政府以这两起事件为借口,决定采取行动,试图解决琉球的"双重属国"问题。日本政府以"保护本国国民[这意味着包括琉球人在内]"的名义出兵台湾,首先向中国在琉球的宗主权提出挑战,然后通过声明它已在琉球实行宗主权,使它的要求合法化。不过日本出兵侵台详细经过不属本文研究范围之内。[6] 毋庸赘述,日本人出兵使自己陷入困境,没有达到"惩罚"当地土著的目的,但是这一事态仍然触发了中日之间的危机——其发展正是李鸿章以及日本许多领导人所深以为忧的。接踵而来的是日本政府派遣大久保利通到中国来解决危机。

大久保于 8 月 27 日到达北京,立即开始谈判。日本和中国之间关于台湾岛协议终于 1874 年 10 月 31 日签订;* 然而协议绝未提及琉球。[7] 就琉球主权问题而言,中国通过签订这一协议,是否已经"接受……日本关于琉球人是日本国属民的说法",是一个有争议的问题。[8] 有一位历史学者曾经指出:"第一条的用语明确肯定日本'保民'的权利,这是对琉球居民是日本国属民的明确承认。"[9] 问题在于: 条约是否真正"明确承认"琉球人是日本属民? 或者更具体地说,大久保和中国谈判者曾否在谈判过程中意图找到一个琉球问题的解决办法? 至少在 1874 年,不论哪一方都极不可能为试图澄清琉球群岛的含糊地位,而甘冒与对方直接相抗的风险。

事后看来,日本人后来对 1874 年条约的"歪曲",是由条约本身含糊不清引起的。而且,明治政府于 1875 年 3 月根据受到

---

* 即中日《北京专约》。——译者

信任的法律顾问洼桑纳德的建议,对模棱两可的部分进行了修正,以适应日本的利益。[10] 然而由于承认日本出兵台湾是"正当的",并且付给遇害者抚恤金,中国将承认日本对琉球的主权,1874 年正在北京的大久保利通并没有意识到此事可能具有这样的含义。他于 1874 年 12 月 15 日坦率承认,他刚同中国签署的条约对于日本对琉球的主权要求,并没有法律基础。[11]

早些时候,大久保在 10 月 30 日——1874 年中日条约签订前一天,写给他的朋友黑田清隆的一封信中建议,以可观的抚恤金付给那些在战争中表现英勇的人。其余偿款应归还中国,用于管理台湾土著居住的地区和保护海员免遭未来的暴行。[12] 他的建议虽未实行,但是它表明大久保并未考虑到抚恤金的偿付是中国同意放弃对琉球岛宗主权的象征。在这一点上,引起日本内务卿关注的不是琉球问题,而是迅速结束对台湾的出兵。事实上,在同中国官员谈判的过程中,大久保在讨论中甚至有意避免提出琉球问题。[13]

大久保利通表面上以减付抚恤金假装人道,这并不足以掩盖他姿态的背后真正原因;这毋宁说是基于政治上的考虑。他希望通过这一前所未有的举措消除中国对日本的猜疑,同时向世界显示日本的宽宏大度。[14] 中国是日本必须与之合作以确保日本繁荣的国家,他急于同中国"修好"。[15] 大久保 11 月 3 日在天津同李鸿章谈话中对中国所作善意的表示,并不仅是形式上的礼节,而是他情感的真正表白。[16] 这无疑使李鸿章对于日本愿同中国保持更密切关系有深刻的印象。李鸿章能够接受日本势力迅速增强及其对中国安全威胁这一事实,然而他对此也抱着同样的警觉。但是李更担心的是西方的海上力量,他最初制定自强的计划是针对西方而不是针对日本。由于中国和日本地理上更加接近,文化上更加相似,李鸿章将日本看作是抵挡西方威胁的可能的"同盟者",这是合乎逻辑的。在 1870 年代的大部分时间中,李鸿章对于日本扩张主义相对地说是予以容忍的。但是到 1879 年琉球违背中国意愿被兼并时,李鸿章不得不认识到中日"联盟"是不可能的。

1875 年台湾危机解决以后,即使琉球状况不断恶化,李鸿章仍然相信他的"联盟"主张会在东京找到支持者。1875 年 9 月 14 日致总理衙门信中,李再次指出日本和西方大国对中国关系的不同:"日本为我切近之患,与西洋迥远。"[17]李鸿章虽然充分意识到日本对琉球以及朝鲜的扩张主义野心,在 1870 年代大部分时间,他仍怀有中日合作抵拒西方大国的希望。他相信日本由于国内不断动荡和巨额的财政亏绌,不可能从事新的海外冒险行动。他还注意到日本对俄国的恐惧。1876 年 11 月,李接受了两名日本外交家森有礼和副岛种臣的访问。来访者表达了对俄国扩张主义的关注,告诉他日本愿意同中国和朝鲜并力抵拒俄国威胁。[18]大久保于 1874 年也向李表达了相同的想法。虽然李鸿章不可能因日本人表明的合作愿望而沾沾自喜,但是他仍然希望日本能够受到安抚,并且在中国同西方大国争端中,友好地对待中国。1877 年日本爆发萨摩藩叛乱时,李鸿章迅即借给日本政府弹药 10 万发。[19]他未能预见到日本政府在平定萨摩藩叛乱后会兼并琉球。回溯起来,李鸿章对日容忍政策削弱了中国在琉球争端中的地位。

　　到 1877 年,琉球发生了剧烈的变化。日本人已稳步扩展了他们在这个群岛上的权力。他们的全部努力都在于为日本的要求树立合法的根据,包括终止琉球同中国的封贡关系以及在冲绳设立日本内务卿的办事处。[20]东京的压力因而构成了琉球国王尚泰前所未遇的民族危机,结果是他秘密派遣两名专使向德宏和林世功到中国求助。[21]他们于 1877 年 4 月 12 日抵达福建,告诉总督何璟和巡抚丁日昌,贡使已经受到日本人的拦阻。[22]何和丁于 6 月 14 日奏称,拒绝援助琉球会被西方大国看成是中国没有能力保护其属国的迹象。他们建议新近任命的驻日公使何如璋就此事同日本人交涉。[23]这个建议在奏折收到当日便付诸实施。[24]正如下文所见,中国出于海军和财政上的原因,实际上不可能为了保卫琉球而采取军事手段反对日本。

何如璋出使东京,开始了就琉球问题同日本政府的谈判,不可否认,此次谈判没有产生任何结果。明治政府以琉球事务是日本国内的事,何如璋是外国外交家为理由,拒绝谈判。[25] 1879年 4 月,日本终于吞并了琉球,强迫琉球国王留住东京。琉球王国不再作为一个国家而存在。[26]

日本兼并琉球的消息传来,深令李鸿章震惊,然而他仍然没有完全放弃"联盟"的想法。他推断他能够利用当时计划访问中国的美国前总统格兰忒为中国进行斡旋。他认为如果调解成功,"联盟"想法仍然可望实现。

李鸿章于 5 月 28 日在天津会见格兰忒。格兰忒对这位总督的第一印象很好;正如他在若干年后回忆,他将李列为他环球旅行中所遇到四个伟人中的第一位。[27]这种个人的因素也许影响了这位美国前总统在他访华中对于琉球问题的考虑。[28]格兰忒接受了李鸿章关于调解琉球争端的要求,去日本同日本领导人商讨。

格兰忒的调解,正如最后结局所表明,没有产生任何具体的结果。[29]像他这样一个西方人,要充分理解封贡关系的观念,的确是很困难的。而且,在听取日本的陈述以后,他简直无法对争端作出判断。传闻格兰忒曾经为和平解决争端向中国和日本领导人提出具体建议:由中国和日本分割琉球岛屿。[30]现存的记录并不支持这种说法。不过格兰忒确实建议中国和日本各派一名代表会晤,解决琉球问题,这项建议最终为日本政府所接受。[31] 清政府也欢迎这个建议,因为一再拒绝通过外交途径讨论问题的是日本。

1880 年,日本政府决定派宍户矶到中国,这一决定至少被李鸿章看作是日本愿意直接同中国政府谈判的信号。总理衙门领班大臣恭亲王由清政府派作代表同宍户矶谈判。谈判于 8 月15 日开始,大约持续了两个月。10 月 21 日,双方代表同意了条约草稿。[32] 看来这项协议一俟正式批准,便将最终解决中国和日本之间关于琉球的争端。

然而当草约送呈北京朝廷批准时,在中国官僚层中掀起了大波澜。因为根据草约的条款,中国以保有琉球南端两个岛屿作为交换条件,同意给予日本贸易特权和特许权(尤其是最惠国条款),而日本则将永远据有其余 73 个岛屿。争执的中心琉球王国将不允许恢复。这一协议清楚地反映了恭亲王向他的日本对手作出了不必要的让步。它同中国以保护属国对待琉球的政策也是不一致的。另一方面,它反映了日本的野心和侵略性,以及它对待中国缺乏诚意。这项草约粉碎了李鸿章对日本仍抱有的任何希望;他因此强烈反对予以批准。[33]

李鸿章抵制草约的时机掌握是值得注意的:1880 年末中国在西北边界伊犁地区同俄国的争端临近解决,[34] 由于俄国的威胁看来即将在不久的将来消除,而且李鸿章对日本不愿合作感到失望,他现在主张同俄国而不是同日本维持和平。他从美国水师提督薛斐尔处获悉,一支由两艘铁甲舰和 13 艘快船组成的俄国舰队已在长崎,并且购置了价值 50 万元的燃料。[35] 李鸿章相信日本准备在中俄之间混水摸鱼。他因此于 1880 年 9 月 30 日劝

168

总理衙门对俄国采取和解政策,给予曾纪泽(在圣彼得堡的中国代表)更多的权力同俄国人谈判,从而促成伊犁问题和平解决。[36] 李鸿章还阐明自己对琉球问题的立场:"鄙见琉球南岛割归中国,似不便收管,只可还之球人,……在日本已算退让,恐别无结局之法。"[37] 11 月 11 日,李应军机处的要求(11 月 6 日),向朝廷呈上一份有力的奏折,明确说明由于将归中国的琉球南部两岛没有什么价值,作出如此重大让步,允许日本享有最惠国条款,是不明智的。[38] 李担心日本人一旦开始惹出麻烦,其他国家将会步踵后武。李使朝廷相信:

> 是俄事之能了与否,实关全局。俄了,则日本与各国皆戢其戒心;俄事未了,则日本与各国将萌其诡计。与其多让于倭而倭不能助我以拒俄,则我既失之于倭,而又将失之于俄;何如稍让于俄,而我因得借俄以慑倭。夫俄与日本强弱之势相去百倍,若论理之曲直,则日本之侮我,[较之俄国] 为尤甚矣。[39]

这一奏折的分析显示李鸿章对外政策的基本变化:同俄国维持和平,抵拒日本的侵略。由此引起问题:为什么李鸿章长期的"亲日"政策一夜之间发生了变化?这必须从战略和制度这两个方面去寻求答案。首先,李鸿章并没有将琉球问题看作是对中国安全的严重威胁。他一开始就认为因琉球朝贡而使中国卷入战争是毫无意义的。他在致何如璋的一封信中明白表达了他的看法:

> 琉球以黑子弹丸之地孤悬海外,远于中国而迩于日本,……盖虽欲恤邻救患,而地势足以阻之。中国受琉球朝贡,本无大利。若受其贡而不能保其国,固为诸国所轻;若专恃

笔舌与之理论……[日本]恐未必就我范围;若再以威力相角,争小国区区之贡,务虚名而勤远略,非唯不暇,亦且无谓。[40]

李鸿章在这里第一次说明朝贡制度是一种"虚名"。在 1879 年 10 月 19 日致曾纪泽函中,他也写道,中国海军兵力和财政状况都使它失去同日本作战的能力。因而李鸿章更为关心的是中国国内的自强努力——自强一直是许多进步官员一贯关注的主题:"目前兵船未备,饷源尤绌,刚尚难用,只有以柔制之,而力图自强,为后日张本。"[41]

李鸿章看来在于强调中国的抗议和日本对外国干涉的担心,有可能制止日本在琉球采取进一步行动。[42]他从而指示何如璋施展外交策略,尽管后者一再建议中国采取军事行动。正如我们已经讨论过的,李鸿章没有主张武力示威的另一个原因是,他暗中希望中日"联盟",以避免西方威胁。但是 1879 年日本吞并琉球的消息使他震惊,他对东京不予合作感到失望。他也认识到他低估了日本的力量。不过他将宍户矶到达北京,误解为日本愿意直接同中国政府谈判的信号。他因而命令何如璋前去东京,继续向各国驻日公使求助。[43]

然而到 1880 年宍户矶和恭亲王谈判草约时,李鸿章的理想完全破灭。中国为什么要给予日本致命的最惠国条款,以换取琉球两个小岛?由于日本吞并琉球王国并不符合中国的国家利益,中国为什么要签订草约,从而认可日本对琉球更大部分岛屿的统辖权呢?

李鸿章出于实际的目的,开始改变他的政策,希望俄国能够受到绥靖,从而在中国同列强、尤其同日本争执中,支持中国。李的观念似乎同传统的"以夷制夷"的计策相似,因为两者都是

170

依赖对国外力量的利用以保护中国利益的。这个传统的政策同
欧洲的均势观念也很相似。

正如 1876 年夏李鸿章在芝罘谈判解决马嘉理事件时发现，
几个西方大国在中国利益均衡，甚至可以使像英国这样头号强
国的要求受到抑制。[44]他也知道几个西方大国在华的联合利益
有助于稳定中国此时的地位。他显然了解欧洲的均势观念，
1887 年夏，马建忠———一个前一年曾和福州船政局海军学生一
起去法国学习国际政治的李的门生———从巴黎来信阐述均势原
则，并且解释说西方国家在历史上处理国际关系时，曾努力维持
这种均势。[45]李鸿章、马建忠以及其他"进步的"中国人（诸如中
国驻日公使馆参赞黄遵宪）[46]对于英国干涉俄土战争和当年夏
天的柏林会议印象很深，它们曾经拯救了奥斯曼帝国免于分崩
离析，有助于维持欧洲现行的均势。[47]

这个中国传统的"以夷制夷"计策的"近代版本"，向李鸿章
提供了他同俄国保持和平、抵抗日本侵略的新政策的合理基
础。李意识到日本对俄国的疑惧，相信为保护中国免遭日本侵
略而保卫朝鲜，在战略上更加重要。[48]这是"以夷制夷"在传统
运用之外的新变化。

李鸿章反对 1880 年草约，似乎可以看作他同总理衙门在外
交政策制定方面竞争的另一种解释。总理衙门是在 1860 年《北
京条约》以后为处理外国事务而设立的。但是，它自 1861 年创
设以来，主要方针与其说是面对问题，毋宁说是回避问题。[49]结
果是处理问题不是根据精心构想的计划，而是出于权宜之计。

相反地，到 1870 年代末，李鸿章已经不仅是一个政策的执
行者，而且还是政策的创制者。当总理衙门没有能力处理对外
事务时，李鸿章便作为当时最有影响的人物出现。他的北洋通
商大臣的地位，连同他办理对外交涉事务的权力，使他成为与总

理衙门相颉颃的一个单人外交部。[50]

　　李鸿章开始作为总理衙门一个强有力的对手而发挥作用。中国驻外公使的公文常常既送致总理衙门,也送给李鸿章。[51]李可以未经咨照总理衙门而直接向驻外公使发出指谕。[52]"两个外交部"的运作,正是慈禧太后对李鸿章重大信任的象征,但是它造成了中国对外政策处理的反常现象。因此,在实际做法上,北洋通商大臣负责清廷在中日关系中的外交活动。中国驻外使节直接听命于北洋大臣,军机处准备的廷谕是寄给李鸿章再转给驻外使节。总理衙门事实上被搁置一旁。[53]

　　李鸿章相信他比总理衙门大臣更了解中日问题和琉球问题。签署《中日修好条规》(1871 年)——一个未载最惠国条款的条约的是李鸿章,而不是总署大臣,而李将这个条约看作是他的一个重大外交成就。在 1874 年海防与塞防政策大论争中,主张海防对于抵拒日本的重要性的是李鸿章。[54]提出要求美国前总统格兰忒在琉球争端中为中国进行调解想法的也是李鸿章。李鸿章因未被授权作为特派大臣同宍户矶制定解决琉球问题办法而感到蒙耻受辱,这是可以理解的。这个受挫的人也许会决定利用他对 1880 年草约的反对,作为同总理衙门争权中使后者尴尬难堪的手段。无论如何,由于李鸿章的强烈反对,清廷宣布对这项条约草案不予批准。[55]

　　由于清廷拒绝批准条约草案,宍户矶于 1881 年初决定离开中国,以示抗议。[56]中日关于琉球的争端因而在法律上仍然未获解决。虽然在北京、天津和东京有若干进一步的讨论和反建议,但是琉球争端的结局就是如此。[57]自从 1881 年以后,日本在吞并后设置的琉球冲绳县,从严格的法律意义上说,成为日本帝国不可分割的一部分。然而从中国的观点出发,琉球问题始终没有解决。

171

中日关于琉球王国命运争执的这一段历史,意味深长地说明中国在新的近代国家——政府(nation–state)与旧的封贡属国并列所遇的两难窘境。在阅读中国关于争端的声明时,人们不难看到这些政治家关于琉球群岛实际状况的混乱思维。这些岛屿在某些时候被看作是独立国,在另一些时候又被看作是中国的一部分;或者甚至看作是中日两国的"共同属国"。的确,这种混乱不但显示出琉球含糊不清的政治地位,一如西方国际法所界定的那样,而且也表明朝贡国制度同近代国家——政府制度的不相容性。

172　　　认为中国领导人在 1870 年代不理解封贡关系在西方国际法中没有地位,这也许难以置信。正如一位著名的历史学家所断言:"到 1867 年,总理衙门知道……朝贡关系在近代世界上的必然不可能性。"[58] 就琉球对中国的朝贡关系而言,李鸿章认为不值得为它而开战。正如前面所引述,在李致东京何如璋的信中,他指出:"以威力相角,争小国区区之贡,务虚名而勤远略,非唯不暇,亦且无谓。"[59] 的确,李鸿章开始怀疑维护封贡制在道义上的义务。看来中国儒家的一统帝国的意识结构已经开始碎裂。

　　　李鸿章相信在琉球问题上同日本作战,将会损害中国的国家安全和自强运动。如前所引,李说:"……只有以柔制之,而力图自强,为后日张本。"[60] 他一开始就小心谨慎地以务实的精神试图组成一个中日"联盟",反对西方,因为他担心敌对的日本因其地理接近,比起西方国家,更是中国麻烦的根源。他希望对日本实行绥靖,能够更好地符合中国的利益。因而对李的方案就必须从他的务实精神和他对国际形势的分析去理解。正如日本不顾中国的意愿决定吞并琉球,以及随后 1880 年的条约草案所证明的那样,这一目的看来无法实现时,李鸿章开始以务实精神改变了他的"亲日"政策,为了对抗日本势力在亚洲的崛起而对日本的敌人(俄国)实行绥靖。这种按照"均势"解释的近代版本的"以夷制夷",为李鸿章提供了他对外政策改变的逻辑依据。然而,事后看来,李鸿章在1870年代试图对日绥靖的失败,削弱了在琉球争端中中国对日本的地位。从长远的趋势看,中国"损失"琉球于日本,促成了亚洲封贡体制的瓦解。

注 释:

173

[1] 琉球不仅从1372年起承认中国的宗主权,而且从1609年起也向日本萨摩藩进贡。这种对两个最高统治者的双重附属地位,是琉球军事和经济衰弱的结果。中国在中日争端发生以前,一直无视琉球的双重地位,而萨摩藩却蓄意允许琉球继续派贡使前往中国,以便可以从琉球对华贸易中赚取利润。

[2]《筹办夷务始末》(北平,1930,以下作《始末》),同治朝,77:35。

[3] 同上。

[4] 详见王玺:《李鸿章与中日订约》(台北,1981)。

[5]《日本外交文书:明治年间追补》(以下作《追补》,东京,1964),Ⅰ:142;《始末》,同治朝,96:27—32。

[6] 详见梁伯华:《东亚的准战争:日本出兵台湾与琉球争执》,《现代亚洲研究》,17.2(1983年4月),257—81。

[7]《同治甲戌日兵侵台始末》(台北,1959,下作《侵台始末》)。

[8] 申蒂·S·甘地:《美国对华外交关系,1869—1882年》(未发表博士论文,乔治敦大学,1954),308。

[9] 同上。

[10] 关于洼桑纳德向日本提出的建议,见平塚笃:《伊藤博文秘录》(东京,1930),32—36。

[11]《大久保利通文书》,10卷,(东京,1967—69,以下作《大久保文书》)6.237—39。

[12] 同上, 6.152—61; 清泽洌:《外交家—政治家大久利保通》(东京, 1942), 237—41。

[13] 《大久保文书》, 6.237。

[14] 同上, 6.158—60。

[15] 《外交家—政治家大久保利通》, 243。

[16] 《大久保利通日记》, 末篇, 339—42。

174   [17] 李鸿章:《李文忠公全集》(上海, 1921, 以下作《李集》), 译署函稿, 4: 24—25。

[18] 同上, 6 :31—32。

[19] 同上, 7 :3—4。

[20] 关于"琉球处置"情况, 见远藤达、后藤敬臣:《琉球处置提纲》(1879), 重印本载《明治文化全书》, 卷 25。

[21] 林世功(1841—80),《北上杂记》(1884)。

[22] 《清光绪朝中日交涉史料》(以下作《交涉史料》, 台北, 1963), 1.21—22。

[23] 同上。

[24] 同上, 1.22。

[25] 1878年10月7日, 受到挫折的何如璋致日本外务省一份强烈抗议的照会。何的照会虽收入《清季外交史料》(北平, 1932—35, 以下作《外交史料》), 15 :12; 但中文文献中未保存照会全文。不过可在日文文献中见到:《日本外交文书》(东京, 1937—40, 1949—   ), 11.271—72; 多田好问编:《岩仓公实记》(东京, 1968), 3.578—79。

[26] 远藤达、后藤敬臣:《琉球处置提纲》, 132—33; 太田朝敷:《冲绳设县五十年》(东京, 1932), 43—44。

[27] 格兰忒回忆说:"我在这次旅行中曾遇见四位伟人, 俾斯麦, 比肯斯菲尔德、* 甘必大和李鸿章。从各方面考虑起来, 我不敢断言, 但是李在四人中最伟大。"载杨越翰:《个人回忆录》(纽约, 1901), 2.303。

[28] 根据杨越翰的说法, 格兰忒和李鸿章之间的关系几乎含有浪漫的成分, 同上, 319; 梁中英:《李鸿章对日外交政策之研究》(台北, 1974), 79。

---

* 即本杰明·迪斯累里(1804—81 年), 曾任英国首相。——译者

[29] 梁伯华:《格兰忒将军与中日琉球争端》,《首届亚洲研究国际讨论会论文集》(香港, 1979), 2.421—49。

[30] 张泰温(音):《格兰忒将军1879年的对日访问》,《日本文集》, 244 (1909 年冬季), 381。

[31] 见格兰忒1879年8月13日致李鸿章和岩仓同一信函, 见《格兰忒文件》(缩微胶卷, 国会图书馆), 卷 2, S.IB, 6312—15。

[32] 《交涉史料》, 2.8a—10b。

[33] 同上, 2.14b—17;《李集》, 奏稿, 39 :1—15。

[34] 详见徐中约:《伊犁危机: 中俄外交研究, 1871—1881年》(牛津, 1965)。

[35] 《李集》, 译署函稿, 11 :26—28b。

[36] 同上, 11 :36b, 1880年9月30日。

[37] 同上, 10 :26a—27a。

[38] 《交涉史料》, 2.14。

[39] 同上, 2.146—47;《李集》, 奏稿, 39 :1—15。

[40] 《李集》, 译署函稿, 8 :5。

[41] 《李集》, 朋僚函稿, 9 :1b—2b。

[42] 《李集》, 译署函稿, 8 :1—2。

[43] 《交涉史料》, 第32号。

[44] 见王绳祖:《马嘉理事件与〈烟台条约〉》(伦敦, 1940)。

[45] 陈三井:《略论马建忠的外交思想》,《中央研究院近代史研究所集刊》, 3.2(1972), 548。

[46] 麦仲华编:《皇朝经世文新编》(台北, 1972), 72 :9a—13a。

[47] 陈三井:《略论马建忠》, 3.2, 548。

[48] 《李集》, 译署函稿, 8 :1a, 4b—6a。

[49] 蒙思明:《总理衙门的组织与功能》(麻省坎布里奇, 1962), 3—4。

[50] 刘心显:《中国外交制度的沿革》, 载《中国近代史论丛》, 2.5, 23—28。

[51] 田保桥洁:《近代日鲜关系之研究》(庆应, 1940), 13, 565。

[52] 《李集》, 奏稿, 1 :23, 2 :10, 6 :26, 15 :26。

[53] 《清光绪朝东华录》(台北, 1963), 1.295(1876年11月), 45; 1.319(1876年 11 月), 135; 1.1037(1881年 2 月)。

[54] 见徐中约:《中国海防与塞防政策大论争, 1874年》,《哈佛亚洲研究杂

175

志》, 25(1964—65), 212—28。

[55] 《李集》, 奏稿, 39 :1—5;《日本外交文书》, 13.379—80。

[56] 宾户矶与中国政府的通信, 现收入《宾户矶关系文书》(东京国会图书馆)。

[57] 梁嘉彬:《琉球王国中日争执考实》,《大陆杂志》, 48.5(1974年5月15日, 193—218; 48.6(1974年6月15日), 263—90。

[58] 芮玛丽:《清代外交的适应性: 朝鲜情况》,《亚洲研究杂志》17.3(1958年5月), 381。

[59] 《李集》, 译署函稿, 8 :5。

[60] 《李集》, 朋僚函稿, 9 :1b—2a。

9

李鸿章对朝鲜的宗藩政策，

1882—1894 年

林 明 德

从壬午兵变(1882 年)前至中日甲午战争前夕(1894 年)，中国放
弃它先前对朝鲜的放任政策，而采取更为积极的路线。在 19 世
纪晚期，中国对朝鲜的政策是由总督李鸿章制定，由袁世凯贯彻
执行。这一政策的出现及其演变过程，不但是中国外交史上十
分重要的一页，而且也是朝鲜政治形势发展的一个关键。这一
新政策对后来中日关系和东亚国际形势，都有深远的影响。

这一时期，朝鲜半岛国际形势有四个有影响的变化：一是日
本扩张主义的大陆政策，以夺取朝鲜、进而侵略满洲为目的。二
是英国和俄国对立，导致英国出场，试图阻止俄国向南扩张。三
是美国采取步骤打开朝鲜市场。四是清朝中国竭力维持它的属
国和自己边境的安全。在这样的国际背景下，李鸿章的对朝政
策在于通过"模棱摇摆的姿态"和适当结集力量防止中朝传统的
封贡关系受到任何威胁，以充分利用牵制的策略。李从 1885 年
到 1894 年通过驻扎官员袁世凯对朝鲜的控制，集中地体现了对
朝鲜的落后过时的干预政策。

李鸿章对朝政策,既是对明治初期以来日本侵略性地干涉朝鲜事务的反应,也是他利用国际局势的其他演变,特别是利用英国和俄国争夺这个地区支配权的矛盾而制定的。这个政策同时也受到清朝中国内部政治和经济力量的制约。在此情况下,这一时期的中日关系成为两国后来对抗的前奏。关于朝鲜藩属地位的争执,反映了中国和日本两国国内和国外的情况,以及它们对朝鲜和彼此相对的态度。一直到中日战争,这一对抗才有了暂时的结局。

这一章是对中日战争前 10 年间李鸿章对朝鲜政策的研究和对影响中国从放任政策向积极干涉政策急遽变化的外部环境的探讨。此外,本章还涉及这一政策的变化对朝鲜事务的影响及其在中国近代史上的意义。

李鸿章对朝政策从放任到"牵制与均衡"

1879 年以后中国对朝鲜的政策从放任变为干涉,部分是由于西方势力日渐增强,以及西方大国之间冲突和失去平衡。政策变化的另一个原因是清朝中国同其属国朝鲜之间的传统联系,遇到了一个涉及日本的危机。日本兼并中国的另一个属国琉球王国,使清政府意识到朝鲜半岛对中国国防的重要性。

自清初以来,中国和朝鲜继承传统的封贡体制,保持着一种特殊的关系。事实上,所谓属国,既非殖民地,也不是托管地。中华帝国的思想意识并不含有近代国际社会的概念。宗藩关系的基本条件是遵礼仪、纳贡献、受册封、奉正朔;而中国作为宗主国,并不操纵或干涉朝贡国的内外事务。只有在朝贡国内乱时,宗主国才有责任出兵平定。因此,一个朝贡国的内政外交仍然完全自主,这同近代国际公法有关殖民地和附属国的规定是互相对立的。然而,自从 19 世纪中叶以来,由于西方大国开始运用"炮舰外交",清政府无法再只靠朝贡国自主权去处理日益复杂的国际事务。

1880 年代中国对朝政策最值得注意的后果,是从传统的"藩属体制"到加入帝国主义体系的转变,在转变中,名义上的从属关系不得不加以修正,以适应新的近代国际形势。清政府震惊于朝鲜进步党的启蒙与独立运动,在朝鲜国内外形势发展的冲击下,不得不改变它的做法,以保持和加强中国传统的宗主权。

此外还有琉球群岛问题。中国对朝鲜态度的改变开始于 1879 年,其时日本正式吞并了琉球。同时,法国正在侵犯安南,清政府因而全神贯注于那里的问题。而且俄国因伊犁地区边界争端而采取军事行动,从西北威胁中国。在这样的情况下,日本兼并琉球群岛,在清政府内部引起了巨大的恐惧和激烈的争论。负责中国南方防务的高级官员丁日昌和中国驻东京公使何如璋,主张开放朝鲜市场,与西方国家通商,借以遏制日本。[1] 两江总督刘坤一也坚持朝鲜同西方大国结好,以杜绝日本和俄国的窥伺。[2]

在 1879 年那一年,朝鲜事务从礼部办理转到由北洋大臣直接监督管理,由驻日公使协助。[3] 李鸿章在 8 月间致总理衙门函中表达了他的忧虑:"琉球既为所废,朝鲜有厝火积薪之势,西洋各国又将环视而起,自不能不为借箸代筹。"[4] 这句话显示出琉球群岛的丧失,对李鸿章的影响是何等深刻。他不仅担心朝鲜孤立无援,而且也为西方大国群起侵朝势必威胁中国而担忧。[5] 中国有赖朝鲜以保持其满洲安全,而满洲又直接影响北京的安全。日本于 16 世纪末进攻朝鲜,目的在于竭尽全力占领朝鲜。虽然日本当时未获成功,而明朝中国后来却失去了对满洲的控

178

制;随之而来的是明朝覆亡。清政府充分意识到这些事;因此,清朝防御日本的紧迫性同日本对朝鲜的打算成正比例。李鸿章尤其关注朝鲜半岛的安全,将它视为"藩蔽",意即防卫中国的第一线。[6]袁世凯在甲申政变前夕,曾对形势作如下的描述:"朝鲜屏藩,实为门户关键,他族逼处,殊堪隐忧。"[7]中国驻东京官员黄遵宪写的一本小册子《朝鲜策略》,由朝鲜第二次赴日修信使金弘集[8]带回国,也极大地影响了朝鲜的决策。

1879年夏,李鸿章写信给李裕元,指出日本和俄国对朝鲜的野心。他在信中向朝鲜建议,应当重修武备,实行"以夷制夷"的计策,并且开始同西方国家通商,作为牵制日本和俄国的手段。[9]到1880年冬,中国和俄国在伊犁问题上发生冲突。当时俄国人正在黑龙江和海参崴附近建筑一条西伯利亚铁路,引起了中国和朝鲜的忧虑。英国关心俄国南下扩张,不久也想建议总理衙门劝说朝鲜同西方大国通商。[10]清政府于是指派李鸿章主持朝鲜同西方国家缔约事宜。[11]面对着极端不利的情况,高宗政府除了勉强同意同西方大国订立条约外,别无选择。美朝条约终于签订,这可以看作是中国实现"干涉主义政策"的开端。

美国自从1854年同日本订约以来,一直注意朝鲜。美国和朝鲜之间曾经为了几起事件有过磋商,但都以失败告终,对于两国关系的改善,没有起过什么作用。[12]一直到1876年日朝《江华条约》订立之后,美国才重新开始对朝鲜感兴趣,并且表示愿意同它缔结条约。1880年美国水师提督薛斐尔为此目的奉派朝鲜。但是因为他是由日本介绍,为高宗政府所拒绝。[13]李鸿章获悉这件事后,虽然相信日本无意为美国斡旋,然而他仍恐日美结盟,损害中国在朝鲜的地位,因此他决意为争取美国而展开竞争。他邀请薛斐尔到天津会晤,向他保证他将尽力促成美朝订约。[14] 李鸿章作为中介者,做了两件事:一方面,他试图阻止日本增强在朝鲜的势力;另一方面,他通过加强同朝鲜的封贡关系,努力维持中国的宗主国地位。[15]

何如璋是中国官员中一个坚决主张中国应有特权同其他大国讨论朝鲜如何开放商埠的人。这一看法显然反映了"上国权利"的立场。然而李鸿章却持中庸的观点,他选取了"密为维持调度"的另一种立场。他指示马建忠等人代拟一份约稿供朝鲜采择。[16]

约稿第一款开首便明确说明:

> 朝鲜为中国属邦,而内政外交事宜向来均得自主。今兹立约后,大朝鲜国君主、大美国伯里玺天德* 俱平行相待,两国人民永敦和好。若他国偶有不公及轻侮之事,必彼此援护,或从中善为调处,俾获永保安全。[17]

第一款前半段意在表明美国承认中国和朝鲜之间存在封贡关系,以抵制日本通过《江华条约》承认朝鲜是一个有自主权的国家。后半段主要以类似前此 1871 年中日《修好条规》的方式,运用"以夷制夷"的计策;然而正是这几点使中国和美国未能就第一款达成协议。薛斐尔根据《江华条约》,拒绝此款,他反而宣称,美国不管中朝关系如何,将在平等的条件下以朝鲜作为缔约的对象。而且,他拒绝在提及朝鲜时,使用诸如"中国属邦"之类的字样。[18]

180

1882 年 4 月,李鸿章派马建忠偕同薛斐尔访问朝鲜。他们在仁川同朝鲜两名代表申櫶和金弘集商讨订约问题。实际上条约已经李鸿章和薛斐尔在天津商洽,并已大部分议妥。如上所

---

* 伯里玺天德,总统,President 的音译。——译者

述,美国坚持反对将第一款列入。因此马建忠不得已提出由朝鲜国王声明朝鲜是中国属邦,不过将这个声明附载于条约,而不是正式作为条约的一部分。[19] 薛斐尔认为,由于声明未载入条约,它并无约束力,这样的处理最终解决了中美之间关于第一款复杂的争论。美国和朝鲜之间《和平友好通商与航海条约》* 于1882 年 5 月 22 日由朝鲜政府签署。

李鸿章对这一结果感到满意,他天真地相信,他坚持取得[朝鲜]国王的正式声明,使其他大国不得不明确承认中国对朝鲜至高无上的地位。[20] 但是,同他此时所相信的恰恰相反,美国政府在条约签订后仍然坚决维护朝鲜的自主权,否认中国的宗主权。关于国王声明,美国既不承担责任,也不正式宣布。[21] 这的确使李鸿章的希望破灭。用泰勒·丹涅特的话说,这个条约是"他[李鸿章]平生大错之一"。[22] 条约并未解决使有关各方满意的朝鲜的法定地位。日本和美国在确认朝鲜自主的国家中走在最前面,而中国和英国则是按照中朝传统的宗藩联系未有任何变更这样的设想行事。[23]

对朝鲜来说,后果是英国、德国和其他国家接踵而来,并且同它们订立条约,其条款和最早的《美朝条约》相似。除奥地利外,所有国家都接受了附载于条约的国王声明。[24] 朝鲜的门户到这时已被打开,它开始沦为列强争夺的猎物而无法自拔。由于李鸿章遏制政策的垮台,朝鲜不可避免地进入了帝国主义世界,从此遭受外国政治和经济势力的入侵。最为不幸的是,朝鲜问题的复杂性越来越严重了。

---

* 即《朝美通商条约》。——译者

壬午兵变和中国态度的变化

1882 年 7 月,壬午兵变爆发。这可归结于两大因素:一是《江华条约》以来朝鲜对于日本野心的敌对情绪,二是对闵氏家族贪污腐败的愤恨。此外,朝鲜一些儒家学者中恐外和反日的时代思潮(Zeitgeist)也促使了兵变发生。暴乱爆发,宛如火山自然喷进,参加者多为受贫困煎熬的士兵、下层人民和农民。暴乱真正是一个意外的事件,它恰在李鸿章因丁母忧离职时发生。张树声当时署理李的职务,因而派遣中国军队到朝鲜,着手处理暴乱。不过李鸿章和他在天津的幕僚实际上仍参与决策。[25]

关于镇压暴乱,李鸿章的指示特别强调两项原则:军事与外交相结合,对"乱党"予以镇压。第一项原则的目的在于防止日本胁迫朝鲜,并且争取中国和日本达成协议;这一做法实际上将巩固中国对朝鲜的宗主权。第二项原则在于保持中国皇帝册封的朝鲜王统,以便更加牢固地掌握中国对朝鲜政治的控制权。

根据薛福成的建议逮捕大院君,充分反映了李鸿章的长期战略。[26] 中国因大院君被执而走了先着。另一方面,日本也所获颇多。在这次军事叛乱中,包括堀本礼造在内 20 多名日本人被戕害,日本使馆夷为平地。大火实际上是日本公使花房义质逃往仁川之前放的。[27] 日本立即出兵朝鲜,迫使朝鲜签订辱国的《济物浦条约》。对于日本说来,这个条约是《江华条约》迟来的延续,它不仅巩固了日本在朝鲜政治和经济势力,尤其由于日本获得驻兵权,它还扩大了其军事影响。结果是中国和日本都有军队留戍朝鲜,从而使两国的军事冲突不可避免;这正是1884 年甲申政变的背景。[28]

壬午兵变后,日本人和中国人都充满愤怒。日本人为中国军事干涉所激恼,舆论的主流支持诉诸武力,玄洋社的立场尤其如此。[29] 然而政府仍在寻求和平解决,坚持维持一个自主的朝鲜,拒绝中国插手日本同朝鲜的谈判,从而表达了日本对于中国对朝鲜宗主权的否认。值得指出的是,日本这时以为自己还力有未逮,不足成为中国的对手,因此认为同清政府达成暂时妥协,以避免西方大国入侵和双方采取任何轻率的军事行动,是适当的。但是从这时起,日本开始将清朝中国看成是潜在的敌人,它竭力扩张自己的军事力量。[30] 这一发展的结果事实上成为后来发生在朝鲜政治舞台上许多事情的原因,亦即中国和日本影响的变化,宗主权问题无法解决,以及日本终于不顾自己处于劣势而诉诸武力的原因。

至于中国人方面,一批有"清流党"之称的沙文主义士大夫正在鼓吹采取更加积极的对朝政策。"东征论"顿时甚嚣尘上。赞同这一主张的人们认为日本海上力量绝非中国对手,乃理所当然。他们还将日本先前挑衅得逞归因于中国避战和不断容忍。因此,他们力主同日本作战,相信这样一场战争将会解决一些彰明昭著的问题(琉球、朝鲜等)。[31] 像袁世凯、尤其像张謇这样派驻朝鲜的坚决的主张者,将清流党的激进观点引为同调,相互呼应。张謇在他的《朝鲜善后六策》中,力主将朝鲜置于中国皇帝钦派的监国控制之下,是中国国家最大的利益所在。[32]

李鸿章则较为深思熟虑,他相信在中国武装力量具有优势之前,军事上不宜轻举妄动。[33] 中国当前最迫切的问题是自强。李鸿章从未将防范日本置诸脑后,但是他主张采取一种更加审慎的观望态度。[34]

然而,壬午兵变却给中国一个直接干涉朝鲜政治和继续推行对朝宗藩政策的良机。李鸿章同意张佩纶的建议,包括他的

《条陈朝鲜六事折》,除了其中关于据守拉扎里弗港* 一条,李认为尚须从缓计议。[35] 此外,根据李的意见,中国权力运用必须机密灵巧,不宜公开直接。为了这个目的,李鸿章派前中国驻旧金山领事陈树棠为商务委员,驻扎汉城。陈可以办理商务的名义,同朝鲜政府讨论任何问题,以确保中国对朝鲜的控制。同时在外交方面,他聘用一名外国领事穆麟德襄理海关和外交事务,还新派一些官员,如马建常,作为政治代表前往朝鲜。军事方面,他提供近代军火,并且推荐吴长庆组织训练朝鲜近代军队。[36] 在经济领域,他贷款给朝鲜,以隐杜后者转向日本求助,而且还帮助朝鲜开采矿山。[37] 不过所有这一切行动中最为出色的则是李鸿章最富有意义的政治举措——1882 年 10 月同朝鲜政府订立一个名为《中朝商民水陆贸易章程》的不平等条约。

183

　　这一章程不同于通常的贸易章程,主要是由于它专为中国和朝鲜而设,其他缔约大国不在一体均沾之列。这个条约实际上是中国努力以近代条约的语调向世界表明两国之间模糊的传统关系的结果。不管人们从哪一个角度看——例如,法律、关税或其他方面的权益,这一章程是不平等的,它向世界表示中国对朝鲜的控制及其享有的特权,甚至朝鲜国王的等级也不及中国北洋大臣。章程使人们看到它在政治上的意义更大于经济上的意义。[38]

甲申政变和李鸿章的干涉主义政策

甲申政变不仅仅是开化党(通常亦称"进步党")和事大党(亲华党)争夺领导权的一场争斗。开化党在强调朝鲜进步与独立的

---

　　*　扎拉里弗港,即永兴湾。——译者

"实学"信奉者金玉均和朴泳孝的领导下,意在推翻诸闵守旧的政府。闵氏站在清政府一边,而反对派的最终目的则在于摆脱中国的宗主权,实行朝鲜自主独立。因此,甲申政变被看作是"两班"* 内部一场重大的改革运动。

中国在壬午兵变以后,曾竭力强化它在朝鲜的宗主权,支援亲华党,因此年轻的独立派的力量还不够强大到足以影响重大的政策,或实行他们的革新计划。形势迫使他们去冒破坏法律的危险,而中国驻朝官员的干涉和镇压,又普遍引起朝鲜对中国的敌对情绪。[39] 盛传大院君被释,也造成了朝鲜政府对清朝中国的疑惧。[40] 在这期间,中国商人活动扩张,给朝鲜商业带来了不利的影响。[41] 这与清朝中国从朝鲜撤出一半军队(1,500人),将注意力集中于同法国在安南的冲突,一起成为刺激朝鲜叛乱的另一个因素。此外,日本统治者及其臣民,尤其是日本驻朝鲜公使竹添进一郎,鼓励进步党进行政治改革。进步党于是便在日本诱导和支持下,于1884年12月4日发动政变。他们劫持高宗作为人质,并且宣布"甲申改革法令"。[42] 事实上,他们并没有从日本得到真实的军事支持,因此遭到清朝军队攻击,并被打败。

不过,这次叛乱的失败乃是由于进步党低估了中国驻扎汉城军队的力量,由于它过于依赖竹添进一郎所保证的外国援助。这一失败也表明进步党对政治改革计划不够重视和对现状的错误判断。从根本上说,叛乱的失败是由于朝鲜社会和经济基础不稳,由于启蒙运动未为群众充分接受。[43]

叛乱以后不久,清政府便作出了处理朝鲜问题原则的第一

---

* "两班"(Yangban):朝鲜封建贵族官僚,常作为与常民、中人、贱民对立的封建统治阶级的代称。——译者

个声明,声明清楚表明它希望通过和平方式解决问题。李鸿章先前曾计划利用大院君,但是他的计划为清政府所拒绝。[44] 紧接着不久,清政府根据日本使节的解释,推断日本无意向中国开衅,同意采取中国驻东京公使徐承祖所提通过谈判解决争端的建议。[45] 结果宣布了另一项对朝鲜的新政策:根据"剖析中倭误会,以释衅端为第一要义"的原则,"以定乱为主"。[46] 清朝的和平倾向,实际上反映了中国的注意力正集中在安南问题上面。李鸿章对于日本同法国结盟,尤为忧虑,[47] 因此他决定加强在马山浦陆军和水师的力量(一营步队和两艘兵船)。[48]

日本方面,财政拮据和武器匮乏促成了它和平解决的倾向。然而,日本仍坚持朝鲜保持独立。[49] 全权大臣井上馨派往朝鲜办理交涉,随带 600 名装备精良的日本士兵。[50] 井上馨最初负有两个使命:一为朝日谈判,一为中日谈判。不久日本借词中国代表吴大澂不具备正式全权代表资格,取消了后一使命。[51] 至于朝日谈判,作为其结果的协议是 1885 年 1 月 9 日签署的《汉城条约》,它包括对日本遇害者的偿恤、正式道歉书以及维持 1,000 名日本士兵驻扎汉城。[52]

1885 年 4 月,伊藤博文派充来华全权大使,着重处理有关中日冲突及善后事宜的谈判,以便消除两国对抗所引起的紧张局势。他还要向中国表示日本国内因中国强力干涉朝鲜政治事务造成朝鲜亲日党削弱而引起的不满情绪。1885 年 4 月 3 日谈判在天津开始时,李鸿章作为清政府的代表。日本要求惩处中国营官,给日本人赔偿,以及撤退军队。日本的主要目的在于中国撤兵;其他两项要求不过是为了缓和日本国内鹰派的情绪,并且在谈判中用以掩盖日本的主要目标而已。李鸿章和清政府对于惩处中国营官问题予以坚决辩驳,但是答允迅速撤兵。清政府因骄傲自负,并且考虑到入朝军队的抱怨,摇摆不定,结果

185

看来错了达到目的的方法。不过清政府忽视日本真正意图的主要原因是中国担忧日本和法国结成联盟,[53] 于是就产生 4 月 14 日的《天津协议》。*《协议》包括签约国双方于 4 个月内自朝鲜撤兵,此后也不派员在朝鲜教练。最重要的条款是将来朝鲜若发生变乱或其他重大事件,缔约国一方可以派兵。遇此情况,应通知朝鲜,并先互行文知照,及其事定,仍即全部撤回。[54]

的确,日本对朝鲜国内事务的明显干涉,包括挑动并参预政变的阴谋,从未受到指责和惩处。而且,《天津协议》还将日本在朝鲜半岛的地位,提高到和中国同等重要。[55] 这是日本外交的一个漂亮的大动作。就中国来说,尽管有这个外交上的失策,李鸿章却仍在作进一步努力,强化中国在朝鲜的宗主权。

甲申政变后中国宗主权的再次坚持

从甲申政变到中日战争 10 年间,朝鲜局势仍然错综复杂。随着英俄在中东的冲突向朝鲜半岛蔓延,西方国家在东亚的争夺日趋尖锐和严重。日本担心俄国势力范围向南扩展,它改变了对朝鲜的态度和政策。为了适应这一形势变化,李鸿章对朝鲜转而采取一种更加积极的政策。尽管如《天津协议》所载,日本有和中国同样的出兵朝鲜的权利,但是这个规定在和平时期并没有什么用处。因此,只要派到那里的官员精明能干,中国仍可通过驻扎朝鲜的官员,强调传统的封贡关系,加强对朝鲜的控驭。李鸿章从粗犷坚强的 26 岁青年袁世凯身上,发现了这样一个人。结果是在此后 10 年中,李袁两人在朝鲜内外彼此配合行

* 即《天津会议专条》,签订日期为 1885 年 4 月 18 日,见王铁崖编《中外旧约章汇编》(北京: 三联, 1982), 1 : 465。——译者

动,采取了一个强有力的政策,以重新坚持中国的宗主权,并使
朝鲜履行它的朝贡国职责。

　　日本对朝政策,直到甲申政变时,始终是积极进取的。然而
《天津协议》后,由于力量和资源不足,日本抑制了自己的扩张意
图,等待以后行动的机会。此外,为了防止俄国势力向南扩展,
日本不得不默许中国一再坚持它的宗主权,至少将这种默许看
作是权宜之计。日本认为,对付像中国这样大而弱的国家,比起
对付俄国要容易得多。在天津谈判中,日本曾经同意对朝鲜采
取更加和平和消极的路线。在此之前,1885 年 3 月,日本驻北
京公使榎本武扬曾向日本政府提出"中日共保朝鲜案",[56]但未
被采纳。在随后发生的日俄秘密协定夭折和英国占领汉密尔顿
港*等事件以后,日本担心英、俄占领朝鲜沿海岛屿,这些占领
必然威胁日本国防。[57]日本因此转而同清政府合作,并且怂恿
中国积极干预朝鲜事务。日本外务卿井上馨建议中日联合干预
朝鲜事务,[58]清楚地显示出日本默认朝鲜是中国的属国。这与
日本先前竭力挑动朝鲜摆脱中国宗主权的束缚大相径庭。

　　井上馨于 1885 年 7 月初通过榎本转递李鸿章的《朝鲜外务
办法八条》中,建议李开始实行如下措施,作为防止俄朝可能达
成协议的保证:(1)朝鲜国王不得与内监商议国政;朝鲜大臣中,
必择其最为忠荩者,托以国政;(2)应择美国之有才者一人,令朝
鲜委用,以代穆麟德;(3)急宜遴派才干较长于现在驻扎之员,以
代陈树棠。**井上还怂恿中国释放大院君,使亲俄派转向。[59]李
鸿章采纳了日本的若干建议,但是他由于担心受制于日本,拒绝

---

　　*　汉密尔顿港,当时又作"哈米屯"、"哈米敦"等,即巨文岛。——译
者

　　**　此处主要据《李集》,译署函稿,17∶29—30 回译。——译者

采用井上关于中日共保朝鲜的最初建议。

英国当时的态度对中国再次坚持它在朝鲜的宗主权,是一种重大的激励,而且起了关键性的作用。为了遏制俄国势力在东亚扩张,尤其为了防止俄国侵犯朝鲜,英国竭力帮助清朝中国加强它的宗主国作用。尽管英国维护它同中国的不平等条约制度,它却试图保持同中国的友好关系,并且加强中国的地位,使它成为俄国南进的障碍。在甲申政变以前,英国就已表示了这种态度,但是当《俄朝密约》公开以后,它的态度更加明显。英国驻日本公使* 和海关总税务司赫德爵士两人尤其敦促李鸿章加强中国对朝鲜的控驭。[60] 英国政府决定,驻华公使兼任赴朝专使。英国关于朝鲜的这一立场,从围绕 1885 年 4 月开始的占领汉密尔顿港以及随后在占领问题上外交冲突的一系列事件中,可以看得很清楚。英国同意在其他国家不占领其他港口的条件下撤退。它不同朝鲜接触,而只同中国单独谈判。于是它于1886 年 10 月同意在中国保证俄国不会占领朝鲜的条件下,于1887 年 2 月从汉密尔顿港撤退。[61] 英国还热烈支持中国宗主大国的地位。一直到中日战争前夕,英国采取的政策是通过维持同中国结盟,遏制俄国。英国外交部致驻北京公使欧格讷阐明英国对华政策的信件,清楚地表明了这一点。因此,欧格讷在中日战争爆发以前,继续将中国看成是"盟国"。[62] 这正是李鸿章能够坚持中国在朝鲜的宗主国地位的外交基础。另一方面,英国后来改变了态度,支持日本,它同意终止同日本订立的不平等条约,并且从联华遏俄政策转向同日本结成联合阵线的政策,这些实际上是造成中国在中日战争中失败的关键因素。[63]

至于这个时期俄国的态度,虽然中国和日本、英国等大国都

---

* 应为英国驻华公使,见所引作者《袁世凯与朝鲜》,94。——译者

担心俄国侵犯朝鲜,但是事实上在 19 世纪下半叶,俄国似乎并无侵略朝鲜的意图。俄国只是希望朝鲜保持现状,而不希望朝鲜同其他国家的关系威胁到俄国的东部边界。因此,俄国并不反对中国维持同朝鲜封贡关系的政策。英国占领汉密尔顿港和第二个《俄朝密约》,引起了俄中谈判。俄国驻北京使馆参赞拉德仁于 1886 年 9 月同李鸿章讨论朝鲜事务。李鸿章于是着手制定一项政策,将俄国吸引到中国一边,以对付日本侵略朝鲜的计划。这一举动揭示了李鸿章的联俄制日的政策。就俄国说来,与日本人侵朝鲜相比,它更受到中国人侵朝鲜的威胁,因此它赞同李鸿章提出的中俄两国就朝鲜订立一项互不侵略的秘密协议的建议。初步协议包括如下内容:"两国政府约定不改变朝鲜现在情形,各无侵占朝鲜土地之意。"[64]

然而北京政府认为,"两国政府约定不改变朝鲜现在情形"一语,意味着对朝鲜的保证,担心将来涉及朝鲜属国地位问题时,这一条会限制中国的活动。中国人因此坚持将此款删去。结果,这一建议没有包括在正式协议内,而以李鸿章—拉德仁口头协议(或 1886 年天津口头协议)的名义保留下来。[65]

1887 年 2 月,俄国在圣彼得堡举行关于东亚局势的会议,会上回顾和讨论了俄国对朝鲜的政策。俄国或中国哪一个国家更有可能入侵朝鲜的问题引起了争论。不管怎样,俄国还是原则上决定由其驻北京公使同中国谈判,将 1886 年天津口头协议改作正式协定。[66] 1888 年 5 月 8 日,俄国举行一次讨论政策的特别会议。负责会议的是阿穆尔总督克尔孚和外交部亚洲司司长季诺维也夫。会议取得的结论为随后时期内俄国的东亚政策打下了基础,其要点如下:[67]

1. 一致同意,占领朝鲜不但对俄国无益,而且会破坏俄国同中国或俄国同英国的关系。

2. 赞同并支持中国保持它同朝鲜传统的宗藩关系。

3. 计划提出 1886 年天津口头协议,并向中国澄清俄国并无侵略朝鲜的意图。

俄国于是第三次提出天津口头协议,并且邀请日本和英国参加会议,以期同中国达成一项正式的协定。然而未获成功,[68] 因为俄国强调保持朝鲜领土的完整作为保持朝鲜现状的手段。另一方面,中国则希望俄国承认朝鲜是中国的属邦。这正是中俄未能达成协定的症结所在。但是俄国对朝鲜的消极态度和英国鼓动中国积极强化它的宗主权,这两者是李鸿章得以采取积极进取的对朝政策的主要国际因素。

美国对朝鲜的影响虽然不能与俄国和日本相比,然而它却始终强调朝鲜自主独立,支持进步党反对中国宗主权的斗争,而美国的政治思想和行为也对朝鲜有积极的影响。不过这些因素在当时并没有影响李鸿章的对朝政策。

1890 年 8 月,袁世凯正确地分析了当时朝鲜所面临的国际形势:

> 韩方人心瓦解,室如悬磬,其内既无可据之势,其外并无可恃之援。美人意仅自守,素无远略;英、法、德则意实无他。倭人方亟亟自谋,断不至遽败和局。俄人铁路未竣,专虑西陲,觊觎之念,尚隐而未发。[69]

189   在这些有利的国际环境下,中国对朝鲜积极进取的政策,"李—袁路线",终于形成。

的确,李鸿章联合俄英抵制日本的战略并非没有争议。除了那些主张朝鲜中立化或者对它实行联合控制的人们外,像袁世凯和张謇等态度坚决的人,都急切希望将朝鲜变成中国的一个"海外省",或者将它置于中国皇帝钦派监国的控制之下。李鸿章不敢全按这些批评者的建议行事。他一方面担心朝鲜正在抬头的不满情绪,另一方面害怕包括日本在内的大国牵制,他不得不尊重传统上宗主国所通常允许给予朝鲜不完全的自主。

从 1884 年至 1895 年 10 年间,由于国内外条件都对李鸿章有利,他制定了一个积极进取的干涉主义的对朝政策,并于1885 年 10 月袁世凯受命驻朝总理交涉通商事宜后,指示他贯彻执行这一政策。袁世凯成功地实现了他的使命。他努力工作,以酬答李鸿章对他的信任。但是中国的政策取得巨大的成功,主要原因在于:首先,中国作为朝鲜的宗主国,享有独有的法理上有利条件;其次,同朝鲜有条约关系的其他各国,不是默认便是支持中国的对朝鲜政策;最后,朝鲜人民从他们的"事大"原则出发,盲目接受中国的专横政策。袁世凯干预朝鲜政治如此全面,所有内政、外交和财政,都在他手指目顾之间。[70] 他甚至藐视高宗和王妃,几次提出要废黜国王。[71] 他的最终目的在于强化中国在朝鲜的宗主权。

尽管朝鲜人民倾向于敬重中国,尊奉"事大"原则,袁世凯专横跋扈的做法仍引起了他们的反感,在他们受"开化"(启蒙)思想影响、开始期望朝鲜独立自主以后,尤其如此。不幸的是这种期望被扼杀于列强冷酷的镇压之下。关于朝鲜的近代化,学者对于这一词语的含义没有普遍一致的看法。因此,研究这一运动历史的唯一方法,是从"西化"或"工业化"的内容进行讨论。

这里令人感到兴趣的是干涉主义政策是否阻碍朝鲜的启蒙运动,阻挠它的近代化。李鸿章于 1881 年试图帮助朝鲜重组军事力量,实现近代化,在此期间,他正致力于中国的近代化。晚清中国的自强运动既没有发展为一个政治和经济制度的近代化运动,也没有达到差强人意的文化思想层次;而是仍然停留在物质的、技术的层次。因此,李鸿章对于朝鲜的近代化,只不过将

190　　它看作一个军事问题而已。袁世凯于 1885 年至 1894 年 10 年间,既过于强调政治上的控制,又缺乏近代化知识,这使保持中国的宗主权成为他所考虑的头等大事。为了达到这个目的,他十分歧视外国和外国所鼓吹的改革,这毋庸置疑形成了他抵制朝鲜近代化的一种方式。[72]

结束语

清朝中国对于它的属国朝鲜的传统态度,是一种善意的淡漠态度。中国固执地坚持属国必须信守受册封和纳贡献的"事大之礼",它经常强调的是朝鲜"情感上的承认",亦即强调一种松散而不是严厉的关系。而且为了适应国际形势变化,中国开始允许朝鲜"内政外交自主",这表明它已不再履行对自己属国的义务。中国的宗主权观念显然同近代国际公法非常格格不入。

　　然而,1879 年日本吞并琉球群岛以后,这种情形起了变化。那时清政府意识到东亚事务正在经历巨大的变化,除了日本所造成的威胁外,俄罗斯强国南下的威胁开始日益严重。中国历经种种麻烦以后,开始认识到朝鲜这一满洲门户的重要性。日本已不再掩饰它对朝鲜与日俱增的野心,这逐渐引起中国的警觉,催迫中国放弃它向来的淡漠态度,而且终于使它努力说服朝鲜同西方大国通商,以取代它的遏制日本和俄国的政策。

　　这便是当时主持对朝政策的李鸿章提倡美朝缔约的背景。此外,这也可以看作是牵制与均衡战略的实施。具有讽刺意义的是,美国反对李鸿章的最初方案,坚持不承认中国对朝鲜的宗主权。然而,美朝条约对朝鲜人民的冲击比日本《江华条约》更大,因为它使朝鲜人意识到他们需要在国际社会中的平等地位,而且使朝鲜结束了它作为一个闭关自守国家的孤立状况。

李鸿章在 1879 年至 1894 年动荡的岁月,一直是中国对朝政策运筹帷幄的人和主要执行者。朝鲜开始加入国际秩序后不久,不得不应付壬午兵变。中国作为宗主国,采取了与抚绥属国的往例相一致的行动,立即派兵以朝鲜政府名义镇压叛乱,其主要目的则在于防守自己,抵制日本。这的确是自元朝以来中国最为积极、最为明显的干涉行为(明朝中国曾经一度援朝,但未干涉其内政),它是清朝中国对朝鲜政策的转折点。

中国对于事大党给予极大的支持,造成了朝鲜政治权力分配不平衡。因此,亲日的进步党在像中法战争这样国际事件的影响下,为推翻亲清的政府而发动了甲申政变;但是由于清朝军队干涉,政变以失败告终。从此以后,中国在宗主权问题上坚持愈力;然而,朝鲜的独立自主运动在任何时候都没有动摇过。接着是 1885 年至 1894 年动荡多事的 10 年,此时李鸿章充分利用了英俄对抗和日本暂时的等着瞧态度。李的干涉主义政策通过中国驻朝官员袁世凯大力贯彻施行,从而巩固了中国的宗主权。

袁世凯的任务是参预朝鲜政治与外交事务。然而他对朝鲜的控驭实际上要广泛得多,还包括在财政和经济领域的进一步介入。袁的活动不可避免地引起朝鲜政府不满和忧惧,对于改进朝鲜和中国的关系,未能有所贡献。最为不幸的是它造成了两国之间的摩擦和隔阂。这种现象可以归结于两组因素:就朝鲜说来,是思想变革勃兴,对改革运动高度期望和自主意识日益发展;就中国说来,是努力保持宗主权,忽视朝鲜政治和经济改革,以及缺乏促进朝鲜近代化的能力。然而,中国自身的自强运动并不十分成功,也同样是事实,这表明在近代化的道路上障碍重重,传统主义的框框难以粉碎。中国未能对朝鲜的近代化作

191

出贡献,因而便是可以理解的了。另一方面,同中国的情况恰成鲜明对照的是日本竭尽全力在富国和强兵两方面实现它的近代化。日本近代化的成功,既为朝鲜改革派作出了榜样,又成为日本入侵朝鲜的借口。

尽管中国对朝鲜的干涉主义政策昭然若揭,将它同日本的入侵行为相提并论,加以谴责,是不正确的,也是不公正的。这是不少学者的一致看法。李瑄根教授虽然批评中国的高压政策,但是他仍然指出中国对朝鲜的经济政策是一种善意恩惠的政策;他也承认中国没有获取朝鲜领土的野心,除希望将朝鲜变为它的卫星国以外,别无他求。[73] 朴宗根教授指出朝鲜反日与反清情绪的区别,强调中国干涉主义政策旨在遏制日本;他从而驳斥了关于中国入侵的那种不应有的说法。[74]

1894—95 年中日战争是日本为了侵略而发动的,不能说成是李鸿章的对朝政策所造成的。相反地,如果他未利用国际事务的变化状况,并且果断地执行中国对朝鲜的积极政策的话,中日战争也许早 10 年就已发生。

注 释:

[1]《清光绪朝中日交涉史料》(北平,1932;以下作《交涉史料》),1 :31—
32,1879 年 8 月 21 日。

[2]《交涉史料》,2 :19—21,1880年12月16日。

[3]《清季外交史料》(北平,1932—35;以下作《外交史料》),15 :1—3,
1881 年 2 月 23 日。

[4] 李鸿章:《李文忠公全集》(南京,1908;以下作《李集》),译署函稿,9 :
34,1879 年 8 月 29 日。

[5]《李集》,奏稿,34 :44,1879年7月31日。

[6] 同上,译署函稿,4 :30,1876年1月19日;蒋廷黻:《近代中国外交史资

料辑要》(上海, 1931), 2.364。

[7]《李集》, 译署函稿, 16 :10—11, 1884年11月12日。

[8] 同上, 奏稿, 38 :24—27;《外交史料》, 2 :32, 42, 1880年10月7日;《日本外交文书》(东京, 1936—　 ; 以下作《外交文书》), 13.389—90; 金弘集:《修信使日记》, 载国史编纂委员会编:《修信使记录》(汉城, 1971), 160—70。

[9]《外交史料》, 16 :14—17, 1879年8月26日;《李集》, 奏稿, 34 :44—45, 1879 年 8 月 31 日; 薛福成:《庸庵全集外编》(上海, 1887—88), 3 :60—61。

[10]《交涉史料》, 2 :31, 1881年2月19日; "英国外交档案", F.O.17/ 559; 威妥玛致格兰维尔, 电报, 1881 年 1 月 27 日。

[11]《清季中日韩关系史料》(台北, 1972; 以下作《关系史料》), 2.461—62, 1881 年 2 月 27 日, 1881 年 3 月 2 日;《李集》, 译署函稿, 12 :6—7, 1881 年 3 月 1 日。

[12] 泰勒 · 丹涅特:《美国人在东亚: 19世纪美国政策的批评研究》(纽约, 1922), 453。

[13] 同上, 436。

[14]《李集》, 译署函稿, 13 :7—10, 1882年3月25、27日。

[15] 金荣作:《李朝末期朝鲜民族主义研究》(东京, 1975), 161。

[16]《关系史料》, 2.481—82, 1881年2月16日。

[17] 奥平武彦:《朝鲜开国交涉始末》(东京, 1935), 103。

[18]《李集》, 译署函稿, 13 :31—32, 1882年4月20日; 奏稿, 43 :34—35, 1882 年 4 月 23 日。

[19]《交涉史料》, 3 :13, 1885年5月15日 (附件2)。

[20] 马建忠:《适可斋记言记行》(台北, 重印, 1968), 4 :12。

[21] 泰勒 · 丹涅特:《美国人在东亚》, 464。

[22] 同上, 460—61; 梅尔文 · 弗雷德里克 · 纳尔逊:《朝鲜与东亚旧秩序》(巴吞鲁日: 路易斯安那州立大学出版社, 1945), 149—56; 161—63。

[23] C · I · 尤金 · 金 (音)、金汉教:《朝鲜与帝国主义政治, 1876—1910年》(伯克利: 加州大学出版社, 1968), 3。

[24] 同上, 31。

[25]《交涉史料》, 3 :32, 1882年8月7日。

193

[26] 薛福成：《庸庵全集外编》, 2 :56；林明德：《袁世凯与朝鲜》(台北, 1970), 33—35。

[27] 《外交文书》, 15 :217—21；金正明：《日韩外交关系资料集成》(东京, 1963), 7.72。

[28] 彭泽周：《明治初期日韩清关系之研究》(东京, 1969), 264—65。

[29] 玄洋社社史编纂委员会：《玄洋社史》(东京, 1927), 239—40。

[30] 田中直吉：《日鲜关系之一断面》,载《日本外交史研究》, 1957年8月, 89。

[31] 《交涉史料》, 4 :16—17, 1882年10月3日；《外交史料》, 29 :22, 1882年10月13日；张佩纶：《涧于集奏议》(1918), 2 :59—63。

[32] 张孝若：《南通张季直先生传记附年谱年表》(上海, 1931), 3 :35—36。

[33] 《李集》,奏稿, 44 :27—29, 1882年10月3日；《交涉史料》, 4 :28—29, 1882年10月13日； 4 :31—32, 1882年11月15日；《外交史料》, 29 :22—24, 1882年10月13日；30 :5—10, 1882年11月17日。

[34] 濮兰德：《李鸿章》(伦敦, 1917), 162—65。

[35] 《交涉史料》, 4 :16—17, 1882年10月3日。

[36] 同上, 4 :32—36, 1882年11月15日；王芸生：《六十年来中国与日本》(天津, 1932), 1.184—85。

[37] 王信忠：《中日甲午战争之外交背景》(北平, 1939), 57—60。

[38] 王芸生：《六十年来》, 1.210。

[39] 金允植：《云养集》(汉城, 1913), 12 :32—35。

[40] 林明德：《袁世凯》, 41。

[41] 同上。

[42] 金荣作：《民族主义》, 168；伊藤博文编：《朝鲜交涉史料》(东京, 1936), 1.462—63。

[43] 朴殷植：《韩国独立运动之血史》(汉城, 1947), * 4。

[44] 《关系史料》, 3.1502, 1884年12月13日；《交涉史料》, 5 :26, 32, 1884年12月12日；《李集》,译署函稿, 16 :12, 1884年12月14日。

[45] 《交涉史料》, 5 :29, 1884年12月14日；5 :36, 1884年12月16日；《外交史

---

* 另有1920年版,上海法租界维新社发行。——译者

料》,50 :5, 1884 年 12 月 14 日。

[46]《交涉史料》,5 : 25—26, 1884年12月12日;《外交史料》,50 :1, 1884年
12 月 24 日。

[47]《李集》,电稿, 4 :23, 1884年12月23日;《交涉史料》,5 :24, 1884年12月
20 日。

[48]《交涉史料》,5 :17—19, 1884年12月21日;《李集》,奏稿, 52 :5—6,
1884 年 12 月 19 日。

[49] 田保桥洁:《近代日鲜关系之研究》(庆应, 1940), 1.1015—19。

[50] 金正明:《日韩外交》,3.114。

[51] 吉野作造编:《明治文化全集》(东京, 1928), 6.211—15。

[52]《日本外交年表与主要文书》(东京, 1955), 1.101。

[53]《李集》,电稿, 4 :28, 1884年12月16日; 6 :36, 1885年1月16日; 7 :9,
1885 年 2 月 10 日。

[54]《日本外交年表》,1.103—4。

[55] 泰勒·丹涅特:《美国人在东亚》,480;蒋廷黻:《中日外交关系, 1870
—1894 年》,载《中国社会及政治学报》,17(1933 年 4 月), 106。

[56] 金正明:《日韩外交》,7.583。

[57]《日本外交文书:明治年间追补》(东京, 1949), 1.357—58;《交涉史
料》,8 :18, 1885 年 5 月 5 日;《李集》,奏稿, 5 :38, 1884 年 12 月 29
日。

[58]《日本外交文书:明治年间追补》,1.356;《交涉史料》,8 :21—23, 1885
年 7 月 29 日。

[59]《交涉史料》,8 :27, 1885年7月29日;《李集》,译署函稿, 17 :31, 1885年
7 月 27 日。

[60] 林明德:《袁世凯》,29—30。

[61] 同上, 296—97;佐佐木扬:《中日战争时期(1894—1895年)国际环境
——英俄远东外交政策与中日战争开端》,《东洋文库研究部回忆录》,
42(1984).26。

[62] 佐佐木扬:《国际环境》,26—27。

[63] 同上, 27。

[64]《李集》,译署函稿, 18 :42, 1886年10月9日;《外交史料》,69 :16—17,
1886 年 10 月 24 日;《交涉史料》,10 :17—18, 1886 年 10 月 11、15

194

日;《李集》,电稿, 7 :47, 1886 年 10 月 25 日。

[65] 《交涉史料》, 10 :17, 1886年10月11日。

[66] 《外交史料》, 69 :14, 1886年10月11日;佐佐木扬:《国际环境》, 15。

[67] 佐佐木扬:《国际环境》, 16—17;林明德:《袁世凯》, 15。

[68] 佐佐木扬:《国际环境》, 56;《李集》,译署函稿, 19 :20—22, 1888年10月 14 日、11 月 4 日。

[69] 《关系史料》, 5.2810, 1890年8月27日。

[70] 柳永益:《袁世凯驻朝与朝鲜启蒙运动(1885—1894年)》,《朝鲜研究杂志》, 5(1984).78—106;林明德:《袁世凯》, 159—255。

[71] 《李集》,译署函稿, 16 :10—11, 1884年11月12日;林明德:《袁世凯》, 262。

[72] 柳永益:《袁世凯驻朝》, 78。

[73] 李瑄根:《韩国史最近世篇》(汉城, 1961),林秋山译:《韩国近代史》(台北, 1967), 625—26。

[74] 朴宗根:《朝鲜近代改革之演进》,《历史学研究》, 300.51。

第 五 编

作为近代化倡导者
的李鸿章

10

李鸿章与江南制造局,

1860——1895 年

康 念 德

在晚清皇朝处于瓦解的权力结构中, 个别的官员——李鸿章同个别的机构——江南制造局的关系, 初看似乎是一个极其有限的历史研究题目, 一个未必会得出什么重大结论的题目。然而19 世纪中国历史的研究者都知道, 李鸿章多方面的事业几乎触及中国政府的每一项职能和经济的每一个部门。作为中国首要的防务工业, 江南制造局居于经济和技术变革的最前列, 而且涉及统治权力的再分配。[1] 李鸿章的事业同江南制造局的发展在许多方面交叉在一起, 显示了他在 19 世纪后期作为中国一个主要政治家的作用。首先, 江南创建时便已有李鸿章在。他的工业化看法在很大程度上导致江南的诞生, 而且指导着它的早期经营。其次, 李鸿章于 1870 年调到华北以后努力保持对江南的控制, 使他扮演了一个全国舞台上的角色, 他在帝国政治舞台上的才干受到了考验。最后, 在江南制造局, 李鸿章直接面对着中国存亡所系的技术。江南和其他兵工厂的外国技术人员是这一技术的传播者。李鸿章同他们打交道, 是对他在转移技术新法中的适应性和敏锐程度的一种衡量。

江南的建立与早期经营

虽然江南制造局于 1865 年投入生产, 但是它的设立却是 18 世纪以来儒家经世派学者提出的实际改革思想的结果。在 19 世纪, 由于统治的清皇朝受到国内叛乱和外国侵略的压力加深, 这些思想表现在具体的治理方案上面。中国在第一次鸦片战争(1839—42 年)中屈服, 推动了长期鼓吹政府治理实行实际改革的经世派学者魏源(1794—1857 年)呼吁对中国对外关系的基础给予重新评估。魏源写道:"师夷之长技以制夷。"他所说的外国长技, 主要指西方大国的武器和轮船, 以及西方指挥官利用他们的武装部队所显示出来的技能。[2]

魏源的想法并没有被立即接受。不过到 1860 年秋, 英、法占领北京引起的危机和太平军向上海推进, 使在长江下游同太平军作战的各省军事领袖的改革思想具体化了。1860 年代初, 这些领袖中有两个人——曾国藩和李鸿章, 深受冯桂芬有说服力的经世著作的影响, 1864—65 年李鸿章任江苏巡抚时, 冯曾在他的幕中工作。冯桂芬在 1860—61 年写的著作中, 反复申述魏源的中国应学习外夷长技以制服他们的名言。不过他更进一步要求中国通过改革教育制度和政治权力分配, 以及军事工业的近代化以加强自己。冯桂芬的建议标志着 1860 年代"自强运动"的起端。[3]

李鸿章在思考这些想法的时候, 目睹西方轮船和武器优越性的生动展示。1862 年 3 月, 受围困的上海城内中国士绅和商人租赁了 7 艘英国轮船, 溯江而上到达安徽省, 装运李鸿章的淮军通过太平军占领的地区顺流到达上海。在上海, 李鸿章看到

198

了防守这个城市的部队——英国、法国和印度的部队,以及由常胜军的英国军官指挥的中国士兵所使用武器的优越性。[4]李鸿章遵循他的导师曾国藩制定的总政策,曾当时正在指导实施对付长江下游地区太平军的全面战略,在设法购置和再生产外国优越的武器同时,使外国势力的干预和影响减少到最低限度。[5]

曾国藩于 1862 年在安庆大本营建立了一所配备中国工程技术人员的军火弹药厂,和他作出这些努力相对应,李鸿章于 1863 年在上海、同年 12 月在重新收复的苏州开始了炸弹的生产,苏州生产是在加入李幕的英国军医马格里领导之下。上海道丁日昌指导上海的生产,到 1864 年,那里也生产了小型加农炮。马格里劝说李鸿章购置和使用中国第一批以蒸汽作动力的生产机器。[6]丁日昌也许同李鸿章讨论过王韬的《火器说略》,这部著作以镇压叛乱和最终抵抗帝国主义而生产武器为背景,重申了经世学者冯桂芬关于机器的使用引起广泛的经济改革的思想。[7]

李鸿章了解向各省镇压太平军的军队供应外国武器弹药的迫切需要,但是他小心谨慎,唯恐长期依赖外国供应者。这导致他要求对经济和教育制度的有关部门进行改革,其目的不仅在于支持当前的生产,以镇压叛乱,而且从长远上还为了使中国强大,以反对外国帝国主义持续不断的压力。1864 年春,李鸿章向总理衙门报告他在苏州和上海设立的兵工厂。他向政府要求获得资本设备,并且雄辩地主张教育改革,培训军事生产所必需的科学技术人才:

> 鸿章以为中国欲自强,则莫如学习外国利器;欲学习外国利器,则莫如觅制器之器,师其法而不必尽用其人。欲觅制器之器与制器之人,则或专设一科取士,士终身悬以为富

199

244 ·李鸿章评传

贵功名之鹄,则业可成,思可精,而才亦可集。[8]

作为解决人才问题的第一步,1864 年李鸿章在上海开设一所教授外语的学校(后来通称"广方言馆")。[9] 虽然生产重武器和船用引擎要有专门设备,对于能够制造这种设备的机床需求已很明显,但是向国外购买费用昂贵,而且没有把握,这促使李鸿章委托上海道丁日昌探讨盘购一家已在上海经营的外国机器厂的可能性。[10]

李鸿章在购获资本设备和培训技术人才所表现出来的兴趣,反映出他已经意识到必须有一个基础广泛的工业化途径,而不仅限于为了生产迫切需要的武器弹药而购取外国设备,雇聘外国技术人员。他的这种意识具体体现为 1865 年江南制造局在上海设立。

"江南制造总局",李鸿章为它取这样的名称,于 1865 年 5 月末或 6 月在上海虹口后来叫做"旗记码头"的地方原先一家外国机器厂* 厂址,在中国人管理下开工。虽然李鸿章所取这个厂名意指它是生产一般机器类型的官局机构,不过外国人几乎立即称它为"江南兵工厂"(Kiangnan Arsenal),对它后来的机构也一直沿用这个名称。1865 年夏末,李鸿章就江南制造局的设立上呈一份奏折,引证孔子哲学的一个基本信条,即事物应具有表示它们的现实性并与其他事物相区别的名称("正名辨物"),说明为了使它的任务清晰明了,他将厂名改为"江南制造总局"。[11] 他的奏折接着详尽阐述他所预见江南的使命,解释目前考虑到镇压华北捻军叛乱的急迫需要,集中于军事生产是必要的:

200

------

* 即美商旗记铁厂。——译者

臣查此项铁厂所有,系制器之器,无论何种机器逐渐依法仿制,即用以制造何种之物,生生不穷,事事可通。目前未能兼及,仍以铸造枪炮借充军用为主。……洋机器于耕织、刷印、陶埴诸器皆能制造,有裨民生日用,原不专为军火而设,……臣料数十年后,中国富农大贾必有仿造洋机器制作以自求利益者。* [12]

这些看法完全有可能受到丁日昌的影响,丁当时从他在上海的职位上监督江南制造局。在同李鸿章通信中,丁日昌鼓吹设立生产纺织制造、农业和水利所用机器的大型工厂,并且采取优给官禄和物质赏酬以鼓励精通科学技术的人才的新政策。[13]

江南制造局的机器是由丁日昌以及通过其他官方渠道筹集资金购置的。1865 年晚些时候,通过曾国藩聘用的受过耶鲁教育的中国人容闳在美国购买机器,工厂有了扩充。[14] 李鸿章于1865 年夏接替曾国藩署理两江(江苏、江西和安徽)总督,江南制造局便在他总监督之下。当时清帝国的军队在华北平原遭到严重的挫折,曾国藩受命率领淮军在那里对付捻军。江南最初的任务是向这些淮军部队提供后勤支援;淮军的预算中列有江南经费预算。[15] 这就使江南大部分设备必须急速改变,从原来打算生产船只转为生产武器弹药。

江南的早期管理受到技术和人事问题的困扰。不但中国的经理缺乏技术方面的实际知识,从外国机器厂留下来的外国监工和技术人员对于转向武器弹药生产也显得无法胜任。到1866 年 2 月锅炉修理时,全局因技术和人事问题而不得不停止

201

* 此段原著自孙毓棠编《中国近代工业史资料》转引,现据《李集》,奏稿, 9 :34。——译者

运转一个多星期。后来虽然修理完竣,但由于一座熔炉有毛病,轻武器生产仍然不能恢复。1866年春生产了几千发枪弹,但是轻武器的弹药生产从来没有达到相当的数量,大炮的生产为了等待一尊作为模型的英国加农炮运到而拖延下来。

李鸿章对于江南制造局生产轻武器的努力旷日引月,耗费浩繁,而又不成功,感到恼怒。他认为总办冯焌光过于依赖外国造船技术人员,而不是依靠武器生产的技术人员。外国技术人员又借口设备不合格,回避责任。李鸿章向局内官员下了最后通牒:生产轻武器的问题根源在于熔炉,它必须重造。如果江南不能在新的熔炉造好后一个月内,制造出外国式样的轻武器,局内中国官员将扣发薪俸,外国监工将付清工资解雇,遣返回国,并且致函其领事,说明他受雇不能令人满意的情况。

与此同时,李鸿章开始购买外国轻武器,以供正在同捻军作战的淮军部队使用。1866年夏,制造局已生产出足与外国制造媲美的小型加农炮,但是轻武器的生产仍然质量窳劣,数量有限。[16] 为了加强对华北淮军部队的后勤供应,李鸿章将苏州炮局迁往南京,将它改建为金陵制造局。* 这所新的兵工厂在李鸿章从南京两江总督衙署密切注意下,于1866年投入生产。[17]

对捻军的战争进行并不顺利。在1866年底之前,李鸿章奉调华北,指挥淮军剿捻。曾国藩回到两江总督任上,衔命对李在华北指挥的部队提供后勤支援。1867年华北军事形势恶化,李鸿章支持在天津建立另一所兵工厂,** 这所兵工厂早些时候

---

* 即金陵机器局。——译者
** 即天津机器局,最初称"军火机器总局"。——译者

是由总理衙门和北洋通商大臣*崇厚提议设立的。[18]

此时曾国藩回任两江总督兼南洋通商大臣,江南制造局重新在他的监督之下,虽然为时短暂,但是影响很大。李鸿章因江南的武器生产未能取得令人满意的结果而感到沮丧,他在赴华北之前,同意暂停武器生产,并且将江南局址迁移到更适宜建造用于港口防务的小型船只的地方。[19]热心鼓吹造船的曾国藩于1867年得到朝廷旨准,由上海关税入拨付10%支持江南造船,10%支持剿捻部队。随后,后一10%的款项也拨充江南经费。江南制造局迁到上海城南黄浦江边高昌庙占地10英亩的新址。在1867—68年冬,建造了包括一座干船坞在内的新的生产设施,购买并安装了新的造船和生产武器的设备,开设了科学技术著作的翻译馆。随后几年,这些设施得到了稳步扩充,其中包括生产雷明顿式来复枪的机器和一所技术训练学堂。**[20]

1868年捻军失败后,曾国藩再次应召前往华北,这一次他出任畿辅省份直隶总督和北洋大臣,他担任这个职务一直到1870年他在两江的继任人马新贻被刺杀,才又回到南京。李鸿章从1869年开始就任两湖总督,任期短暂。然而在1870年,随着反帝国主义的暴力事件爆发和天津法国人生命财产遭受损失,同法国重开战衅的可能性增长,李鸿章应命带领淮军前往直隶。在被称为"天津教案"的事件结束后一段时期,曾国藩召回南京两江总督任上,并兼南洋大臣,李鸿章则被指派为直隶总督

202

---

* 当时应称"三口通商大臣",1870年天津教案后,改称"北洋通商大臣",简称"北洋大臣";下文"南洋通商大臣",原称"五口通商大臣"。——译者

** 即江南制造局操炮学堂,1874年设立,1881年改为炮队营,后并入工艺学堂。——译者

兼北洋大臣, 只有 1880 年代初一度暂离外, 他在这个职任上一直到 1895 年中国在中日战争屈服以后才被斥退。

江南的造船计划

在 1872 年初曾国藩去世和 1875 年采取新的海防政策之前, 南洋大臣将江南制造局巨额的关税拨款主要用于建造轮船。到 1875 年, 共造成 7 艘大型海军兵舰, 包括 1 艘"巨型"级* 铁甲舰, 以及 6 艘防守港口的船只和 1 艘大型帆船。虽然体现在这些船只上的技术进步给人以深刻的印象, 但是它们是在外国技术人员监督下, 用进口材料建造, 其成本远远超过了购买价格。[21] 这些船只维修和管理费用的增加速度, 也快于海关拨款的增加。

　　早在 1869 年就已有人开始对江南的造船计划的提出温和批评, 1872 年内阁学士宋晋针对江南和其他兵工厂用费浩大作尖锐的抨击, 要求中止最为突出、代价最大的计划: 造船。[22] 这促成了一场关于江南制造局和福州船政局继续进行中国自造轮船的计划有无价值的激烈辩论, 这场辩论成为西北塞防与东南海防战略哪一个优先和经费应用于哪一方面的更大论争的一部分。

　　1870 年以后, 作为直隶总督和北洋大臣, 李鸿章将越来越多的时间和注意力放在华北事情上。由于他所处地位在战略上的重要性和政治上的敏感性, 朝廷也向他征询国防计划的建议和意见。李鸿章似乎不愿放弃自己在长江下游地区费力建立起

---

　　* "巨型"级 (monitor class): 19 世纪沿海使用的低干舷铁甲舰。
——译者

来的军事工业的影响力。当朝廷问他对于宋晋建议暂停江南造船的意见时,他同他从前的门生、时为江南总办的冯焌光商量。他与冯的以采掘、冶炼、运输和纺织工业近代化作为平衡方案的主张相呼应,[23] 要求江南的造船计划作为这个方案的一个部分,继续进行下去。然而李鸿章关于江南继续造船的建议,受到了环境的限制。他怀疑造船成本效益,提议通过将船只进一步限制于当时在造的第五艘规格,并将江南船只出租商用,或租给负担维修和管理费用的各省政府,以减少开支。[24] 他介绍继续造船所必须的条件,无保留地提出以江南关税收入的更大份额用于生产武器弹药,他自到华北以后,就很赞同天津机器局进行此类生产。[25]

到 1874 年,李鸿章提出减轻轮船维修和管理费用的方案,显然并未能解救江南用款的燃眉之急。而且在中国西北回民分裂运动和对日本控制台湾和琉球的斗争背景下,包括轮船和武器生产在内的国防战略孰为优先的问题,又一次提出来。1874年末,在陕甘总督左宗棠平息这两个省的回民起义以后,新疆地区独立的阿古柏回族王国正得到国际的承认,左作好了进攻的准备。这一年早些时候,中国根据英国公使建议,承认日本保护受台湾土著居民袭击的琉球渔民的权利,从而避免了同日本作战。事后从历史的发展看来,中国的海军兵力是否远远落后于日本,似乎尚难确定。然而在 1874 年 11 月初,中国却同日本签署了一项屈辱的协议,* 它终于导致中国放弃了对琉球群岛的主权要求。[26]

几天以后,朝廷在这项协议的冲击下向后退缩,向一些省主

---

* 即中日《北京专条》,1874 年 10 月 31 日(同治十三年九月二十二日)签订。——译者

要官员征询对于总理衙门提出的有关国防基本战略以及何者优先考虑的意见。虽然各省官员上呈奏折所讨论的问题涉及国防的许多具体方面,但是在主张将财力优先用于西北塞防和认为防务的努力应主要放在加强海防上面更为可取的人们中间,对这个广泛的政策出现了基本分歧。左宗棠是塞防的主要提倡者,而李鸿章则支持海防。[27]

虽然这场论争以有利于西北塞防的结果而告终,它为左宗棠平定 1884 年成为新疆行省的那个地区打开了道路,但是朝廷也采取了新的反映李鸿章在奏折中讨论过的某些战略上优先考虑的海防政策。李要求缩减他认为用费浩大而收效甚微的江南制造局的海军建设,主张以沿海防务设施、用于港防的小型炮船,以及守卫诸如长江口和北京通道等战备要地的水雷为基础的海防战略。它们将由机动的步兵支援,以抵抗入侵。李鸿章方案的另一部分,即由战列舰组成的外层防御圈,将包括为数极少的江南船只。李鸿章建议,向外国购买将能够保证船只适合这样的任务。

李鸿章还利用机会鼓吹为了促进海军发展和创立一个更有效率的指挥体系,军事和财政的权力应集中于地方统帅手中。[28]这些要求对帝国政府机构作广泛的组织变革的建议,紧接他早先鼓吹教育和经济调整之后,表明到 1870 年代中期(如果不是更早的话),李鸿章已经是一个制度改革应与工业发展同步的强有力的提倡者。

虽然到 1870 年代,工业均衡发展与相关制度变革的观念,在李鸿章思想中已经具体化,但是实际的改组却零零星星姗姗而来。原因看来很清楚,从 1870 年天津教案到 1894—95 年中日战争,外国对中国领土及其周边藩属国家的威胁,造成了一系列军事紧急情况,它要求将能够得到的财力资源集中用于军事生产。而且,帝国领导层对于实施支持工业化所必需的行政制度改革,表现出没有什么兴趣。像江南制造局这些李鸿章等人所创议的个别项目,虽然给人印象深刻,但是缺乏一个全面的指导和领导。事实证明,这些事业本身不足以支持皇朝反对帝国主义日益加强的猛烈进攻。

　　1872 年曾国藩去世以后,帝国失去一个强有力的领导,李鸿章在指导江南制造局中更具影响,他就技术问题和有关人事与管理问题提出意见。不过,对江南负有首要责任的是两江总督、南洋大臣。1875 年 5 月宣布的新的海防政策,责成衙署设于天津的北洋大臣李鸿章和衙署设于南京的南洋大臣沈葆桢承担各自地区的海防任务。各省提供每年 400 万两的新款,用以支持他们的努力。紧接采取新的海防政策以后几年,即 1875—79 年,海防经费集中由北洋大臣李鸿章控制,它远远不及原来计划的每年 400 万两。这笔款项合并使用,系由李鸿章提出,得到南洋大臣沈葆桢赞同,以便尽早通过向欧洲购置,建成一支北洋舰队。然而,另一后果却是削减了江南造船新的财政来源。[29]

205

　　虽然 1875 年以后实际上停止造船,但是维持轮船费用继续消耗海关的拨款;[30] 上海海关每年拨付的余下款项,主要用于武器弹药的生产,借以支持新的政策。李鸿章所优先考虑的,可以从他 1870 年代的奏折和推动天津机器局发展这两个方面看到: 他认为中国兵工厂在这个发展阶段最合适的任务是火药弹药生产。[31] 江南已有生产轻武器的工厂。1876 年制造局得到了生产海防重炮的机器和外国技术人员。武器和弹药的生产在往后几年将越来越重要。

　　1879 年南洋大臣沈葆桢去世后,南洋大臣这个职位就连续由杰出的湖南籍官员接任: 刘坤一(1879—81 年, 1891—1902年),左宗棠(1881—84 年)和曾国荃(1884—90 年)。与此相似,江南的总办也由湘籍官员担任,其中最著名的有曾国藩女婿聂缉椝(1883—90 年),著名的湘籍官员刘蓉之子刘麒祥(1890—95 年)。在中日战争(1894—95 年)前 20 年间,在这些南洋大臣监督和聂缉椝、刘麒祥领导下,江南从海军船坞向兵工厂和弹药厂发展。不过这种变更并不是紧接着的,维持轮船的经费仍然不绝如缕,这从财政上使人们注意到它早期对造船的强调。而且到 1870 年末,南洋大臣重新得到控制海防经费中的南洋份额,其中有一部分在 1880 年代初用于恢复江南为时短暂却用费昂贵的造船,这时李鸿章在朝廷的影响,正受到保守的清流派政敌的攻击。[32] 这一重新开始的努力最有意义的结果是 1885 年竣工的耗资 5 万多两的钢甲炮船"保民"号。[33]

李鸿章在讨论中法战争(1884—85 年)中福州舰队被摧毁后海军重建时,奏称江南所造船只不适用。他建议国内造船应集中于福州船政局。此后不久,新的海军衙门成立,负责在优先的基础上发展北洋舰队。李鸿章被任命为会办,先前由南北洋大臣分管的海防经费,现在集中于新的衙门。[34] 李对海军预算权力的扩张,敲响了江南制造局造船计划的丧钟,这个计划一直成本效益微小,一边倒地依赖外国的技术和物资器材。

206

重武器生产

尽管造船计划在吵吵嚷嚷声中停了下来,1875 年采取新的海防政策后的 10 年,对于中国兵工厂武器生产的发展,却证明至关重要。李鸿章于 1870 年调到华北以后,解雇了总办天津机器局的英国人密妥士,后者计划购置新的设备,而李鸿章认为为时过早,而且过于阔绰。他以江南制造局前总办沈保靖接替密妥士,他推荐沈是一个能够同外国人打交道而又不让事权落入他们手中的人。密妥士的继任者、外国工匠的总管马基雷斯先生卷入一个外国工匠的人事纠纷,此事最后转至英国公使威妥玛爵士处理。拖了一年多的时间,在这个工匠任期届满,支取了全部薪水以后,威妥玛批准马基雷斯将他开除,但却从机器局提取一大笔解雇金给他。[35]

李鸿章指示津局新的中国管理人员扩充生产轻武器和弹药的设备。1876 年开始生产雷明顿式来复枪;到 1870 年代末,天津火药、子弹和炮弹的产量已经超过了江南制造局。李鸿章从金陵机器局得到华北所需的大炮,金陵当时仍在马格里医生监督之下。不过在 1875 年 1 月,金陵制造的两门海防用的铁铸大炮在天津附近大沽炮台爆炸,造成几名中国炮手伤亡。

自从李鸿章于 1866 年末离开南京以后,金陵机器局状况不佳。金陵附属于李鸿章的淮军,它的大部分经费来自淮军预算,它的产品大部分运往淮军各部队。[36]马格里一直同中国总办刘佐禹争吵。刘向李抱怨说,外国技术人员不在教中国工人武器生产技术。马格里则反驳说,他无权掌握指导训练所必需的劳动力。他指责中国监督没有征求他的意见,就作出人事调动,更有甚者,调人往往基于裙带关系或任人唯亲。其后果是职工中充斥阿谀奉承的人和亲信心腹,他们不是没有学习兴趣,便是学得很慢。到 1872 年,李鸿章对生产质量下降的情况已了如指掌。他叫马格里到天津他的衙署,他看来接受了马格里关于中国工作人员阻碍了他的努力的解释,因为李于 1873 年解除了刘佐禹的职务。[37]然而,情况在继续恶化。

1874 年马格里赴欧洲采购,7 个月后回来,他再次应召到李鸿章的天津衙署,说明金陵机器局产品质量低劣和他训练中国工作人员的失败。这一次李鸿章似乎不大愿意接受他对于中国监督阻挠其工作的指责。李批准了有关任命几名中国经理人

207

员、并将马格里的地位降为外国指导的人事调动。马格里很快
辞职,以逃避局内中国人员提出他对"在制造中不切实际、代价
昂贵而毫无结果的尝试"应负的责任。

李鸿章没有在金陵制造的两门大炮 1875 年 1 月 5 日在大
沽爆炸时,接受马格里的辞职。李下令作出的调查揭露,大炮爆
炸是因为制造它们的铁料质量低劣,这些铁料实际上不是出于
工业用途、而是作为轮船压舱物运到中国的。马格里曾经批准
作为权宜之计,暂用劣铁生产武器,以等待好铁运到。可是当时
大炮未在机器局试放,便送往大沽。李鸿章不能原谅马格里的
行为;他命令这个英国人将全部工作移交中国工作人员,让他辞
职。[38]

这一事件使李鸿章心中对于国内自造海防重炮的可行性产
生怀疑。不过 1875 年末,在海上和沿海设防需要大炮的促使
下,他建议按照英国阿姆斯特朗公司的产品模型,用锻铁制造有
膛线的钢筒前装炮。第二年,江南制造局在阿姆斯特朗公司纽
卡斯尔工厂监督麦金泉指导下,开始了生产套筒前装炮的应急
计划。麦金泉来到中国,感到李鸿章和其他高级官员对于中国
工匠能够制造近代武器仍有严重怀疑。制造局的一名西方雇员
回忆,在中国和西方工作人员中,弥漫着一种危机的气氛;他们
相信李鸿章即将向朝廷奏请将江南关闭。中国和西方雇员都敦
促麦金泉尽快生产新炮,显示出成绩。即使质量并非最好,只要
不爆炸便无妨,具体的成果将有可能使江南生产得以继续,使他
们不致失去工作。[39]

中国官员对于麦金泉是否有能力兑现他在江南制造新炮的
诺言,最初是有怀疑的。但是看来麦金泉接受了这个对他个人
和工作的挑战:他开始坚定工作,指导中国工作人员,决心显示
出成绩。1877 年进展迅速。到这一年春末,生产设备已经完

备,中国工匠也经过了训练。10 门新炮接近竣工。1878 年李鸿
章对于新的生产给予全力支持。他在一份奏折中称赞阿姆斯特
朗产品耐久可靠,并且建议由江南生产。最初两门用于沿海设
守的阿姆斯特朗式大炮于 1878 年 12 月在江南试放成功。[40]

　　紧接大沽悲剧之后,李鸿章就对江南制造局施加影响,要它
生产阿姆斯特朗式的防守沿海的大炮,它们是西方生产的一种
最有威力、最为安全的重武器。但是阿姆斯特朗产品已经过时,
它与其他西方大国生产的后膛炮相比,火力不足,而且笨重。[41]
金陵制造的大炮在大沽爆炸的悲剧,还使李鸿章不得不直接面
对中国传统社会中近代工业管理的复杂性问题。他依靠马格里
医生作军事生产的技术指导。马格里先前曾很好地为李鸿章效
力,不过此时他似乎更加全面地投入工作。李鸿章警惕外国人
在他的兵工厂中的影响,希望看到像天津机器局一样,生产尽早
转到中国人手中。他还注意到江南的工作人员对于技术独立并
没有作好准备。由江南制订、为李鸿章采纳的解决方法,是将制
造局内外国人的参与限制在技术的建议和指导上面,管理权仍
然操诸中国人手中。这一准则打开了中外合作生产设防沿海的
阿姆斯特朗式大炮的成功道路,这种合作是在麦金泉的完全符
合条件的外国技术人员小组和聪明勤奋的中国工匠指导下进
行。不过,在 1880 年代,中国人的管理越来越受到湘系的控制,
而且越来越受到裙带关系、任人唯亲和贪污中饱的侵蚀。

　　1880 年以后,江南制造局许多(但是并非全部)的活动,完
全离开了李鸿章的控制。在这几年,毫无疑问,侵吞公款已在江
南发生,人事任命根据私人或家族关系,而不是根据资格,管理
效能低下比比皆是。这些弊端陋习不过是官方报告的一部分,
很难判定它们作为抑制制造局实现其任务的因素,其影响如
何。仍然可以肯定的是,低效率和浪费阻碍了管理。可以得到

的资料表明,1880 年代和 1890 年代初期可能是弊端陋习最为盛行的时期。在 19 世纪末、20 世纪初以后,报纸报导指责江南物资采购受到官方贪污和无知的损害。[42]总办聂缉椝妻子的自传披露,南洋大臣左宗棠曾注意到江南总办的渎职行为,准备加以纠正。但是左本人却于 1883 年指派聂缉椝为江南会办,主要因为聂是左的湖南同乡老战友和江南制造局的共同创建人曾国藩的女婿。[43]湘系势力在江南如此强大,以致江南建有曾国藩祠,局内官员齐集在他的牌位前致敬。[44]刘麒祥继聂缉椝为江南制造局总办。刘的姐妹嫁于曾国藩长子曾纪泽,他曾随同曾纪泽因外交任务去过圣彼得堡。刘也是李鸿章的亲戚。后来有报告指责在刘任内,司员、工人、仆役增多、薪水支出激增为前所未有。[45]

209

聂缉椝于 1890 年受任上海道,李鸿章对他大量侵蚀上海海关收入未予深究,这一点殆无疑义。这些款项有一部分似被聂用于购买华新纺织新厂的股票,该厂系 1888 年起由李鸿章赞助的上海一家官商合办企业。[46]然而,1890 年代江南的收入究竟有多少来自海关税收,已很难从数量上确定;要证明李鸿章直接卷入财政上营私舞弊或任人唯亲,也是不可能的,这些营私舞弊和任人唯亲曾于 1880 年代和 1890 年代对江南制造局造成损害。

到 1880 年代初,江南制造局的轻武器和弹药已不再运往华北。李鸿章认为江南的雷明顿枪已过时,而天津机器局弹药生产已使江南的供应成为没有必要。雷明顿式来复枪过时,使津局的设置转为生产毛瑟枪弹药。江南也开始制造毛瑟枪子弹,供应采用进口步枪作武器的各省需要。[47]

供应各省军队的需要,越来越影响江南的弹药生产。从中法战争到中日战争的 10 年间,江南制造出不少于 6 种的不同型号的子弹,这反映了各省部队购获轻武器不正规所造成的需要。事实证明,帝国政府采用全国标准的枪炮口径和使子弹生产设备标准化的努力,纯属徒然。[48] 早在 1870 年代,李鸿章已就购置海军船只和制造防守港口的大炮,同南洋大臣沈葆桢进行协调。然而在 1880 年代和 1890 年代,由于江南处在固结一致的湘系控制下,协调愈益成为例外的情况,而不是正常的做法。除了在 1890 年代初江南制成几百支试验性的来复枪,并运往李鸿章那里外,在中日战争之前,李的部队并没有从江南得到任何轻武器或弹药。不过在两次战争之间 10 年内,江南生产用于沿海防务的经过改进的武器——包括后膛炮和连珠炮——却运往李鸿章管辖下的军事设施。[49]

江南制造局在中日战争期间对武装力量所作的后勤贡献因而是微不足道的。李鸿章控制下的淮军和北洋海军在朝鲜和渤海湾同日本武装力量对抗,但是它们都没有获得江南的大量供应。一些在南洋大臣控制下得到江南的武器和弹药装备的部队被派往战区,但是他们的贡献充其量也是无关大局的。[50]

一个简单的事实是,江南制造局作为中国首要的武器生产 210 机构曾经有过发展,但是在 1880 年代和 1890 年代,历久不衰的湘系紧紧掌握了江南,削弱了李鸿章对江南管理和生产政策的影响力。这并不表明南洋大臣或江南的管理层对李鸿章控制的部队采取阻止供应的措施。相反地,看来李在华北的部队既不想也不要江南所制造的轻武器和型号不一的弹药。不过它生产用于沿海防务的巨型大炮,仍为华北所需要,它们继续运往李鸿章管辖下的军事设施。

结束语

以上关于中日战争前江南制造局的发展梗概尽管简略，却揭示了李鸿章多方面的官僚生涯同江南机构发展互相交叉的特点。虽然李在战前岁月同江南的关系既非持续不断，也不是十分密切，但是他和曾国藩一起，预见到机器工业在中国的发展，它在1860年代带来了江南制造局的诞生。李鸿章对江南的建立和发展所逐步形成的观念，是他熟稔19世纪经世学派思想和亲自考察西方武器和轮船功效的结果。人们普遍承认，李鸿章早年对军事工业近代化的兴趣，引导他在1870年代后期和1880年代鼓吹在非军事的经济部门引进机器生产，并且终于要求教育和武装力量组织的制度改革。然而，历史记录清楚表明：在1860年代初李鸿章心目中的江南形象开始形成时，他就已鼓吹中国经济和教育制度的重大改革。[51] 甚至在他获得有关西方社会的广泛知识之前，务实的、力求解决问题的经世学派的影响看来打开了李鸿章的视野，使他看到了中国文明根本改革的必要性。

江南制造局建立5年后，李鸿章调往华北，它仍然是他的事业下一个25年主要的注意点。尽管调到新的地方，他作为朝廷的顾问所起的作用和广泛的个人联系，使他在1870年代江南事务中保持了重大的发言权：他帮助江南摆脱了用费浩大、效率低下的造船计划。在1880年代和1890年代，他的直接影响虽然并未完全消失，但是看来变得微弱了。李在江南的影响力无疑是越出华北一个省界的扩展，他在华北正式居于主导地位，并且扮演了全国性政治人物的角色。虽然批评他领导的人对他提出裙带关系、任人唯亲和贪污中饱的严厉指责，[52] 但是江南制造

局的这些弊端恶习发生于他对江南内部管理的影响已经不是决 211
定性的时候。很难将对江南发展起阻碍作用的责任加在他的身
上。

　　江南制造局和中国其他兵工厂的领导在中日战争前最关键
的方面是指导西方技术向中国转移。机器工业能否只靠利用中
国资源得到发展？是否继续需要技术和人才的定期输入？外国
技术人员对于技术转移当然至关重要。中国如果要取得技术独
立，就需要在很大程度上依靠他们的指导作用。李鸿章所对付
的技术人员是混杂的一群。他对江南制造局第一批技术人员不
称职和因循拖拉感到恼怒——在他们中间，造船技术人员为武
器生产技术人员的两倍。在天津，他成功地处理了外国人管理
所引起的难题，虽然津局为此付出了很高的代价。中国兵工厂
中最著名的外国人马格里，尽管是一个富有创新精神而且忠心
耿耿的李鸿章的雇员，但却是一个医生，作为武器生产工程师，
他既无资格也无经验。马格里的无知最后引起一场灾祸，李鸿
章除了将他撤职，别无选择。在马格里指导下生产有缺陷的武
器造成悲剧性的人命丧亡，看来影响了李鸿章，使他支持江南那
安全的、有威力的然而却是过时的阿姆斯特朗式的武器。部分
由于麦金泉和他手下人的技术知识和指导技巧，阿姆斯特朗生
产在江南取得成功，可是没有过多久，它不得不让位于其他模式
的生产。

　　李鸿章似乎知道他雇聘的外国技术人员的缺点和长处；然
而他能够作出的选择是有限的。从欧洲找人替换，如果不是不
可能的话，也是很困难的。对于技术评估本身便是一个令人困
惑的工作。事后看来，李鸿章的选择，有时像在苏州和江南制造
局引进以蒸汽为动力的机器，是有远见的，有时像在江南选择阿
姆斯特朗的武器，却是有缺点的。

在 1880 年代和 1890 年代江南制造局离开了李鸿章的控制时，一大堆难题使它陷于困境，这些难题也是中国早期官办工业中普遍存在着的。从上海海关得到的每年经营收入，逐年大幅度波动；长期依赖外国技术人员、进口物资器材和进口设备，高额的人员费用，以及管理效率低下，造成了生产成本过巨；依赖传统的管理模式和制度化了的贪污连绵不绝，带来了昂贵的人事和管理费用；衰弱的中央管理证明不能实施产品标准化；陷入过去道路的泥坑并受到外国侵略重压的国家和社会，不可能在经济、教育制度和政府机构的相关基础结构方面尽快进行支持工业化所必需的改革。并非所有这一切领域的改进都未曾起步；它们正在起步。不过令人难以忍受的帝国主义环境——它

212 曾使日本于 1894—95 年向中国对朝鲜传统的宗主权提出挑战——将一张军事工业变革的时间表强加给中国，中国的军事工业，尤其是江南制造局，对此无法应付。[53]

帝国主义的压力使军事工业的变革成为必需，江南制造局和天津机器局对付这一变革挑战的方法，可以说有明显不同。在华北，李鸿章影响了早期的决定，将生产缩小在火药和弹药的范围，大部分武器和海军船只则依靠向国外购置，在那里，天津机器局成了一所比较有效率的生产火药和弹药的工厂。它的发展主要受到由津海关岁入拨出的为数较小而且不稳定的收入限制。与江南制造局比较而言，有关资料并不表明津局存在浪费、效率低下、贪污中饱和依赖外国人员与物资的种种表现，而江南规模巨大的多样化的生产，却深为这些现象所困扰。[54]

注　释:

[1] 关于这个时期江南制造局的主要研究,有王尔敏:《清季兵工业的兴起》(台北, 1963);康念德:《江南制造局的武器:中国军事工业的近代化》(博耳德, 1978);廖和永:《晚清自强运动军备问题之研究》(台北, 1987);范光淡:《李鸿章之海防运动及其后果》,硕士论文,中国文化大学,台北, 1979;江南造船厂史编写组:《江南造船厂史》(上海, 1975);侯复全编:《江苏近代兵工史略》(南京, 1989)。*

[2] 张灏:《梁启超与中国思想的过渡, 1890—1907年》(麻省坎布里奇, 1971), 26—34;邓嗣禹、费正清:《中国对西方的反应》(纽约, 1963), 30—35。

[3] 吕实强:《冯桂芬的政治思想》,《中华文化复兴月刊》, 4, 2(1971年2月), 1—8;邓嗣禹、费正清:《中国对西方的反应》, 50—55;刘广京:《儒家务实的爱国者:李鸿章事业的形成阶段, 1823—1866年》,《哈佛亚洲研究杂志》, 30(1970):5—45,本书第2章。

[4] 刘广京:《儒家务实的爱国者》;李鸿章:《李文忠公全集》(台北重印, 1965,以下作《李集》),朋僚函稿, 1:11b, 54a。

[5] 王尔敏:《中国在长江下游地区对外国军事援助的利用, 1860—64年》,《"中央研究院"近代史研究所集刊》, 2(1971年6月):535—83。

[6] 孙毓棠编:《中国近代工业史资料, 1840—1895年》(北京, 1957), 2册, 1·249—63;陈其田:《曾国藩:中国轮船的最早倡导者》(北平, 1935), 82—92;恒慕义编:《清代名人传略》(台北, 1964年重印), 479, 540;王尔敏:《清季兵工业》, 77—78, 105—106;康念德:《江南制造局的武器》, 34—45;周世澄:《淮军平捻记》(上海, 1877), 12:2;德米特里阿斯·C·鲍尔格:《马格里爵士传》(伦敦, 1908), 79, 123—32。

[7] 王韬:《弢园文录外编》(香港, 1882), 10卷, 8:8—10。

[8] 孙毓棠:《工业史资料》, 1.257—62。

[9] 毕乃德:《中国最早的近代官办学校》(伊萨卡, 1961), 170—77。

[10] 孙毓棠:《工业史资料》, 1.271—75;康念德:《江南制造局的武器》, 45—46;郭廷以等编:《海防档》(台北, 1957),丙、机器局, 13—26。

[11] 冯友兰:《中国哲学史》(普林斯顿, 1952), 2卷, 1.305—306。

213

---

　　* 此书属《江苏文史资料》第28辑,侯福全、江洪编。——译者

[12] 孙毓棠:《工业史资料》,1.271—75。

[13] 丁日昌:《丁中丞政书》(耶鲁大学斯特林图书馆,手稿),26 :76—79。

[14] 容闳:《我在中国和美国的生活》(纽约,1909),149—64。

[15] 斯坦利·斯佩克特:《李鸿章与淮军》(西雅图,1964),117;周世澄:《淮军平捻记》,11 :9;孙毓棠:《工业史资料》,1.271—75。

[16] 《洋务运动文献汇编》(台北版,1963),* 8册,4.127—29;《海防档》,丙,27—28。

[17] 鲍尔格:《马格里》,145—72;《洋务运动》,4.32, 39, 44, 46, 185;孙毓棠:《工业史资料》,1.328—29。

[18] 孙毓棠:《工业史资料》,1.346—50;《洋务运动》,4.237—39;《海防档》,丙,45—46。

[19] 《海防档》,丙,27—28。

[20] 孙毓棠:《工业史资料》,1.276—81, 313—17。

[21] 康念德:《江南制造局的武器》,79。

[22] 《洋务运动》,5.105—106。

[23] 《海防档》,丙,95—110,乙、福州船厂,367—72。

[24] 同上,乙,367—72。

[25] 《李集》,奏稿,17 :36, 20 :12a—15b, 22 :8, 50—51a, 23 :19—22 24 :10—25a;译署函稿,2 :33—34a;《天津府志》(1876),27 :7—8。

[26] 约翰·L·罗林森:《中国发展海军的努力,1839—1895年》(麻省坎布里奇,1967),61;康念德:《江南制造局的武器》,89。

[27] 徐中约:《中国海防与塞防政策的大争论,1874年》,《哈佛亚洲研究杂志》,25(1964—65),212—28;《洋务运动》,1.26—155。

[28] 《李集》,奏稿,24 :10—25。

[29] 《洋务运动》,1.162—65, 2.378;康念德:《自强运动中的工业变态:李鸿章与江南造船计划》,《香港中文大学中国文化研究所学报》,4.1 (1971) :207—28。

[30] 《李集》,奏稿,32 :5—9a;《海防档》,丙,147;《洋务运动》,2.379。

---

* 原书为《洋务运动》, 中国科学院近代史研究所史料编辑组、中央档案馆明清档案部编辑组编, 上海人民出版社 1961 年出版。
——译者

[31] 《李集》,奏稿, 17 :36, 20 :12—15, 23 :19—22, 28 :1—4, 22 :8, 50—
　　51a; 24 :10— 25; 译署函稿, 2 :33— 34a;《英国议会文件》,
　　F.O.233/ 85/ 3815。

[32] 易劳逸:《清议与19世纪中国政策的形成》,《亚洲研究杂志》, 24.4
　　(1965 年 8 月): 595—611。

[33] 《洋务运动》, 4.51—52, 62。

[34] 同上, 2.463, 467, 489—94。

[35] 《英国议会文件》, F.O.17/ 656/ 233, 威妥玛致外交部, 1873年11月6
　　日。

[36] 《李集》,奏稿, 21 :36, 25 :45, 29 :38, 37 :50—52a; 朋僚函稿, 13 :27
　　—28; 孙毓棠:《工业史资料》, 1.327—29;《洋务运动》, 4.32, 36, 39,
　　44, 46, 185; 鲍尔格:《马格里》, 145—88; 王尔敏:《淮军志》(台北,
　　1967), 297—98;《英国议会文件》,海军部 1/ 6262/ 2, 沙德韦尔海军
　　上将呈交备忘录, 1873 年 2 月 5 日。

[37] 鲍尔格:《马格里》, 198—212。

[38] 同上, 216—45。

[39] 《洋务运动》, 4.30—31;《海防档》, 乙, 101; 甘作霖:《江南制造局之简
　　史》,《东方杂志》, 11(1914).5 :46—48, 6 :21—24。

[40] 甘作霖:《江南制造局之简史》;《李集》, 朋僚函稿, 18 :18, 奏稿, 32 :5
　　—9a; 冯焌光:《西行日记》(1881), 4; 孙毓棠:《工业史资料》, 1.300—
　　301;《北华捷报暨高级法院与领事公报》(上海): 1878 年 12 月 28 日,
　　1879 年 7 月 22 日。

[41] 甘作霖:《江南制造局之简史》。

[42] 陈真编:《中国近代工业史资料》,第3辑(北京, 1961), 2册, 1.73—81。

[43] 曾宝荪、曾纪芬:《曾宝荪回忆录附崇德老人自订年谱》(长沙, 1986),
　　年谱, 28—29。

[44] 唐驼编: *《且顽老人七十岁自叙》, 台湾中央研究院近代史研究所
　　藏, 272—275;《北华捷报》, 1902 年 11 月 12 日; 沈云龙编:《现代政治
　　人物述评》(台北, 1966), 2 卷, 2 ·51。

[45] 刘坤一:《刘忠诚公遗集》(台北, 1966), 奏疏, 25 :33; 恒慕义:《清代名

214

＊　唐驼系署签,编者为李钟珏。——译者

人传略》, 855; 李恩涵:《曾纪泽外交》(台北, 1966), 6, 118—19, 226;
陈真:《工业史资料》, 第 3 辑, 1.77—81。

[46] 陈锦江:《清末现代企业与官商关系》(麻省坎布里奇, 1977), 89—92;
李新、孙思白编:《民国人物志》(北京, 1980), 249, 认为聂缉椝 1888
年仍在江南时, 参与了新的华新纺织厂的计划。

[47] 《李集》, 朋僚函稿, 20 :3b—5a; 奏稿, 16 :16—18; 魏允恭:《江南制造
局记》(上海, 1905), 10 卷, 3 :10—12。

[48] 魏允恭:《江南制造局记》, 3 :19—39;《李集》, 奏稿, 22 :5—9a。

[49] 《北华捷报》, 1893年6月9日; 魏允恭:《江南制造局记》, 3 :29—57,
63—64。

[50] 康念德:《江南制造局的武器》, 136。

[51] 有关李鸿章早期倡导改革的进一步讨论, 见章鸣九:《论李鸿章的变法
思想》,《历史研究》(1989), 6 :65—78; 刘广京:《儒家务实的爱国
者》。

[52] 有关这种指责的例子, 见费正清、赖肖尔、阿伯特·克雷格:《东亚, 现
代的转变》(波士顿, 1965), 381—82。

[53] 康念德:《江南制造局的武器》, 146—60。

[54] 同上, 142—47。

11

李鸿章与近代企业:轮船招商局,

1872—1885 年

黎 志 刚

李鸿章(1823—1901 年)在晚清中国近代企业发展中的作用, 是216
中国近代史研究中一个最重要的争论问题。一些学者指责李是
卖国贼,[1] 坚持李的政策使近代中国遭受严重的损害。[2] 另一些
学者承认李的政策和做法并非无可非议, 但是仍然认为他的政
策的确促进了中国的早期工业化。[3] 因此对李的作用作恰如其
分的评价, 需要进一步研究他在许多年时间参与中国近代企业
复杂的发展。本章将把注意点集中在一个具体实例——轮船招
商局上面。[4]

轮船招商局是所谓"官督商办"企业的一个主要范例。从它
所经历两个阶段——1872—83 年显著成功时期和 1884—95 年
衰落时期——的历史中, 人们可以看到晚清中国的近代企业所
面临的问题。[5] 这里提出的第一个问题是, 在 1872 年到 1885 年
间招商局成功中李鸿章的政策作用。第二个问题与李试图维持
公司的管理自主权而终归失败有关。李鸿章在长期充任畿辅省
份直隶的总督和北洋通商大臣期间(1870—95 年), 建立了许多

近代企业,以防御外国经济侵凌。[6]他为这些企业提供官款毫不迟疑,然而他也认识到单靠国家的财力,不足以支撑工业化。私人资本必须调动起来。

217 　　李鸿章政策的背景基于这样的事实,即在中国条约口岸,拥有资本的中国商人不愿以自己的名义投资于近代企业。[7]李鸿章面临着如何使这些商人参加这一计划的问题。条约口岸的中国商人只有在他们的独立自主在很大程度上得到保证时,才愿意投资于这些企业,然而这些企业起步却需要政府支持。关键的问题是:(1)李如何"招商"投资于近代企业?(2)他如何获得政府支持这些企业?(3)这些政策在多大的程度上促进(或者像一些人所坚持认为,阻碍)了经济革新?

　　李鸿章设想的轮船招商局最初方案是合股资本为商人所有,公司按照自己的规章制度管理。他在一份奏折中提出"官督商办"的原则——亦即企业虽然在政府监督之下,但是盈亏全归商认,与官无涉。[8]李倡议的这项政策不仅适用于招商局,而且也为其他官督商办的企业树立了典范。

　　轮船招商局最初是为了同在中国水域营运的外国轮船公司进行商业竞争的目的而设立。招商局的确在很大程度上达到了收归航运业利权的目的,而且它还继续发展了十几年,一直到1883年。但是尽管招商局曾经享有有利的条件,在1884—85年中法战争以后,它的盈利却没有再投资于技术的改进。这是为什么呢?[9]

　　我的论点是,招商局早期的成功主要是李鸿章赞助的结果;而且我认为,这一成功主要依赖于李不仅有能力获得政府支持,而且有能力使招商局的事务尽量少受官僚干涉。从1877年起,许多官员建议朝廷将招商局收归国有。[10]是李鸿章,保护了招商局管理的自主权,并且鼓励商人投资企业。然而李的政策却不能避免来自北京和两江地区两方面保守官员的批评和干预。慈禧太后的朝廷未能为日益增加的中国防务需要提供资金,以及部分由于中法在越南的紧张局势[11] 所造成的 1883 年上海金融危机,[12] 使继续对这家航运公司作进一步的支持变得十分困难。管理招商局的商人被调走,公司发展能力衰退。部分由于招商局的先例,商人对"招商"政策的信任受到损害。我认为,招商局最初 10 年比较成功,是政府的财政扶持和公司商人管理的自主权之间平衡的结果。一旦政府支持为官僚控制所取代,这种平衡便被打乱了。

19 世纪中叶中国的官商关系

218

轮船招商局是由总督李鸿章奏请旨准设立。[13] 李鸿章于 1872 年 12 月 23 日函咨总理衙门,概括指出如下的准则:

> 应仍官督商办,由官总其大纲,察其利病,而听候商董等自立条议,悦服众商。[14]

这种组织体制成为 1870 年代建立的包括湖北矿务局(1875 年)、[15] 开平矿务局(1877 年)和上海机器织布局(1878 年)[16] 在内的其他自强工业的模式。在这一体制下,企业不为政府所有;所有权属于合股组织,这使调动中国大量的商人资本成为可能。

要对招商局在组织大量资本方面的成功作出评价,就必须讨论两种有关的情况: (1)当时中国商人投资行为的模式; (2)政府在吸引商人投资轮船经营中的作用。

制度因素会影响商人对诸如轮船经营这样近代企业的态度。士绅和商人是近代企业有潜力的投资者。张仲礼估计包括商人在内的"中国士绅"在 19 世纪末个人年收入为 6.45 亿两。[17] 条约制度前* 广州一些行商[18] 和条约口岸时期的买办在对外贸易扩展中赚取了极大的盈利。[19] 根据郝延平估计,从 1842 年至 1894 年间买办的总收入可高达 53,080 万两。[20] 这笔资金到哪里去呢?

在中国社会,商人由于没有政治组织的合法保护或手段,在政治上并不重要。正如白乐日所指出,"官的地位使那些享有它的人得以通过各种合法或非法的手段致富,取得新的土地,或增加家产"。[21] 因此商人可以通过他们的子弟中举做官,得到保护家庭利益的权力。[22] 强宗大族的成员还保证能获得官府的保护。许多商人为了保护他们的利益,以巨资用于修宗祠、教育和捐买官衔。[23] 农业土地的年收益率虽只在 2.5—5% 左右,可是田地的占有却是安全的投资和声望的源泉。[24]

在 19 世纪中国,官阶仍然授予那些作出巨额捐献以支付公共工程、饥荒救济、军事战役和皇家诞辰庆典费用的人。就 1878 年华北赈灾来说,《申报》[25] 曾报导,不及一个月就募集了 100,000 两。到 1878 年 7 月中,浙江巡抚称,杭州已捐 20,000 两,宁波和绍兴 25,000 两,湖州 11,000 两。丝商和著名的金融家胡光墉独自捐献至少 15,000 两。[26] 华北饥馑时赈济总额不详,但是宁波和绍兴士绅捐款超过了 300,000 两。[27]

19 世纪中叶中国的高利率影响了商人的投机行为。上海钱庄所报借款年利率在 12—15% 左右,而且是按日计息。[28] 但是许多商人将他们的盈利投于农村放债,因为那里的年利率在 20% 至 30% 之间。[29] 在 19 世纪中叶,例如上海当铺对典当物放款的月息一般规定为 2—3%。[30] 1858 年唐景星有两家当铺,投

---

* "条约制度前"(the pretreaty days),指鸦片战争前。——译者

入资本每年净收益 40%。[31] 投资于放债虽有风险,但是收益很高。[32]

有关近代中国外人投资和经济发展的研究表明,比起近代华商企业,中国商人更愿意投资于外国商行。[33] 中国商人投资于外国商行,他们的资本将受到外国保护。[34] 这比将资金投入中国人的商行更加安全,因为这些商行没有得到清政府的法律保护。[35]

郑观应在《救时揭要》中指出:

> 现在[约1871—72年]上海长江轮船多至十七、八只,计其本已在一、二百万,皆华商之资,附洋行而贸易者十居其九。

郑观应还指出,中国商人不愿"以资附洋贾"。[36] 但是外国人似乎比中国官吏更值得信任。郑写道:"夫商之不愿者,畏官之威,与畏官之无信而已。"[37]

李鸿章的政策正是在于挖掘投资于外国商行的中国人资本。李的问题是要创造条件足以吸引中国商人,使他们愿意经营官方扶持的企业。

李鸿章的支持与招商局在商办下的成功

220

轮船招商局是在 1873 年 1 月 14 日正式设立,目的在于将南方各省漕粮解运天津,并同沿海外轮航线竞争货运业务。[38] 利用轮船运漕,并不是新的建议。两江总督曾国藩和江苏巡抚丁日昌曾经支持容闳于 1867—68 年提出用当时福州和上海为政府建造的轮船运送大米是有益的意见。[39] 1872 年关于福州船厂应否停办以省经费的争论,[40] 以及江浙沙船减少所造成的状况，[41]引起政府官员对轮船计划的注意。

李鸿章设立轮船招商局的主要动机，正如他所指出，是"分洋人之利"。[42]他于1872年12月11日给张树声（署两江总督）的信中强调：

> 兹欲倡办华商轮船，为目前海运尚小，为中国数千百年国体、商情、财源、兵势开拓地步。[43]

李鸿章决定招商局应完全归中国商人所有。同时他认识到中国近代企业"招商难"。在署1872年6月2日致总理衙门函中，他抄附吴大廷（函中称前台湾道台）的禀文，称：

> 中国殷实可靠之商皆系别有生业，以素所未习之事，而出其重资，涉于重洋，势必望而裹足，其素在洋商经商得利者，彼与洋人交易已久，非官法所能钤束，未必乐于他图，……其难一也。[44]

同招商局的成功关系重大的是李鸿章亲自赞助和他在帝国政治中的地位。

大约在1872年8月间，浙江海运委员朱其昂使李确信：[45]

> 各省在沪殷商或置轮船，或挟资本向各口装载贸易，向俱依附洋商名下，若由官设立商局招徕，则各商所有轮船股本必渐归并官局。[46]

1872年，李鸿章命朱其昂在上海设立一局。朱被指派为负责新局"轮船招商公局"的总办。[47]据说李本人曾以他所掌握的资金作为"股份银"投资50,000两，但是并无明确证据。他确曾于1872年末从天津军饷中拨给招商局政府贷款135,000两（制钱200,000串）。[48]李身为直隶总督，有足够的影响力安排漕粮运输以支持招商局。[49]

　　1872 年 11 月 24 日，他将朱其昂草拟的《轮船招商局条规》送呈总理衙门。这一文件明确指出：

> 凡有股份者，如欲将股份单转售别人，必须先赴本局告明，……唯只准售于华商。[50]

　　总督李鸿章为一种经济民族主义——对外国经济控制的抵抗——所激发，他的爱国情感[51]要求航运计划不允许有任何外国投资者加入招商局。[52]为了吸引本国商人资本，投资者获得保证每年将有其投资 10% 的官利。[53]然而，即使有李的政策给予支持和帮助，直到 1873 年夏，"招商"计划并未获得成功。

　　中国商人在开始时即使不是都不愿意的话，也是非常勉强投资于招商局。[54]在 1873 年 4 月，据说商人认股总共超过 100,000 两，但是只收到郁熙绳现款 10,000 两。[55]上海华人商界两个著名人物——金融家与丝商胡光墉和茶商李振玉——都婉辞入股。[56]朱其昂因对直接经营轮船和募集资本完全不能胜任，于 1873 年 6 月被其他人接替。当时商人认股共约 370,000 两，但是实收现款只有 180,000 两。[57]

　　1873 年夏，两个原来的买办—商人，唐廷枢（1832—92 年，外国人叫他"唐景星"）和徐润（1838—1911 年），接管公司的实际经营管理。唐是怡和洋行买办，[58]徐先前是宝顺洋行买办。两人都有轮船经营的长期经验。在唐和徐的领导下，到 1873 年秋实缴资本已增至 476,000 两。[59]

商办下的发展史，1874—1883 年

虽然运送漕粮获利极丰，但这一为政府效劳只是招商局的次要

目的。根据它的最初计划,揽载私人货物是第一目的。[60] 为了发展运输业,并在这项经营中同外国商行竞争,招商局需要购置更多的轮船。1874 年招商局只有 6 艘船只(表 1)。当年分红为 10%。第二年招商局船队扩充到 10 艘[61](但有一艘失事损失[62]),仍分红利 15%。唐景星和徐润期望分到更多的份额,于是订购了 6 艘新船。[63] 不幸的是,云南马嘉理事件、南方饥荒和北方旱灾全都发生在这一年,导致贸易衰退。[64] 结果招商局无法得到新的股东,一些老股东十分恐慌,许多人以 50% 和 60% 的折扣将股票出售。[65] 第三年虽然发给红利 10%,但招商局帐面显示,亏损 35,000 两。

第四年(1876 年)开始之时,来了两艘新的江轮。[66] 在旗昌洋行和太古洋行的压力下,中国新的轮船吨位引起了运费率降

表 1   轮船招商局船队吨位,1872—1884

年　　份	船　　只	净　　吨
1872	1	619
1873	4	2,319
1874	6	4,088
1875	9	7,834
1876	11	11,854
1877	29	30,526
1878	25	26,916
1879	25	26,916
1880	26	28,255
1881	26	27,827
1882	26	29,474
1883	26	33,378
1884	26	33,378

资料来源:《航运史资料》,1000;刘广京:《中英轮船》,76—77。

低,结果造成中国方面损失几万两。利息支付占招商局收入中
的一大部分。招商局允诺付给附属一家保险公司的股东每年
15% 的股息。部分流动资金系向上海钱庄暂借。不幸上海利
息在阴历三月至八月非常高,而庄款是按照每日变动的利率结
算。[67] 为了解决私人资本不足,招商局不得不时常举借官款。[68]
招商局欠钱庄短期高息的贷款,正是靠这最后的资金来源偿
还。[69]

　　1876 年 12 月,招商局遇到以 220 万两盘购旗昌轮船公司
(由旗昌洋行管理)整个船队 [70] 和岸上资产的机会。[71] 盛宣怀
建议政府饬令盐商搭购招商局股份 792,000 两,并通饬各藩司、
海关道劝谕殷商认股。由于北方赈灾最为急需,盐商正以巨款
济赈,李鸿章拒绝考虑盛的计划。[72] 1877 年 1 月招商局盘购旗
昌轮船公司,因政府贷款才成为可能。幸亏有两江总督沈葆桢
以及江苏、浙江、江西和湖北高层当局的支持,公帑存入招商局
共达 100 万两。[73] 李鸿章参预了其中若干贷款的筹划安排。[74]
轮船招商局由于购下美国的船队,它作为一家最重要的轮船公
司出现于中国水域。[75]

　　虽然招商局后来不得不特别同太古的挑衅性营运展开竞
争,但是它在 1877—78 年年度的工作,除了弥补先前所蒙受的
亏损外,还得到能够发给 10% 的红利这样的总成绩。[76] 1877 年
李鸿章奏称,40—50% 的漕粮和有招商局经营的各口岸所有其
他官物,均应由局船承运。[77]

　　1877 年至 1878 年间,招商局招收的新股只有 44,490 两。[78]
招商局投入了同太古紧张的压低运费的竞争。[79] 招商局再次发
现自己必须向上海钱庄贷款,以应付债务。当时它的股本只有
75 万两,而钱庄欠款却达 257 万两。招商局庄款利息每年不下
36 万两,官款又一次加以利用。1878 年 12 月,李鸿章充分注意

到因同太古竞争而使运费率降低,[80] 准允拨局贷款 15 万两。[81] 招商局得以发给股东股息 5%, 另留 5% 作为储备金。

由于英国轮船公司和轮船招商局之间跌价竞争的进展, 各方都蒙受重大损失。为了使招商局能够将运费率竞争继续下去, 李鸿章于 1877 年得旨准官款缓息 3 年, 然后匀分 5 年拔还。[82] 英国和中国公司的第一次齐价合同于 1878 年签订。[83]

中国公司的经理为了增加收入, 于 1879 年着手改革。[84] 他们出售处理了牵制大量资本的所属铸造厂,* 并且对各地分支机构的开支给予固定的限度, 以减少支出。结果令人满意, 1880 年不但利息帐户已减少了 10 万两以上, 而且还宣布支付 10% 的股息, 资产帐户折旧注销 42 万两。

总的说, 自 1874 年初以后, 实缴资本增加很慢 (见表 2); 然而招商局建立后 7 年, 数额已达 100 万两 (核定资本)。1880 年, 暹罗、檀香山和旧金山的中国商人认购了新股。[85] 1882 年股本增至 200 万两, 是 1897 年以前最高的实缴股本额。[86] 招商局第七年和第八年 (1880—81 年) 帐略表明, 负债和利息帐户每年

表 2　　　　轮船招商局资本额, 1873—1884　　　(单位: 两)

年　　份	资 本 额	净　　增	年增长率
1873(1—6 月)	60,000	60,000	100.00
1873—74*	476,000	416,000	694.00
1874—75	602,400	126,400	26.55
1875—76	685,510	83,110	13.80
1876—77	730,000	44,490	9.20
1877—78	751,000	20,900	2.86

* 即 1874 年设立的同茂铁厂, 于 1879 年初收歇售出。——译者

（续表）

年 份	资 本 额	净 增	年增长率
1878—79	800,600	49,600	6.60
1879—80	830,300	29,700	3.70
1800—81	1,000,000	169,700	20.43
1881—82	1,000,000	0	0
1882—83	2,000,000	1,000,000	100.00
1883—84	2,000,000	0	0

资料来源：招商局历届帐略（《航运史资料》，972—78, 1000；《申报》
[1874 年 9 月 12 日；1875 年 9 月 2 日；1883 年 9 月 15 日]；《北华捷报》
[1877 年 4 月 12 日；1877 年 11 月 1 日；1878 年 10 月 17 日；1879 年 10 月
3 日；1880 年 9 月 30 日；1881 年 9 月 27 日；1882 年 10 月 18 日]）。

* 招商局帐略每年从阴历七月初一起，迄次年六月底止。

图 1 招商局资本额的增长，1873—1884 （两）

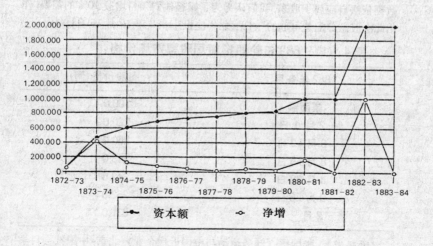

226   **表 3   轮船招商局股息分配, 1873—1883**

	官利(%)	余利(%)
1873—74	10	—
1874—75	10	5
1875—76	10	—
1876—77	10	—
1877—78	10	—
1878—79	10	—
1879—80	10	—
1880—81	10	—
1881—82	10	10*
1882—83	10	—

资料来源, 费维恺:《中国早期现代化》, 179。

* 轮船招商局 1882 年帐略。据该帐略, "因事局仍欠他人债款, 故是项(余利)原不应发; 但是鉴于我们已作决定另增募 100 万两股本, 而且此数额依法自应属于股东, 我们认为为了减轻他们须付增股 10% 的需要, 作出此次股息分配是可取的"。(见《北华捷报》[1882 年 10 月 18 日], 418。)

表 4   1882 年轮船招商局股票市场价格

1882 年各月	每股价格(两)
票面额	100.0
2 月 1 日	220.0
6 月 12 日	250.0
8 月 15 日	248.0
8 月 28 日	242.5
9 月 26 日	253.0
12 月	231.0

资料来源: 张国辉:《洋务运动与中国近代企业》(北京: 中国社会科学出版社, 1979), 301。

稳步减少。两年中不仅每年注销 40 万两,而且还偿还了先前的官款 775,598 两。[87] 招商局的股票升值。[88] 每股 100 两的老股股息在最初 9 年收益共达 100%,1882 年市场上每股已值 220 两以上(见表 3、表 4)。因此在最初 9 年,股东享有每年平均 20% 的收益。[89]

招商局的成就与李鸿章的作用

轮船招商局是为了同在华外国轮船公司作商业上的竞争而设立的,它确实达到了"分洋商利权"的目的。[90] 在招商局设立前几年,在中国水域营运的外国航运公司每年收益估计共有白银 7,877,000 两。[91] 招商局设立之后,外国航运公司的总盈利减少。用轮船运载货物不再限于外国的货船。[92]

招商局开始营运以后,运费率稳步下降,对整个中国商界有利。[93] 太常寺卿陈兰彬于 1876 年估计,1873 年至 1876 年间外国航运公司收入总共损失 4,923,000 两。为了同招商局竞争,外国航运公司不得不降低运费率,造成同一时期损失在 8,136,000 两以上。因此中国商人在 1873 年至 1876 年间少付给外国人的费用,当在 1,300 万两。[94] 招商局的营业上升到稳定的状态。1873 年至 1883 年招商局收入总额见表 5。

必须指出,在 1877—78 年 230 万两的最高峰以后几年,收入总额稳定在 190 万两左右,但是较低的数目是由许多外在的因素所造成,包括竞争增强,运费率进一步降低和漕运减少。招商局在应付维艰的环境中表现出色。

招商局还在其他方面为中国的利益效劳。它逐年向中国海关捐纳关税。招商局在不同时期将军队运送至朝鲜、台湾和山海关,在海防中起了重要的作用。[95] 华北饥荒(1876—79 年)给全国带来了严重的灾难,李鸿章依靠招商局运送赈款和救灾物资。[96] 招商局及其总办、会办的赈捐见表6。

227　　　**表 5　　　1873—1884 年轮船招商局水脚收入**

年　度	水脚收入(两)
1873—74	419,661
1874—75	582,758
1875—76	695,279
1876—77	1,542,091
1877—78	2,322,335
1878—79	2,203,312
1879—80	1,893,394
1880—81	2,026,374
1881—82	1,884,655
1882—83	1,643,536
1883—84	1,923,700

资料来源: 张国辉:《洋务运动》,176。

228　　　**表 6　　轮船招商局及其高级主管对 1878 年华北饥荒赈捐**

名　称	捐款总额(两)
轮船招商局[a]	18,504.4
唐景星[b]	500.0
徐　润[b]	500.0
朱其昂[b]	1,390.0
朱其诏[b]	695.0

资料来源: a《申报》(1878 年 10 月 3 日),4; b《李集》,奏稿,31:5—6。

在此早期,政府对招商局的支持远远超过了国家对它的索取。李鸿章的政策至关重要,由于李鸿章以及江苏、浙江、江西、湖北高层当局和天津、上海海关道的支持,不同时期存入招商局的官款共达 1,908,000 两。[97] 1885 年前至少有 19 笔官款(表7)。[98] 在 1882 年前,官款总额已远远超过实缴资本总额;这些借款占招商局负债总额的 50—60%,或 1876 年至 1889 年实缴资本最高额的 2.2 倍(表 8;图 2)。[99]

表7　　　轮船招商局所借官款,1872—1883　　　　　　(两)

官款来源	年份	借款数额	年利率(%)
天津练饷	1872	120,000	7
江宁木厘	1875	100,000	8
浙江塘工	1875	100,000	8
海防支应银	1876	100,000	8
扬州粮台	1876	100,000	8
直隶练饷	1876	50,000	10
保定练饷	1876	50,000	8
东海关	1876	100,000	8
江宁藩库	1877	100,000	10
江安粮台	1877	200,000	10
江海关	1877	200,000	10
浙江丝捐	1877	200,000	10
江西司库	1877	200,000	10
湖北司库	1877	100,000	10
海防经费	1878	150,000	
海防经费	1878—81	100,000	
出使经费	1881	80,000	
天津海防支应局	1883	200,000	

资料来源:黎志刚:《国有问题》,21。

229

表 8	轮船招商局资本帐, 1873—1891			（单位：两）

年　度	共　计	股　本	借　款	官　款	官款占借款%
	(1＝2＋3)	(2)	(3)	(4)	(4/ 1×100)
1873—74	599,023	476,000	123,023	123,023	20.54
1874—75	1,251,995	602,400	649,595	136,957	10.94
1875—76	2,123,457	685,100	1,438,357	353,499	16.65
1876—77	3,964,288	730,200	3,234,088	1,866,979	47.09
1877—78	4,570,702	751,000	3,819,702	1,928,868	42.20
1878—79	3,936,188	800,600	3,153,588	1,928,868	49.00
1879—80	3,887,046	830,300	3,056,746	1,903,868	48.98
1880—81	3,620,529	1,000,000	2,620,529	1,518,867	41.95
1881—82	4,537,512	1,000,000	3,537,512	1,217,967	26.84
1882—83	5,334,637	2,000,000	3,334,637	964,292	18.88
1883—84	4,270,852	2,000,000	2,270,852	1,192,565	27.92
1885	无	无	无	无	无
1886	4,169,690	2,000,000	2,169,690	1,170,222	28.06
1887	3,882,232	2,000,000	1,882,232	1,065,254	27.44
1888	3,418,016	2,000,000	1,418,016	793,715	23.22
1889	3,260,535	2,000,000	1,260,535	688,241	21.11
1890	2,750,559	2,000,000	750,559	90,241	0.33
1891	2,685,490	2,000,000	685,490	0	0

资料来源：张国辉：《洋务运动》, 168—69; 黎志刚：《国有问题》, 17。

这些贷款保证年息只有 7—10%，[100] 息率低于股东的每年股息官利。[101] 实际上从 1877 年至 1885 年整个时期这些贷款并未支付利息。这 8 年缓息共 90 万两，多达实缴资本最高额的一半左右。因此，应付政府的利息每年在 10 万两以上，便被用作企业的补贴。

官款来之不易。据报导，李鸿章的军队曾于 1873 年因欠饷

图2 轮船招商局资本帐,1872—1884 （两） 230

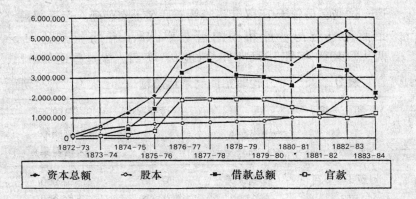

叛乱,欠饷部分由于李用天津军饷支持招商局。[102] 借贷购买旗昌轮船公司船队的官款共达 100 万两。为了使这笔购买成功,李奏请调拨湖北藩库公项。派用济赈的 15 万两后来转到招商局生息,可能作为进一步赈济之用。[103] 1877 年华北饥馑蔓延。刘坤一后来指出:"豫省遍地灾黎,此时筹拨赈需,自系多多益善。"[104]

1885 年当招商局正将中法战争爆发时佯售旗昌洋行的船只和其他资产收归时,刘坚持招商局应将贷款立即偿还。李鸿章在 1885 年 12 月 16 日一封电报中作了强硬的答复:

> 招商局正议收回,旗昌刁难未定,现运漕水脚必交旗昌,商局无可垫办。公[刘]乘此时扣收塘工公款,挤人于危地,太不近情。……俟局船收回,下届再议扣为要。鸿不欲再淘气矣。[105]

除了官款,总督李鸿章还通过安排更多的漕运以帮助招商局,使它得到加强。正如我们前已看到,李利用对有关各省官员足够的影响力,让他们将该省每年漕粮分拨一部分由招商局承运。这些官员曾于 1877 年以李为首联名上奏朝廷。运送漕粮,招商局享有与沙船相同的运费率,1876 年每担高达 0.6 两,[106] 1880 年至 1884 年间,每担 0.531 两。[107] 这些运费率比

231

表9	轮船招商局承运漕粮		(两)
年　　度	运漕 粮　数 (石)	运费率	总收入 (运漕数 ×运费率)
1873 年 6 月	170,000[a]	0.600[b]	102,000
1873—74	250,000	0.600	150,000
1874—75	300,000[c]	0.600	180,000
1875—76	450,000[d]	0.600	270,000
1876—77	290,000[d]	0.600	174,000
1877—78	523,000	0.600	313,800
1878—79	520,000	0.600	312,000
1879—80	570,000[d]	0.600	342,000
1880—81	475,415[d]	0.531[e]	252,445
1881—82	557,000[d]	0.531	295,767
1882—83	580,000[d]	0.531	307,980
1883—84	390,000[d]	0.531	207,090
1884—85	470,000[d]	0.531	249,570

资料来源:a《申报》(1973 年 6 月 13 日);b《近代名人书札》,卷 2,863—64;《申报》(1875 年 3 月 16 日);c 刘广京:《19 世纪中国的轮船企业》,《亚洲研究杂志》18,第 4 期(1959),443;d《报告书》,Ⅱ,21—24;e《李集》,奏稿,36:32—34。

外国轮船公司收取的运费率高两三倍。[108] 招商局平均每年接受 50 万担左右的漕粮运输（表 9）。李鸿章还准备利用招商局轮船运送军队（表 10），并且劝说一些省的官员将招商局轮船用于政府其他的目的。[109]

表 10　轮船招商局运载军队和军用物资收入

年　　份	运费率	总收入（两）
1873—74	—	29,087.4[a]
1874—75	—	2,625.4[b]
1881—82	5 两／人	86,690.0[c]

资料来源:《李集》,奏稿: a 27：14; b 29：31, 34; c 46：9。

总的说来,李鸿章相信,招商局即使受到官方财政上扶持,它也应由商人管理。"扶持"一词意味着对商人资本在扩展时期不足以继续进行招商局营运的担心; 出于这一理由,政府将漕运拨给招商局,并且向它贷放资金。

李鸿章维持招商局经营管理自主权的努力
及其最后失败

轮船招商局虽然在 1885 年前有显著的发展,但是它在 1884—85 年中法战争以后并没有再投资于资本设备。1877 年招商局拥有 30 艘轮船,而且可以吨位雄冠在中国的轮船公司而自豪。[110] 1878 年至 1883 年时期,招商局购置 9 艘新船,并且完成了码头和货栈的大量投资。[111] 然而它在 1885 年以后没有继续扩展。1893 年轮船招商局只有一支拥有 26 艘船只的船队。[112] 与此同时,外国轮船公司在中国水域的吨位却迅速增加（表 11）。要更加充分地了解轮船招商局衰退的原因,就有必要对政

232

府政策和中国商人投资之间的关系加以重新考虑。

表11 轮船招商局与太古轮船公司装载吨变化，
1877—1893

	招商局		太古	
	船　只	净　吨	船　只	净　吨
1877 年船队	30ª	约 30,526	5	8,361
1877—93 年增加	16	15,378	34	36,630
1877—93 年出售	3	2,174	—	—
1893 年船队	26	23,284	29	34,543

资料来源: a《航运史资料》,1000;刘广京:《中国的轮船企业》,452。

1855 年以前,轮船招商局的管理在很大的程度上是严格立足于以获利为目的的基础上。当唐景星于 1873 年负责并开始公司改组时,拟订了公司事务必须按照商人原则处理的《局规》和《章程》。[113]《章程》第二条写道:

唯事属商办,似宜俯照买卖常规,庶易遵守。[114]

作为大股东,主要商董以个人资金投入企业,并且预期以股息的形式取得收益。《局规》第三条作如下规定:

每百股举一商董,于众董之中推一总董,……以三年为期。[115]

《局规》第四条写道:

商总为总局主政,以一二商董副之,……其余商董分派各分局任事,仍归总局调度。[116]

按照唐景星和徐润的说法,"局中之银钱,犹如军旅之钱粮兵马,自己之虚实,焉可彰□□□。唯局中商总人等,不准丝毫挪欠,其局外用款,更不得混入局帐一层,所议极是,自应遵照办理"。[117]

1873 年招商局商定,局内商总、董事人等的报酬,包括他们的用费,仅应于运费收入内提取 5% 支付。[118]

唐景星和徐润坚持,招商局不应像衙门那样运作。他们提议:"其进出银钱数目,每日有流水簿,每月有小结簿,每年有总结簿,局内商董、司事公同核算。若须申报,即照底簿录呈,请免造册报销,以省文牍。"[119]

根据《章程》,免派官员入局;并拟除去文案、书写、听差等名目;制作公文报告和具呈帐册官方审核等官僚主义做法一概摒弃不用。

鉴于这些《局规》和《章程》得到李鸿章核准,它们体现了他的政策方针。李指派了招商局的高层管理人员,但是一直到 1885 年,就李鸿章而言,招商局原是一家严格立足于以获利为目的基础上的企业。李同时指派一些政府官员,包括盛宣怀(1873 年以前在李幕中)和朱其昂,作为管理漕运的会办。盛宣怀一开始便想成为招商局的主要督办,数次试图说服李鸿章派给他这样一个职位。[120] 然而李支持商人。[121] 李不但时常写信给其他官员,说到唐景星和徐润对招商局的重大贡献,[122] 而且甚至将盛宣怀调离招商局漕运会办的职位。[123]

李鸿章以直隶总督身分于 1877 年函咨户部称,他曾拨给招商局生息贷款 10 万两;内天津道 5 万两,津关道 5 万两。1880 年 3 月,李奏请从该年起,招商局所欠官款匀作 5 年拨还;由承运漕粮收入按年抵扣。1880 年 6 月李上奏建议购买美国铁甲船两艘,用于清朝海军。由于没有其他资金来源,李提出为此目的,拟从招商局拨款 100 万两,由招商局此后 3 年的漕运收入中

234

扣除。在此情况下,招商局不得不向户部报告它关于偿还官款的步骤,但是有关它的内部事务细节,仍然未作报告。[124]

然而,随着招商局扩展和继续盈利,许多官员提出由政府将它收归国有。[125]沈葆桢(两江总督)于 1877 年、叶廷眷(招商局漕运会办)于 1879 年、刘坤一(时为两江总督)于 1881 年都提出了这样的建议。刘的建议引起的威胁特别严重。

曾经一度出任上海道台的叶廷眷在给李鸿章的一封信中虽然没有使用“国有化”这样的现代词语,但却建议政府应花 200 万两公款将招商局收归国有。叶指出收归国有可省每年庄款利息 20 万两,股东股息 7 万两。他相信 10 年内政府便可全数收回 200 万两的投资。[126]不过李并没有接受他的建议。事实上,他将叶调离招商局经营管理。[127]

刘坤一的建议是将官款改变为官股,使政府成为唯一最大的股东。刘坤一在 1881 年 2 月 15 日致黎兆棠信中说:“其提剩之官帑七十余万,截至光绪八年止,缓息亦七十余万,两共一百五十余万,均存局作为官股。”[128]

235   招商局的股东立即将刘的建议解释为将政府控制引入公司的经营管理。如前所述,招商局的董事是最大的股东,各分局经理也是股东。1878—79 年轮船招商局共发行股份 800,600 两。唐景星和他的亲近戚属约有 8 万两,唐的其他亲戚认购 20 万两。徐润及其亲戚掌握了和唐及其亲戚同样多的股份。一半以上的股份就这样为两个商人经理所掌握。[129]就商人经理的立场看,官方审查没有必要。如果经理有任何方式的不端行为,他们会推想,“有股众商大半局员之亲友,商人耳目较近,岂肯受其欺蒙?”* 人们认为商人因而应对自己的投资负责。当招商局

---

* 引文见《交通史航政篇》,1.153。——译者

受到北京御史严厉批评时,唐和徐曾在一封信中说:

> 或恐都中人言,借以有关公款为责,此亦易办,只须弟等变卖船只埠头,归还公款有余,散此公司,另图活计,纵有亏折,与公家无涉,可不须查办。[130]

由于李鸿章的保护,刘坤一的计划没有实现。刘在致王先谦的信中沮丧地承认李的努力成功:

> 合肥相国先经会同吴健帅* 复奏,将该局借用公款一百九十余万分为五年提还以后,归商局,不归官。[131]

由于李鸿章的政策奏效,招商局经营管理的独立自主保持下来,商人的投资得到了鼓励。其结果不仅招商局资本扩充两倍,而且许多商人还被吸引去投资中国其他的近代企业。一个主要的例子是上海机器织布局,该局于 1881 年按计划收到实缴资本 40 万两,这个数额以外的股份,在商人经理郑观应和经元善为一方、活跃的士绅龚寿图和戴恒为另一方展开一场争吵之前,认购热烈。[132]

从李鸿章在 1880 年代中期前的努力,可以清楚看出,清政府在建立近代非军事企业方面并非始终起着消极的作用。在 1883 年上海金融危机结束后一段时期,李鸿章明显地屈从于不可抗拒的政治和财政的压力,命令重组招商局。他最终于 1885 年委派盛宣怀为督办, 这部分是由于盛在 1885 年已成为招商局最大的股东。有证据表明, 在金融危机和中法战争后不久,唐景星于 1885 年提出招募外国资本,以帮助在他继续经理下的

236

---

* 吴元炳,字子建(健),江苏巡抚(1874—81 年)。——译者

招商局资金筹措。这将背离最初不允外国人占有公司股份的政策。[133]这一办法未被接受,在盛宣怀主持之下,股份仍全为中国人所有。

盛宣怀在1885—1902年担任督办期间,继续保持正规官位不变,[134]并且从芝罘或天津控制局务。*他挑选自己的亲信作为上海招商局的高层管理人员,而不问他们股份的多寡。局中官僚控制增强。大多数高层管理人员都有官方的背景,缺乏经营近代企业的经验。招商局的盈利不再投资于扩展经营。轮船招商局这种失去商人管理的情况,导致曾对官督企业有兴趣的商人不再抱有幻想,而且一般地说,抑制了中国商人将他们的资本投入其他近代企业的意愿。[135]

轮船招商局早期成功的历程,留给我们一个问题,即政府对中国近代企业的积极作用为什么在1885年以后减弱,它带来的后果又是什么。

1885年轮船招商局官款总共仍达832,274两以上。户部坚持了解清楚招商局全部官款情况是它的职责,它要详细检查招商局帐目。户部张大其事地说:"乃招商局十余年来,不特本息不增,而官款、洋款欠债累累,岂谋之不臧否?"

户部请旨饬令政府高级官员**对招商局经营管理情况进行彻底清查。它强调"该局既拨有官款,又津贴以漕运水脚,减免其货税,其岁入岁出之款,即应官为稽察"。

户部要求了解招商局所借官款系某年由某省某项动拨若干的全部情况。户部要求检查:

---

* 盛宣怀在此期间历任山东登莱青兵备道兼东海关监督、天津海关道兼津海关监督等,常驻芝罘和天津。——译者
** 指北洋大臣李鸿章、南洋大臣曾国荃。——译者

　　某年于某案内拨还抵还某省银若干,现在所未还,系欠
某省银若干,……[官款]应于某年起息,每年息银若干,详
细开单奏报,以备考核。至所应请还官本七十七万余两,俟
洋债归结后,分年筹缴,未免漫无限制。

237

　　户部坚持招商局总办应由高级官员会商遴派。它还提议朝
廷应旨饬招商局呈交许多详尽明确的财务报表。从 1885 年起,
有关总局、分局人事、贷款、收入、支出、利润、日常经费、船只和
码头所有主和所在地的情况,均应造册报部备案。[136]

李鸿章与招商局早期历史

国家政策能够在促进经济发展中起重要的作用。社会科学家已
经提出许多关于国家的干预对于经济发展为什么有时是必需的
论据。[137] 替代模式表明在落后的经济情况下,一个强大的政府
可以通过官僚的经济干预代替市场的力量。[138] 我已在本章中
阐述李鸿章的政策如何帮助轮船招商局在 1872 年至 1885 年间
取得成功。

　　李鸿章所代表的清代国家确在经济发展中起过作用。李通
过他在政府中的影响力,能够获得给予近代企业的官款和其他
贴补。为了解释李鸿章为什么在 1885 年以后未能帮助招商局,
我们不妨从最初来自欧洲历史的"国家建造"模式的研究开
始。[139] 在 1870 年代的中国,国家在经济中的作用正在增强。
积极的自强运动——李鸿章致力于提倡近代企业正是这项运动
的一个部分——可以看作是晚清中国近代国家建造的一个进
程。[140]

　　由于李鸿章自己的政治地位变化,他帮助招商局的能力减

弱了。当中法冲突与和议谈判时,李因军事挫折和拟议对法国让步,受到严厉的批评,尤其是清流党的批评。结果是李的选择自由和权力受到了损害。中法战争和日本对朝鲜的威胁对防务所需的政府财力提出了迫切而大量的需求。可以得到的资金大部分拨出用于军事目的时,政府对私人企业的支持不得不受到妨碍。格琴克朗关于替代的概念并不完全适用于这种情形。清政府在整体上确在奠立招商局的基础中起了积极的作用,但是到 1880 年代,政府不再有足够的资金支持类似的企业。后来政府甚至从招商局取走资金。1891 年以后,招商局在盛宣怀督办下,每年向政府报效大约 10 万两。

238

轮船招商局假定在有利的投资环境氛围中,即使没有政府的进一步扶持,也许能够维持下去。但是在盛宣怀督办下,政府索取和经营管理自主权损失的结合,导致招商局的停滞和竞争地位的削弱。当李鸿章未能维持企业经营管理的独立时,商人很快失去了对招商局前途的信心。最初"招商"投资近代企业的政策便不再具有吸引力了。

综上所述,李鸿章于 1873 年设立轮船招商局,是中国历史上一个富有创新精神的成就。招商局的最初成功是政府财政扶持和商人经理独立自主相结合的结果。在这样有利的环境下,商人愿意将他们的资财交给招商局。当政府的扶持导致官僚控制经营管理时,后者的独立自主逐渐受到损害,平衡被打乱了。在官僚控制下,经营管理的质量严重下降,运作受损,招商局处于国家财政榨取之下——这一切环境严重地阻碍了对轮船招商局和其他近代企业的投资。

我在这一章中曾强调招商局的早期成功在很大程度上要归功于李鸿章在提供政府扶助和同时维持公司商人经营管理独立自主方面的能力。在这一意义上,李鸿章于 1870 年代采取了一项有远见卓识的工业化政策。在 1885 年及其后盛宣怀主持下的体制并不是一种改进。另一方面，李的个人作用的重要性使企业稳定性和可靠性的困难问题更显突出。李鸿章在对外关系危机的压力下，未能维持他早期的保护商人政策时，官僚干预增加了，商人很快就失去对官督企业的信任。[141]

轮船招商局是一个重要的试验。中国商人对这种特殊形式的政府企业的信任 有赖于招商局的成功与否。一旦政府干预增加，商人便减少了他们的支持，从而注定了这种形式的企业的命运。

注　释:

239

[1] 阮芳纪等:《洋务运动史论文选》(北京: 人民, 1985), 56, 102。

[2] 牟安世:《洋务运动》(上海: 人民出版社, 1956), 1—2, 91—95, 113—22。

[3] 郭廷以、刘广京:《自强运动: 寻求西方的技术》, 载《剑桥中国史》, 费正清编, 卷 10, 晚清, 1800—1911 年, 上篇 (剑桥: 剑桥大学出版社, 1978), 507—11; 陈锦江:《辛亥革命前的政府、商人和工业》, 载《剑桥中国史》, 费正清、刘广京编, 卷 11, 晚清, 1800—1911 年, 下篇(剑桥: 剑桥大学出版社, 1980), 422—29; 费维恺:《中国早期工业化: 盛宣怀(1844—1916 年)和官督商办企业》, (麻省坎布里奇: 哈佛大学出版社, 1958), 8—15; 胡滨、李时岳:《李鸿章和轮船招商局》, 载阮芳纪等编:《洋务运动史论文选》, 271—95。费维恺(《中国早期工业化》, 250)指出,"尽管李鸿章毫不犹豫地从他所赞助的企业中获取私利,他对近代形式工业的支持显然是同外交与国防,以及同他的地方权力发展有关的更大事业的一部分"。李是否从这些企业取得私利,尚未得到证实。

240

[4] "中国商人轮船航运公司"名称字面上意指"招商[经营轮船]局",下文

作"中国商人公司"。*

[5] 见刘广京:《从轮船招商局早期历史看官督商办的两个形态》(稿本)。* *

[6] "从1862年开始30多年中,他[李鸿章]成为中国自强的首要倡导者,自强政策要求以采用西方技术为主,发展中国武力和财力,以便能够应付西方侵略。"(见刘广京,前第2章);亦见埃尔斯沃思·C·卡尔森:《开平煤矿,1877—1912年》(麻省坎布里奇:哈佛大学东亚专刊,1971),2—5。

[7] 有些买办积累资本,将它投资于外国商行或诸如当铺的中国传统商业。见刘广京:《唐廷枢之买办时代》,载《清华学报》,新刊(1961),2:143—83;郝延平:《19世纪的中国买办——东西间桥梁》(麻省坎布里奇:哈佛大学出版社,1971);郝延平:《19世纪中国商业革命:中西商业资本主义的兴起》(伯克利:加州大学出版社,1986),245—76;汪敬虞:《19世纪外国侵华企业中的华商附股活动》,载《19世纪西方资本主义对中国的经济侵略》(北京:人民,1983),483—526。

[8] 李鸿章:《李文忠公全集》(上海,1921,1905年南京原版重印;以下作《李集》),朋僚函稿,20:33;36:35。

[9] 有些学者坚持官方资金勒索严重阻碍了招商局的发展。见樊百川:《中国轮船航运业的兴起》(四川:人民,1981),251—54;汪熙:《论晚清官督商办》,载《洋务运动史论文选》(北京:人民,1985),221—70;张维安:《政治与经济——中国近世两个经济组织之分析》,东海大学博士论文,1987。费维恺(《中国早期工业化》,27)解释,"由于缺乏任何商法,股东未能依法申诉,反对这些勒索。他们仅有的保护是一个官员或一个官僚集团的权力,这些官僚因在公司中会得到特殊利益而反对局外人的需求"。这一国家利益与商人利益相反的论点很重要。段本

---

* "中国商人轮船航运公司"(The China Merchants' Steam Navigation Company)或"中国商人公司"(The China Merchants Company)系轮船招商局(招商局)的英译名称,故作者作此注释,译文皆取"轮船招商局"(或"招商局")原名。——译者

* * 此文已正式发表,载张寄谦编《素馨集·纪念邵循正先生学术论文集》(北京:北京大学出版社,1993)。——译者

洛甚至认为，" '商股'投入'官督商办'企业，无异掉进陷阱。"见段本洛：《简论"官督商办"对民族资本主义发展的作用》，《历史教学》10，(1982)：14—18。可是清朝官员是否始终压制近代企业的首创精神呢？

[10] 黎志刚：《轮船招商局国有问题，1878—1881年》，《"中央研究院"近代史研究所集刊》(台北，1988)，17：15—40。

[11] 见全汉升：《中国经济史论丛》(香港：新亚研究所，1972)，777—94；刘广京：《1883年上海金融风潮》，《复旦大学学报》(上海，1983)，94—102；郝延平：《商业革命》，323—34。

[12] 易劳逸：《皇室与官员：中法争端时期中国对一项政策的寻求，1880—1885年》(麻省坎布里奇：哈佛大学出版社，1967)。

[13] 《李集》，奏稿，20：31—33；译署函稿，1：38—40。

[14] 《李集》，译署函稿，1：40。

[15] 例如，《湖北煤矿试办章程》(1875)便是根据招商局的模式。见陈旭麓等：《盛宣怀档案资料选辑》(上海：人民)，2.24—27。

[16] 见卡尔森：《开平煤矿，1877—1912年》；费维恺：《中国早期工业化》；陈锦江：《清末现代企业与官商关系》(麻省坎布里奇：哈佛大学出版社，1977)；刘广京：《一个中国企业家》，载《蓟花与翡翠：怡和洋行150周年纪念》，玛吉·凯瑟克编(伦敦：章鱼书局，1982)，102—27；张国辉：《洋务运动与近代企业》(北京：中国社会科学出版社，1979)；范振乾：《清季官督商办企业及其官商关系》，国立台湾大学博士论文，1986。

[17] 张仲礼：《中国士绅收入》(西雅图：华盛顿大学出版社，1962)，197。

[18] 伍家在行商中最为富有。马士称，[著名的伍家]浩官1834年有墨西哥洋2,600万元。马士相信浩官有"也许是世界最大的商业资财"。见马士：《中华帝国国际关系》(伦敦：1910)，1.86。

[19] 关于中国商业资本主义的兴起，见郝延平：《商业革命》。

[20] 郝延平：《买办》，104—5。

[21] 白乐日：《中国文明与官僚政治》(纽黑文：耶鲁大学出版社，1964)，154。

[22] 见何炳棣：《中华帝国成功的阶梯：关于社会流动，1368—1911年》(纽约：哥伦比亚大学出版社，1962)。

[23] 根据希拉里·贝蒂、叶显恩、李文治和玛丽·兰金的说法,浙江和安徽 (徽州和桐城)大量商人资本用于建造宗祠和捐纳官宦。见希拉里· 贝蒂:《中国土地与宗族:明清两代安徽桐城的一个研究》(剑桥:剑桥 大学出版社,1979);叶显恩:《明清安徽农村社会与佃仆制》(安徽:人 民,1983);李文治:《论明清时代的宗族制》,《中国社会科学院经济研 究所集刊》(北京:1983),4:278—338。玛丽·B·兰金:《中国上层人 士的积极参与精神与政治变革》(斯坦福:斯坦福大学出版社, 1986)。

[24] 张仲礼:《中国士绅收入》,139—41;德怀特·H·珀金斯:《中国农业 的发展,1368—1968 年》(芝加哥:奥尔戴因,1969),93—95。

[25] 《申报》,1878年5月21日,2。

[26] 见《李集》,奏稿,31:5—6。兰金的近作指出,胡光墉于1878年约捐3 万两。见兰金:《上层人士的积极参与精神》,143。

[27] 兰金:《上层人士的积极参与精神》,153。

[28] 郝延平的近作(《商业革命》,345)指出,1820年至1880年间的年利率 约为12%。他说:"这个利率[12%]比同期欧洲(6—8%)略高一些,但 是比传统中国(通常为40%或更高)和近代内地(35—50%或更高)通 行的利率要低得多。"另一方面,兰金(《上层人士的积极参与精神》, 149)提供一个事例,"一些宁波小钱庄因为须付高达 0.145% 日息 (53% 年息)登帐而倒闭"。由于利率每日涨落,宁波 53% 的利率当然 是极端的事例。见《上海钱庄史料》(上海:中国人民银行上海市分行, 1960),39,628—42。但是即使为 12%,与欧洲比较,利率仍高。根据 锡德尼·霍默的说法,1872 年至 1885 年间英国银行短期利率从 2.49% 至 4.81% 不等。见霍默:《利率史》(新不伦瑞克:拉杰斯大学出 版社,1977),209。

[29] 李文治编:《中国近代农业史资料第一辑,1840—1911年》(北京:三 联,1960),563—66。在某些边远地区,最高的年利率在 100% 以上。 (见《农业史资料》,574—76。)

[30] 同上,571—73。1906年上海碑刻有关当铺的碑文记载,以典押物品 作保的贷款,规定利率为月利 2%。见《上海碑刻资料选辑》(上海:人 民,1980),410。根据杨联陞的说法,"当铺的利率系照各地方政府颁 布的规则确定。18 世纪利率最高限额一般为月利 3%,19 世纪以后

为 2% 。不过利率高低随贷款数额大小而有小同"。见杨联陞:《中国货币与信贷简史》(麻省坎布里奇:哈佛大学出版社,1952),98。

[31] 刘广京:《唐廷枢之买办时代》,156—57。

[32] 中国全国于1723年有当铺9,904家,到18世纪中叶有19,000家,1800年代初大约25,000家。见 T·S·惠伦:《中国当铺》(安阿伯:密执安大学中国文化研究所,1979),1,10。

[33] 汪敬虞:《华商附股活动》;侯继明:《外国投资与中国经济发展,1840—1937年》(麻省坎布里奇:哈佛大学出版社,1965)。

[34] 正如威廉·T·劳所写,"开设一家假洋行,成为中国商人的通常做法,在这样的假洋行里,由一个西方人掩护,作为主要行东注册登记,而事实上他只是一个领取薪水的职员,雇佣他的唯一目的是签署'洋票'的申请表"。见威廉·劳:《汉口:一个中国城市的商业与社会:1706—1889年》(斯坦福:斯坦福大学出版社,1984),84。

[35] 郝延平(《商业革命》,257)估计,"到清朝最后十年,外国商行中的中国人资本共达1,600万两以上"。汪敬虞(《华商附股活动》,528)估计,到19世纪末,中国商人投资洋行4,000万两。

[36] 《救时揭要》,载郑观应:《郑观应集》(上海:人民,1982),1.54。

[37] 同上。郑于1880年左右写给候选道叶廷眷的信中说:"窃闻华商公司不能振兴,由于有剥商之条,无保商之政。"(见郑观应:《盛世危言后编》(上海:1920),8:3b。

[38] 李鸿章在1873年7月26日奏折中强调,"当今沿海数千里洋舶骈集,为千古以来创局,已不能闭关自治。正不妨借海道转输之便,逐渐推广,以扩商路,而实军储。苏浙漕粮现既统由海运,臣前招致华商购造轮船搭运,颇有成效。"见《李集》,奏稿,22:14。

[39] 见《海防档》(台北:中央研究院近代史研究所,1957),甲、购买船炮,870—81,925;《李集》,奏稿,20:31;容闳:《我在中国和美国的生活》(纽约:亨利·霍尔特,1909),171—72。亦见吕实强:《中国早期的轮船经营》(台湾"中央研究院"近代史研究所,1962),184—224。

[40] 中国科学院近代史研究所等编:《洋务运动》(上海:人民,1961),5.105—28。亦见庞百腾:《维持福州船政局:政府财政与中国早期近代国防工业,1866—75年》,《现代亚洲研究》,21.1(1987):135—42。

[41] 道光朝(1820—50年)沙船有3,000余艘,但是在1850年至1860年间有

243

2,000 艘,1873 年左右仅余 400 艘。见《李集》,朋僚函稿,12 :29;《英国议会文件,中国 6(1874):使领馆商务报告》(爱尔兰:爱尔兰大学出版社,无出版日期),134;聂宝璋编:《中国近代航运史资料》,第 1 辑(上海:人民,1983,以下作《航运史资料》),1317。

[42] 正如英国领事阿查立在他的1873年宁波贸易报告中所说:"我已注意到一条中国轮船航线在别处设立,但是它具有政治上和商业上的重要意义,直隶总督公开宣布设立这条航线主要目的在于缩小外国在沿海的影响和利益。"见《英国议会文件,中国 6(1874):使领馆商务报告》,87。

[43]《李集》,朋僚函稿,12 :31(1872年12月11日)。

[44]《海防档》,甲,904。

[45]《李集》,奏稿,20 :32b。亦见汪敬虞:《中国资产阶级的产生》,《中文历史论文选译》17.4(1984):38—39。

[46]《李集》,奏稿,20 :32b。亦见朋僚函稿,12 :29。

[47] 交通部、铁道部交通史编纂委员会:《交通史航政篇》(南京:1931),Ⅰ,第 2 章,140;《李集》,朋僚函稿,12 :28—30,36,13 :1;《海防档》,甲,910。亦见刘广京:《中英轮船航运竞争,1873—1885 年》,载 C·D·考万编:《中国与日本的经济发展:经济史与政治经济学研究》(伦敦:乔治·艾伦与昂温,1964),53。

[48]《航政篇》,Ⅰ,第2章,140;《航运史资料》,789;清查整理招商局委员会编:《清查整理招商局委员会报告书》(南京,1927),2 :18。

[49] 李鸿章于1872年12月得到江苏和浙江当局同意,每年漕运20% 由招商局解运。见《李集》,朋僚函稿,12 :29,34;《海防档》,丙、机器局,926。

[50]《海防档》,甲,923。

[51] 见刘广京,前第2章、第3章。

[52] 唐景星和徐润于1879年公布《轮船招商局局规》也规定,"手折股各收一纸,编列号数,填写姓名、籍贯,并详注股份册,以杜洋人借名。……如有将股让出,……一经售定,即行到局注册,但不准让与洋人"。《航政篇》,Ⅰ,第 2 章,144;《北华捷报》,1877 年 4 月 21 日,390。根据徐润的说法,"当日所拟局章,如有将股让出,必先尽本局等语,专系杜防售与洋人所设,并非随时可将股票退出,由局给本销册之意"。见《航

运史资料》,1156。

[53] 招商局《章程》第三条提到每年"利银"10%,并且说到此外如有盈余,作为溢利,由股东决定分配。

[54] 《李集》,朋僚函稿,13:2,13;《英国议会文件,中国6(1874):使领馆商务报告》,85。

[55] 《航政篇》,I,第2章,140。

[56] 《李集》,朋僚函稿,12:36—37。

[57] 《报告书》,2:19。

[58] 唐景星于1863年成为怡和洋行总买办,同时任三家轮船公司董事和广州丝茶公所董事。见刘广京:《唐廷枢之买办时代》;汪敬虞:《唐廷枢研究》(北京:中国社会科学出版社,1981)。

[59] 《申报》,1874年9月17日。徐润受委任无疑与他是最大的股东之一有关。

[60] 曾国藩曾赞同这种看法。见《北华捷报》,1877年4月12日,371。

[61] 招商局当年船队包括"伊敦"(507净吨)、"永清"(661)、"福星"(532)、"利运"(734)、"永宁"(324)、"洞庭"(315)、"和众"(849)、"富有"(920)和"利航"(131)。刘广京:《中英轮船竞争》,76。

[62] "福星"失事沉没。

[63] 6艘新船是"汉阳"(404)、"大有"(419)、"日新"(754)、"厚生"(795)、"保大"(870)和"丰顺"(863)。见刘广京:《中英轮船竞争》,76—77。

[64] 招商局1877年报告称,"云南争执延至去年春冬;今年春夏华南饥荒和华北旱灾以致贸易呆滞;外人运费减低,今年高利率盛行。"见《北华捷报》,1877年4月12日,371。*

[65] 《航运史资料》,1157。

[66] 两艘江轮是"江宽"(1,030净吨)和"汉广"(838)。同年"伊敦"号拆毁。

---

* 招商局第四届帐略(1876年7月—1877年6月)云:"本届招商局营业不振,因去年秋滇案未了,今年春夏,南荒北旱,货物不获畅行,洋船复减价竞争。又值上海银拆极大,金融益难周转。"见《航运史资料》,1007。——译者

[67] 根据截至1877年8月8日止招商局年度报告和帐目,"使用借入资本有一个明显的危险因素,因为在中国,借贷不用写明固定利率和借期的借据,而是按照浮动利率日拆"。《北华捷报》,1877 年 11 月 1 日,392。

[68] 李鸿章在1880年5月5日奏折中指出:"[招商局]与他项设立官局开支公款者迥不相同。唯因此举为收回中国利权起见,事体重大,有裨国计民生,故须官为扶持,并酌借官帑,以助商力之不足。"见《李集》,奏稿,36 :35。

245 [69] 《李集》,译署函稿,7 :21;《海防档》,3 :975等页;《北华捷报》,1877年4月 12 日,372。

[70] 向旗昌轮船公司购下的轮船为"江汇"(1,172净吨)、"江表"(879)、"江天"(1,079)、"江靖"(1,084)、"江源"(768)、"镇西"(561)、"镇东"(724)、"海琛"(763)、"海晏"(710)、"怀远"(1,115)、"海珊"(574)、"海定"(649)、"江长"(806)、"美利"(181)、"江通"(339)和"江孚"(857)。《海防档》,丙,946—47;亦见刘广京:《中英轮船竞争》,77。

[71] 《海防档》,丙,946—47;黎志刚:《国有问题》,22。

[72] 《李集》,奏稿,40 :23;亦见费维恺:《中国早期工业化》,125。

[73] 《李集》,朋僚函稿,17 :13;《海防档》,丙,939—82。

[74] 同上,朋僚函稿,16 :37—38。

[75] 刘广京:《中英轮船竞争》,60。

[76] "厚生"与"江长"两船于1878年失事。

[77] 《李集》,奏稿,30 :33。

[78] 同上,奏稿,40 :23b。

[79] 同上,朋僚函稿,17 :27;《海防档》,丙,981。亦见刘广京:《中英轮船竞争》,60—66。

[80] 《李集》,朋僚函稿,17 :27;奏稿,30 :30,36 :32;《海防档》,丙,975。

[81] 《航运史资料》,921—23。

[82] 《李集》,奏稿,30 :31;36 :32—34。

[83] 夏东元:《晚清洋务运动研究》(四川: 人民,1985),182—84。

[84] 《北华捷报》,1879年10月3日,331。

[85] 《北华捷报》,1880年9月30日,302。资料来源表明,暹罗中国人认股5万两,东南亚其他各埠中国人也认股 65,200 两。见《航运史资料》,

982—88。

[86] 费维恺:《中国早期工业化》,124。

[87] 黎志刚:《国有问题》,35。

[88] 《北华捷报》,1882年10月18日,418—20。

[89] 费维恺:《中国早期工业化》,124。

[90] 见《李集》,奏稿,19 :48;朋僚函稿,12 :31(1872年12月11日);刘广京:《轮船招商局的创建,1872—74 年》(稿本),5—6。

[91] 《洋务运动》,6.9—10。

[92] 《北华捷报》,1877年4月12日,370。

[93] 1870年代中叶上海至其他条约口岸运费率下降,举例如下:宁波,从2.5 元降至 0.5 元;长江运费(至汉口),从 5 两降至 2 两;天津运费,从8 两降至 5 两。乘客船费较前减低 50%,甚至 70%。见《北华捷报》,1877 年 4 月 12 日,370。

[94] 《洋务运动》,6.9—10。

[95] 《李集》,朋僚函稿,14 :7,18—19。

[96] 同上,朋僚函稿,18 :4—5;奏稿,27 :29—30,30 :32,31 :5—6。

[97] 同上,奏稿,30 :31,36 :32—33。

[98] 《海防档》,丙,979—82;《航运史资料》,923—35。亦见黎志刚:《国有问题》,23。

[99] 黎志刚:《国有问题》,19。

[100] 同上,23;《航运史资料》,914—19。

[101] 1877年4月发表的招商局报告显示出政府存款含糊不清的方面:"它未说明付给官款利率多少;总共 20,820 两,以平均存款计,利率约为 8%。不过报告称,有一次政府垫款 70 万两,因而利率必定更低;这样看来,中国政府为了贷款给招商局,它以 10% 更甚更高的利率向外国人举贷。"《北华捷报》,1877 年 4 月 21 日,389。

[102] 同上。

[103] 刘坤一:《刘忠诚公遗集》(约1909;台北:文海重印),书牍,6 :45。

[104] 同上。

[105] 《李鸿章全集》,电稿一(上海:人民,1985),525。

[106] 王尔敏、陈善伟编:《清代名人手札真迹:盛宣怀珍藏书牍初编》(香港:中文大学出版社,1987),2 :863—64;《申报》,1875 年 3

246

月 16 日, 1。

[107] 《李集》, 奏稿, 36 :33。

[108] 《航运史资料》, 909—11。

[109] 《李集》, 朋僚函稿, 15 :11。

[110] 《航运史资料》, 1000; 刘广京:《19世纪中国轮船企业》,《亚洲研究杂志》, 18(1959), 440。这 9 艘新船是:"江平"(392 净吨)、"美富"(793)、"致远"(1,177)、"普济"(631)、"拱北"(692)、"图南"(942)、"江裕"(2,270)、"富顺"(1,504)和"广利"(1,508)。见刘广京:《中英轮船竞争》, 77。

[111] 徐润:《徐愚斋自叙年谱, 附上海杂记》(约1927, 台北重印, 1977), 87—88; 刘广京:《中英轮船竞争》, 69。

[112] 刘广京:《19世纪中国轮船企业》, 452。

[113] 《航政篇》, Ⅰ, 第2章, 143—46。两份文件的英译本, 据刘广京:《轮船招商局的创建》。

[114] 《航政篇》, Ⅰ, 第2章, 145。

[115] 同上, 143。

[116] 同上。

[117] 《航运史资料》, 1156。

[118] 《航政篇》, Ⅰ, 第2章, 145。

[119] 同上。

[120] 盛宣怀档案, 引见刘广京:《招商局早期历史》。

[121] 夏东元:《晚清洋务运动研究》, 250—76; 亦见《盛宣怀档案资料选辑》, 2.456。

[122] 《李集》, 朋僚函稿, 17 :41—42。

[123] 刘广京:《招商局早期历史》。

[124] 沈桐生等编:《光绪政要》(上海: 南洋官书局, 1909; 台北重印, 文海, 1969), 12 :1—4。

[125] 《申报》, 1877年7月9日, 1。

[126] 《航运史资料》, 854—55。

[127] 黎志刚:《国有问题》。

[128] 《刘忠诚公遗集》, 书牍, 8 :17。

[129] 《徐愚斋年谱》, 86; 盛宣怀档案, 引见刘广京:《招商局早期历史》。

[130] 盛宣怀档案,引见刘广京:《招商局早期历史》。

[131]《刘忠诚公遗集》,书牍,7:64—65(1880年10月3日函)。

[132] 经元善:《居易初集》(濠镜,1901),2:38。

[133]《近代名人书札真迹》,6:2711—12。

[134]《山东通志》(台北:1915年版华文重印),1812—13。

[135]《居易初集》,1:31。

[136]《光绪政要》,12:1—4。

[137] 韦伯将近代历史时期的国家看作是一个按照法律和程序性的准则运作的按理性行事的官僚组织。道格拉斯·诺思曾指出,为了促进最大限度的经济产出和提供诸如财产权的商业发展的法律基础,政府可以削减交易的费用。见道格拉斯·C·诺思:《经济史上的结构与变迁》(纽约:W·W·诺顿,1981),24;诺思:《历史上政府与交易费用》,《经济史杂志》,44.2(1984):255—64。

[138] 亚历山大·格琴克朗在其《从历史视角看经济的落后性》一书中认为,落后国家的经济发展基本上受益于强大的国家对经济活动的干预。他指出,"像俄国这样落后国家的经济发展,可以看出是寻求——或创造——能够代替促成先进国家经济发展的有利因素的一系列尝试,而在俄国落后的情况下却缺乏这样的替代因素。因此,替代是了解克服原有不利条件、开始工业持续发展的途径的关键。正是这些替代的作用结果决定了俄国工业发展的特有模式"。见格琴克朗:《从历史视角看经济的落后性》(麻省坎布里奇:哈佛大学出版社,1962),123。

[139] 为了解释近代欧洲的国家建造与资本主义发展之间相互关系,查尔斯·蒂利指出,近代民族国家(modern national states)承担了从国家建造、战争准备、保护到索取等诸多任务,国家建造者和他们的政策曾经有意或无意地重新塑造了资本主义发展的许多方面。蒂利将国家建造的进程缩小为对国家经济利益的管理。民族国家开始成长时,国家建造者往往向其国民提取财力资源,从而造成了国家扩展和资本家利益之间的紧张状况。见查尔斯·蒂利编:《西欧民族国家的形成》(新泽西州普林斯顿:普林斯顿大学出版社,1975);蒂利:《争取资本的空间,争取国家的空间》,《理论与社会》,15(1986):301—309。

247

[140] 有关利用查尔斯·蒂利国家建造模式的最近著作,见兰金:《上层人士的积极参与精神》;曼素恩:《地方商人与中国官僚政治,1750—1950 年》(斯坦福:斯坦福大学出版社,1987);杜赞奇:《文化、权力与国家:华北农村,1900—1942 年》(斯坦福:斯坦福大学出版社,1988)。

[141] 《郑观应集》,1.611。亦见陈锦江:《官商关系》;夏东元:《郑观应传》(上海:华东师范大学,1985);郝延平:《商业革命》。

12

李鸿章与北洋海军

王 家 俭

鸦片战争(1839—42年)以后,中国士大夫开始认识到没有一支 248
强大而有效的海军,中国便不可能保卫自己,对付西方海上大
国。创建近代海军成为中国努力西化的一项迫切而坚持不懈的
大事。林则徐(1785—1850年)是在禁烟问题引起中英冲突的
困境下认识到建立这样一支海军重要性的杰出的中国官员。他
曾提出以广东海关税银购买西方船炮,作为实现中国海军近代
化的第一步。[1] 他的建议不幸为道光皇帝所驳斥而未能付诸实
现。林的挚友魏源(1794—1857年)在其《海国图志》中提出这
个问题,并且力促有关当局在广东沙角和大角设立由国家管理
的造船厂和兵工局,制造枪炮和船只。魏源计划全面改革,将
江、浙、闽、粤四省绿营水师改组为新式的海军劲旅。[2] 但是由于
没有政府支持,整个计划成为空中楼阁,他的建议毫无结果。*

    同治元年,亦即1862年,出现一个新的机会。总理衙门大

    本文中文本见《历史学报》第16期(1988年6月),91—105。[中文原
作篇名《李鸿章对于中国海军近代化的贡献》,译文参照中文原作,并此志
谢。——译者]

臣文祥向总税务司李泰国寻求帮助。通过李泰国的斡旋,清政府从英国购得 7 艘兵船,组成一支小型的"中英舰队"。总理衙门委任英国海军大佐阿思本为舰队统领。然而,英国人和中国人因为指挥权问题相持不下,结果双方都很失望。计划以失败告终。[3] 其后江苏巡抚丁日昌(1823—72 年)于 1868 年和 1870 年分别提出建立"三洋水师"和"内江外海水师"的建议。同一期间在上海(1865 年)和福州(1866 年)建立了新式的兵工厂和造船厂。不过由于朝廷态度消极,督抚相互推诿,终无可观成效。直至 1874 年日本人侵犯台湾,清政府才下决心整顿海防。沿海防卫于是分为南洋和北洋两个防区。两江总督被指派为办理江、浙、闽、粤四省海防事宜钦差大臣;直隶总督为办理山东、直隶和盛京三处海防事宜的钦差大臣。[4] 即使如此,中国海军并没有显著加强。根据 1878 年英国驻华公使威妥玛的报告,中国海军仅由上海和福州两地小型的地方性舰队组成。它的装备和训练都无法与欧洲的海军相提并论。[5] 就整个帝国而言,事实上并没有一支统一的海军,这种情况一直持续到中法战争,南洋海军在战争中全军覆没。

不过,在李鸿章的领导下,北洋防区终究实现了近代化,在以后 1880 年代,开始被看作是代表清帝国的海军。这就是"北洋海军"或"北洋舰队"。北洋海军的历史背景复杂。它的成败不仅关系到中国海防的安危,而且影响中国和日本海上力量的消长。这方面近代化的努力值得历史学家密切注意。李鸿章作为北洋海军的创建人,北洋海军的成就要完全归功于他。他创建海军的目的与经过,所遭遇到的挫折与困难,都与这支舰队的命运息息相关。本章试图对与此有关的各种因素进行分析。

李鸿章对近代海军的认识及其目标

李鸿章 1823 年生于安徽合肥,是自强运动的领袖。他是政治家和外交家,同时也是军事战略家。他有突出的多方面的才干,中国近代化的各个方面几乎都与他密切相关,他对那个时期的政府有重大的影响力。不过,本章仅将注意点集中在李鸿章对建立海军的作用上面。

近代中国海军的起源可以追溯到李鸿章协助曾国藩同太平军作战时期。那时他成为熟悉军事的专家,并且认识到拥有一支海军的重要性。他由曾国藩奏保出任两淮盐运使,办理淮扬水师。[6] 李在这一时期有关海军的知识尚限于传统的中国水师;对于近代西方大国的海军并无任何认识。及至 1862 年春,他奉命驰援江苏,同太平军作战,才开始认识到欧洲海军的挑战。他率领淮军及淮扬水师乘所雇英国轮船从安庆沿江抵达上海。接着同英国和法国在上海的军队协同作战,并且得到常胜军的帮助。他对于西方大炮的精纯,子弹的细巧,西式操练的雄整,印象非常深刻。他深感中国在军事能力方面远远逊于西方大国。[7]

李鸿章指挥的淮扬水师由舢板和帆船组成。他痛感它们陈旧落伍,认为"有不如无"。[8] 他决心向其他国家学习,他诚谕部属"虚心忍辱,学得西人一二秘法"。[9] 在同他的上级曾国藩讨论时,他提出同样的观点:"若火器能与西洋相埒,平中国有余,敌外国亦无不足","中国但有开花大炮、轮船两样,西人即可敛手"。他劝曾国藩仿效日本和俄国,"卑礼下人,求得英法秘巧,……中土若于此加意,百年之后,长可自立"。[10]

1864 年 10 月,太平军即将完全平定之时,朝野上下在历年

250

内乱外侮之后正庆贺升平可期,李鸿章却另有想法。他忧心忡忡。在给朋友的一封信中,他写道:"外国利器强兵,百倍中国,……[中国]无以扼其气焰。"他感到,"当时兵将靖内患或有余,御外侮则不足。若不及早自强,变易兵制,讲求军实,仍循数百年绿营旧规,厝火积薪,可危实甚"。在李看来,军力是关系到"立国之根基,驭夷之枢纽。今昔情势不同,决不可狃于祖宗成法"。陆军方面,他感到老弱必须裁汰,粮饷必须充裕,操练必须严格,绿营分汛必须重组和加强,然后绿营方可恃。至于海军,所有旧式船只必须更换。不仅如此,中国必须有近代船厂,并向外国人购买造船机器。必须先造轮船,"次及巨炮兵船,然后水路方为可恃"。[11] 从以上所引资料中,我们可以看到李鸿章对于中国建立新式的陆军和海军,已有一个具体的构想。他关于中国海军的想法,包括改革绿营水师、采用西式装备、设立能够生产近代船炮的造船厂和兵工厂。李的思想和魏源"师夷之长技以制夷"的思想如出一辙。福州船厂和江南制造局随后在李的支持下得以维持。他在 1860 年代和 1870 年代近代化努力中的功劳值得赞赏。(见前第 4 章和第 10 章)

251 李鸿章在 1870 年出任直隶总督兼北洋通商大臣以后,他的海军思想发生了进一步的变化。他比以前更清楚地认识到中国为凶恶的敌人环伺,国家处于危急之中。他深感中国正面临"三千余年一大变局"。[12] 尤其是 1874 年日本侵犯台湾更使他相信日本穷兵黩武,对中国的野心更甚于西方国家的威胁。西方国家虽然侵略成性,但距离尚远,而日本近在户庭,随时可以伺机侵略。他相信日本"诚为中国永远大患"。[13] 他奉命督办北洋海防以后,将目标放在对付日本挑战上面。发展海军是李鸿章对外关系和自强政策最优先考虑的重点。[14] 在他看来,船炮和海军是西方大国强大实力之所在。中国赶上西方要有很长的时间。

日本只是最近才向西方学习,因此中国同它竞争,还比较容易。

李鸿章创建海军防卫中国对抗日本的政策,具有重大的历史意义。当然,在自强运动领袖中,并非只有李鸿章一人有这样的洞察力。文祥、沈葆桢和其他一些人也持有相同的见解。李鸿章以日本为假想敌、建立中国海军的思想,当时至少在一些政治家中有此共识。[15]

不过,必须指出,李鸿章的海军思想局限于自我防守的战略。他并没有积极进取的海权观念。虽然他设想训练一支有铁甲舰装备的强大海军,"南略西贡、印度,东临日本、朝鲜",但是他的主要目的在于防御,而不是进攻;实际上他将军事力量主要看成是威慑力量。[16]他仍然受到中国传统的陆权思想的影响。然而,日本则不然。日本最初也和中国一样,只注意海防。随后,部分由于美国海军战略家马汉的影响,日本人的海权观念发生了重大的变化。日本政府向人民灌输重视海权的思想,同时作出向海外扩展的紧迫计划。反观中国,一直以一个普鲁士人写的《防海新论》*作为海军战略的指导,结果是李鸿章满足于防卫北方京畿和南方财赋之区的少数口岸,而没有向海洋扩展海军力量的壮志雄图。中国和日本地理和历史上的差异导致两国态度的不同。不同的观念导致中国和日本海军的不同发展。[17]

购船置炮——北洋海军的创建

北洋舰队建军比南洋舰队晚。1870 年 9 月李鸿章受命为直隶

---

　　* 《防海新论》(*A Treatise on Coast Defense*, 本书原文作 *On New Coastal Defense*),希里哈撰,江南制造局翻译馆 1874 年刊行,傅兰雅译,华蘅芳述。——译者

252

总督时,北洋三口还没有近代的战船。直至 1872 年 10 月李兼任北洋大臣以后,才有"操江"和"镇海"两艘兵船由南洋拨到天津,作为巡洋捕盗之用。[18] 1874 年 5 月,日本侵犯台湾。李鸿章大受刺激,力主购买铁甲战舰,以加强沿海防务。然而他的建议并未立即付诸实施。[19] 直到 1875 年 5 月他受权督办北洋海防,才采取积极的行动,开始组成一支新的海军。在以后 10 余年中,费银几百万两,为北洋海军购置各种类型的战船,包括铁甲舰、巡洋舰和鱼雷艇等。

北洋海军有战船 26 艘,可以分为两类:一为中国自制,一为购自外国。前一类数量较少,且不居重要地位。它们共 9 艘:"康济"、"威远"、"泰安"、"镇海"、"操江"、"湄云"、"利运"、"海镜"和"平远",占船只总数的 34.6% 。其中"平远"系福州船厂制造的钢甲快船,其余 8 艘是补给船、练船和运船。另一类兵船被认为是舰队的主力,共有 17 艘,包括"定远"、"镇远"、"济远"、"致远"、"经远"、"来远"、"靖远"、"成安"(音)* 、"超勇"、"扬威"、"镇东"、"镇西"、"镇南"、"镇北"、"镇中"、"镇边"和"敏捷"。这 17 艘船只由外国制造,占整个舰队的 65.4% ,其中 13 艘英国制造,4 艘德国制造。除"敏捷"一艘是练习用的机帆船外,其余为主力舰、巡洋舰和其他战船。"镇远"和"定远"为德国伏尔铿船厂制造,各长 298 英尺 5 英寸,宽 60 英尺 4 英寸,吃水 19 英尺 6 英寸。腰线护甲长 144 英尺,厚 6 英寸,炮台厚甲 12 英寸,令台甲厚 8 英寸。两船均为 6,000 马力,时速 14.5 海里。它们各载炮 10 尊,包括口径为 12 英寸的重炮 4 尊,分置前后。每艘船只还有其他大炮,包括 5 管连珠炮 10 尊,加特林后

253

* 原文作 Chen–an,据《北洋海军章程》等史料,未见与此同音的舰名,现暂音译"成安"。——译者

膛炮 525 门,以及鱼雷。两艘战舰威力极大,按当时的国际标准,质量堪称上乘。[20]

　　除了这两艘战船,至少还有不少设备精良、足资战斗的船只。"致远"、"靖远"购自英国,它们和"超勇"、"扬威"同为阿姆斯特朗公司建造;"济远"和"经远"系德国制造。6 艘中国自制的铁甲舰也都宜于作战。北洋舰队的建成,是李鸿章煞费苦心努力的结果。

　　李鸿章对鱼雷快艇也感兴趣。他相信只有鱼雷艇和铁甲舰同时使用,方可攻守有益。他于 1881 年向德国伏尔铿厂订购 10 艘鱼雷艇;[21] 1887 年他的代表同英国一家海军造船厂签订合同,订购可以在公海作战的新式头等鱼雷艇(125 英尺长,13 英尺宽,1,000 匹马力,吃水 6 英尺 6 英寸,时速 25 英里),价值 2,500 镑(折合库平银 85,700 两以上)。[22] 鱼雷艇分别置于威海卫和旅顺港鱼雷营,水兵由英国和德国专家训练。这两部分的鱼雷艇尽管在 1894 年中日战争中未能发挥作用,它们却是北洋海军不可分割的一部分。北洋海军船只中,还有 12 艘通过赫德向英国购买的蚊炮船,事后证明令人失望,并且招致许多批评。这 12 艘炮船不仅价格昂贵,而且炮大船小,行动不稳。它们在公海上作战,毫无用处。李鸿章谈到它们时,每每摇头,懊丧不已。[23]

海军学堂与训练

近代海军是西方技术的产物,它涉及许多领域的知识。由于海军有关航行、训练和部署调动都有高度的技术要求,建立海军远比陆军困难。李鸿章对此深为了解,常常劝勉海军将士学习西方技法,务求娴习精通。他鼓励他们"细心讲求,切实训练",坚

254 持实习,准备作战。[24] 每当新购兵船驶抵时,他就亲自前往码头察看,以期对船炮性质功能有所了解。

李鸿章保留一批外国军官协助教练,他要求管驾、轮机、司炉和水手都必须由熟手充当。李鸿章有系统地小心谨慎地着手海军建设。他不惜用费派遣数百名海军官兵前往英国和德国接受新购军舰,驾驶回到中国,以便使他们得以实地练习。

李鸿章深信海军学校极端重要。[25] 1866 年设立的福州船政局便附设一所训练海军军官的学校。李在北洋舰队中利用了这所学校的许多毕业生。然而,福州船政学堂并不能满足新建舰队的需要。而且,北洋海军中南方人和北方人比例失衡,大多数人员是福州人。他于 1880 年在天津创立北洋水师学堂,训练北方学生。截至 1894 年中日战争时止,大约有 300 名海军学员是从天津水师学堂或北洋其他各校毕业的。在同一时期,从福州船政学堂毕业的有 630 人,为北方毕业生的一倍。福州船政学堂的学生不仅继续在北洋舰队、而且也在南洋舰队供职。由于历史较久,人数较多,北洋海军军官中大多数仍为这些福建人。[26]

海军学堂只是提供基本的一般的训练。李鸿章坚持派遣海军学员出国留学,尤其是与航海有关的技术。从 1877 年至 1890 年,共有 3 批 35 名海军学员派送英国。有些送格林尼茨皇家海军学院,有些送乌理治皇家炮术学校,其他的人派往英国海军实习。这些学生归国后在北洋海军中居于高级地位,并被委以重任。刘步蟾和林泰曾是其中佼佼者。35 名留英学生中,有 89%(31 名)来自福州船政学堂;其他 4 名来自天津水师学堂,但其中仍有一名是广东人。南方人显然成为北洋海军军官的主体。[27]

遴选将才与组织舰队

除了购买船炮和安排海军人才培养外，李鸿章也十分注重遴选指挥军官。然而，由于中国的海军并不像西方国家那样被认为是需要专业训练的职业，这是一项艰巨的任务。如前所见，许多福州船厂出身的学生曾出国学习。但是由于年纪较轻，经验缺乏，他们作为指挥军官还不符合条件。看来李鸿章除指派淮军旧部丁汝昌充任提督外，别无选择。丁汝昌是一个英伟、忠悫、勇敢的军官，富于陆军经验，但缺乏海军方面必需的条件。[28]李鸿章感到必须雇聘外国专家协助丁汝昌，由此造成了北洋舰队的一个根本问题。1879年，李鸿章指派3个英国人，船长葛雷森、哥嘉和章斯敦为北洋海军教习，以葛雷森为总教习。这3个船长由于过去完全在商船上工作，没有海军船舰工作的经历，事后证明并不合适。

　　随后李鸿章以另一个英国人琅威理代替他们。琅威理毕业于皇家海军学院，曾任英国海军舰长。他是一个热情负责、阅历丰富的军官。他很自然地成为北洋舰队总查的首选人物，于1882年和1885年两度受聘担任这个职务，供职共计6年。北洋海军在他精心计划和指导下，取得重大进步，并且受到国内外的密切注意。1890年在著名的"升旗之争"事件中，他受到一些中国军官排挤，不得不离开北洋。[29]琅威理离职之后，李鸿章雇聘其他一些外国军官到北洋海军：两个英国人，两个美国人，4个德国人。不过他们没有一个人有琅威理的才干和技能，也没有一个人有和琅威理匹敌的权力和权威，以解决北洋舰队内部的问题，纠正对它的态度。北洋海军自1890年以后日益衰败。[30]

255

北洋舰队一直到 1888 年才正式成立。造成这一延搁有几个原因。向外国购买的船只驶达要一段时间。李鸿章最初对于舰队应如何组织和调动,并没有把握。自 1860 年代以来曾经分别提出三个海军计划:曾国藩所拟"内江外海水师"计划;丁日昌所拟"三洋水师"计划;和李鸿章的幕僚薛福成所拟"北洋水师"计划。[31] 所有这三个计划都不充分具体,因此李鸿章的北洋舰队正式组成便大为推迟。1888 年 3 月经朝廷催促行动,李才令其僚属——天津海关道周馥、北洋海军提督丁汝昌、管带刘步蟾和林泰曾,以及北洋水师营务处道员罗丰禄——向琅威理咨询。3 个月后,北洋海军组织章程拟就底稿。经李鸿章同总理海军衙门大臣醇亲王讨论以后,这份文件终于 1888 年 8 月奏准实施。[32] 这一计划虽以传统的绿营水师和长江水师的组织为蓝本,但是它也有选择地参照了英国、法国和德国的海军组织。

根据所定制度,北洋海军分为前军和后军。前军是舰队的主要作战单位。它由 9 个营组成(一船为一营),分为中军及左、右翼。后军为舰队的后勤,负责全舰队的训练和补给。它由 16 个鱼雷营组成。北洋海军到此时共有舰艇 30 余艘,41,000 余吨,大炮 120 门,官兵 4,000 余名。[33] 除了外籍专家,包括轮机在内,有 87 名高级军官。其中有 43 人,即占总人数近一半,受过正式训练:35 人毕业于福州船政学堂(40%),8 人毕业于天津水师学堂(9%)。他们中间,24 人曾在国外学习:留学英国 13 人,美国 10 人,德国 1 人。未受国外正式训练的人员中,有一些人曾去英国、法国或德国作短期考察,协助监造船只,或接船驶返中国。这些军官在整体上显然比起他们在绿营水师或长江水师同等地位的人,更为胜任。[34]

北洋舰队最初并没有标准的操练规定。在《北洋海军章程》公布以后,才有以下八种规定:小操、大操、会操、会哨、合操、操

256

巡、巡历和校阅。[35] 每次都记录功过,据以分别赏罚。北洋舰队不仅强调正常操练,而且经常派往南北洋各口巡弋。此外,它还出访海参崴和朝鲜港口,南面则远达新加坡和东南亚水域。

北洋海军曾经成功地维护中国在东北亚的海权。但是随着1890 年琅威理离职,督责训练乏人,它开始衰退。李鸿章也年事日高。他忙于其他紧迫事情,对海军详情细节便无暇多顾。[36]

修筑海军基地防御工事

近代海军必须有基地,修筑炮台以资防卫,建造船坞以便船只维修。北洋防线起自鸭绿江口,迄于胶州湾,包括海域辽阔。沿海港湾包括青岛、烟台(芝罘)、威海卫、大连、旅顺、营口、山海关、北塘和大沽,都需要构筑防御工事。然而由于经费限制,李鸿章只能择要设防:大沽、威海卫和旅顺口最受他的注意。让我们逐个看一下这三个港口的情况。

大沽

这个基地是天津的外港,也是北洋海军司令部的所在地。因此,津沽对于北洋海军特别重要。许多重要的海军机构,诸如大沽船坞、天津机器局、天津水师学堂、北洋武备学堂,以及鱼雷营、水雷营、电报局、电报学堂、贮煤处、海军医院、北洋医学堂,都设置于此。大沽和天津因而成为北洋海军的基地。[37]

威海卫

威海卫位于山东半岛北端,与大连、旅顺同扼渤海湾入口,地近京畿地区。威海卫宽阔的港湾内的刘公岛及其附近深水,形成船坞的优良选址。由于经费所限,李鸿章直到 1887 年 2 月才开

257

始充分注意到威海卫,他派遣戴宗骞和刘含芳前往察勘。于是在威海卫修建炮台,以及兵工厂、鱼雷厂和鱼雷学堂、火药库和贮煤厂。在一名德国工程师指导下,建造一座铁码头,供装煤之用。[38] 第二年,北洋水师提督衙门在刘公岛设立。随后丁汝昌又在威海卫设立北洋水师学堂和一所海军医院,进一步增强了它的重要地位。

旅顺口

这个战略基地位于辽东半岛尖端,久有"东方直布罗陀"之称。李鸿章长期以来就注意到它的重要性,淮军重兵驻守这个地区。这个基地修筑炮台,设置鱼雷营和水雷营,不过船坞工程极其艰巨。袁保龄最初被指派主持旅顺营务工程局。它后来由一家法国辛迪加接办。整个项目于 1890 年最后完成,先后历时10 年,耗银约 300 万两。它的石船坞比一般规模更为宏肆,给人印象尤深。《北洋海军章程》规定,提督每年应有 6 个月驻扎在此,旅顺口的重要性于此可见。在旅顺、威海卫和大沽的铁三角中,旅顺口是最为重要的基地。[39]

自清末以来,应否在旅顺口建设一个海军港口,一直是一个有争论的问题。有人主张青岛作为海军港口,位置更好。有人指责李鸿章选取旅顺口是出于一己之私。我认为在旅顺口建立军港并没有错。李鸿章主要由于经费的限制,未在青岛也修建一个有防御工事的军港,作这样的推断是合乎情理的。李鸿章自己在当时说过这样一段话,有力地支持了这一推论:"胶州湾地居南北洋之中,为北来第一深水船澳,……唯目前限于经费,无可筹拨。"[40]

无法克服的困难和不可避免的崩溃

北洋海军自 1875 年筹画, 1888 年正式成军。它不幸在第一次中日战争(1894—95 年)中为日本海军完全摧毁。李鸿章的努力全付东流。北洋海军的失败,导致中国丧失了制海权。辽东半岛的军事形势因之改观,影响了中国此后几十年运蹇境窘。这一切是怎样发生的呢?

北洋舰队的毁灭可以部分归咎于清政府采取消极防御的战略。[41] 不过北洋海军本身也有若干严重的缺点。一是制度上含混不清。北洋海军名义上隶属于北京海军衙门。由于海署大臣醇亲王对海军一窍不通,舰队实际上是归李鸿章节制。李忠于清廷,但是他还负责处理许多紧迫的事务。他此时已成为全国督抚的领袖,集内政、外交、洋务、海防于一身。在 1880 年代末、1890 年代初,他忙于应付每日遇到的政治问题,以致不能对北洋海军诸多问题给予更多的注意。

其次是指挥系统不清。由于李鸿章未能经常顾及,北洋海军由丁汝昌负责。丁未受过海军正规训练。他因此常为部下所轻,他们大多数人是由中国水师学堂毕业。丁汝昌所倚赖的外籍军官有的傲慢自负,要求过分。这些外国军官和中国军官之间关系紧张,经常有不快之事发生,"升旗之争"便是这种冲突的反应。[42] 因而发生的琅威理去职,它导致北洋海军进一步衰败和腐化。[43]

第三,经费不足是一个严重的问题。最初海防经费预算每年 200 万两,但是从未如数收足。北洋海军改隶于海军衙门以后,舰队每年预算减至不及 130 万两。[44] 最糟的是 1891 年 4 月,户部建议停购舰上大炮、裁减海军人员。这些建议得到朝廷

259 准许。[45]这使舰队及其装备的更新事实上成为不可能。[46]当时一些有识之士即为北洋海军能否生存发展感到忧虑。[47]及至中日战争，北洋海军连遭失利，终至彻底失败。纪律不整导致一些部队在战役白热阶段弃阵脱逃。[48]北洋海军的缺点暴露无遗。[49]李鸿章深知这些缺点，极力设法避战，不与敌舰交锋。他因此受到许多历史学者的严厉批评。然而，就北洋海军的弱点而论，采取一种更加勇敢的政策或战略，是否将带来不同的结局，恐怕还是一个未知之数。[50]

结束语

作为西方国家海上力量勃兴的反应，尤其作为日本威胁日增刺激的结果，中国决定建设海军。李鸿章恰是适逢其会，适充其任，他肩负起这一历史性的责任。不少学者认为李鸿章建立北洋海军，主要是为了巩固自己的权力基础，他借应付外侮为名，而行扩张淮军势力之实。[51]从历史发展的经纬来看，我认为这种解释殊属臆测，缺乏充足的证据。

近代海军是19世纪的一个革新事业。海军的发展要求有复杂精致的装备和高度专业化的科学技术知识。考虑到所有这些方面——工业、科学和技术、人才、财政，中国当时完全不具备条件以支承一支近代海军。北洋海军的诞生，几乎全靠李鸿章一人独自的努力。他以10年持续不断的努力，造就了一支拥有30艘战舰、120门大炮和4,000名官兵的舰队，它至少在数量上超过了日本的海军力量。[52]

李鸿章的任务比起今天人们所能想象到的要艰巨得多，因为他面临向北京政府寻求资金、说服各省官员给予合作、同时又要抵挡来自各方的不断的批评这多重的任务。北京中央政府的弱点众所周知。清政府从整体上给李鸿章增加了许多障碍。它充满官僚主义陋习、地方主义观念和派系的明争暗斗。北洋海军本身也因组织不健全,装备陈旧过时而深受其患。在这样的环境下,李鸿章创建海军的努力,不应从不可能实现的理想、而应当从当时内部情况的整个背景作出评判。

注　释:

[1] 见林则徐:《林文忠公政书》(台北:文海,1967),乙集,4 :20。

[2] 魏源:《海国图志》(台北:成文,1966,1847年版重印),2 :35—52。

[3] 约翰·L·罗林森:《李泰国—阿思本舰队的发展及其意义》,《中国论文集》(哈佛大学),4(1950):58—93。

[4]《清德宗景皇帝实录》(台北:华文,1964),8—9,4/ 26上谕。

[5] 英国外交部档案,F.O.17/ 782, 152 :172—73。威妥玛致索尔兹伯里,1878 年 8 月 27 日。

[6] 曾国藩:《曾文正公全集》(台北:文海,1974),奏稿,11 :82—83b。

[7] 李鸿章:《李文忠公全集》(南京,1905, 以下作《李集》),朋僚函稿,2 :46b。

[8] 同上,2 :1。

[9] 同上,2 :47。

[10] 同上,3 :17, 19。

[11] 同上,5 :34。

[12]《李集》,奏稿,19 :45。

[13] 同上,24 :26。

[14] 同上,39 :33。

[15] 关于文祥的意见,见周家楣《期不负斋全集》(台北重印:广文,1972),40—45;关于沈葆桢的意见,见池仲祐《海军大事记》(台北重印:文海,1975),1874 年条。

[16]《李集》,朋僚函稿,20 :33。

[17] 日本海军思想变化,见小笠原长生《帝国海军史论》(第2版,东京,

260

1899),序。中国受德国著作中译本《防海新论》的影响,见《李集》,奏稿,24:16。中国人也受一名英国议员的影响,他认为小炮舰对这种防卫最为有效。见王韬《韬园文录外编》(上海,1897),3:16—18。

[18] 《李集》,奏稿,20:7。

[19] 同上,24:16。

[20] 同上,55:16。

[21] 同上,56:18。

[22] 同上,62:40。

[23] 刘坤一:《刘忠诚公书牍》(台北:文海,1968),17:2—3。

[24] 《李集》,奏稿,55:18。

[25] 同上,52:9。

[26] 参见海军部旧档。尤其军学类,编译卷320,教练第31号;梁同怿编《马尾海军学校》,应届毕业学生名单。同上,卷361,第32号,李照坦辑《天津水师学堂事略》。最后一份资料除天津水师学堂外,还包括北京昆明水师学堂、旅顺鱼雷学堂和威海卫水师学堂毕业生的资料。这些学堂的学生因毕业较晚,资历较浅,在北洋海军中仅居于下层。

[27] 见王家俭:《中国近代海军史论集》(台北:文史哲,1984),27—59。海军学生除留英外,还有派往法国学习造船;他们中少数人后来进入北洋海军供职。

[28] 《李集》,奏稿,25:24。

[29] "升旗事件"发生于1890年3月6日,当时北洋舰队停泊香港。提督丁汝昌率4艘兵舰外出海南巡逻。琅威理在香港负责照顾其他各舰,照例仍升提督旗。总兵刘步蟾和其他军官以琅威理不是提督,将旗帜降下。琅威理同北洋海军青年军官之间的冲突从而表面化。琅威理在此事上未能获得李鸿章支持,愤而辞职。见王家俭:《中国近代海军》,75—82。

[30] 琅威理去职以后北洋海军历史,见上引书,82—86。

[31] 薛福成:《庸庵文集外编》(上海,1893),1:24—30。

[32] 特别见周馥:《自订年谱》(台北:广文,1971),1:24;《光绪朝东华续录》(台北:大东,1968),27:22。

[33] 张侠等辑:《清末海军史料》(北京:海洋,1982),472—503;《北洋海军章程》。根据郭廷以估计,北洋海军有各种类型兵船共计40,000吨,

炮 120 余门, 官兵 4,000 余人。见郭廷以:《近代中国史纲》(香港: 中文大学出版社, 1979),256。

[34] 我将在拙著《北洋海军史稿》(手稿)中讨论这个问题。

[35] 见《北洋海军章程》, 前注[33]。

[36] 刘步蟾和林泰曾均为第一批派赴英国的福州船政学堂毕业生。刘为北洋海军右翼总兵, 林为左翼总兵, 地位仅次于提督丁汝昌。因丁不谙海军, 故大权落于刘、林之手。

[37] 《李集》, 奏稿, 17 :16—27, 36; 18 :20—21, 38 :16—17; 32—33; 40 :46—47, 50; 42 :10; 42 :22—23; 46 :39—40; 48 :33—35; 53 :29, 42—43; 67 :11—12。

[38] 同上, 57 :34; 60 :9—10; 71 :35; 72 :9—14。

[39] 同上, 66 :3; 69 :31—34; 王家俭:《中国近代海军》,95—146。

[40] 《李集》, 奏稿, 71 :45。当时批评这一政策者, 包括驻德公使许景澄和陕西道监察御史朱一新; 见王家俭:《中国近代海军》,128—33。近人马幼垣认为李鸿章在旅顺建港出于自私; 见前注[34]所引拙著。

[41] 特别见吴如嵩、王兆春:《试谈甲午战争中北洋海军的使用问题》,载《中日关系史论丛》(辽宁: 人民, 1982),110—21。

[42] 戚其章:《关于北洋舰队的几个问题》, 前引书,99—109。

[43] 姚锡光:《东方兵事纪略》(上海: 1894), 4 :4b; 郭廷以:《中国近代史纲》,257。

[44] 《李集》, 海军函稿,10—11。

[45] 《李集》, 奏稿, 72 :5—36。

[46] 同上, 78 :1。

[47] 姚锡光:《东方兵事》, 4 :4b。

262
[48] 《李集》, 奏稿, 78 :52—53, 61。

[49] 见孙克复:《丁汝昌与中日甲午战争》,载《中日关系史论丛》, 特别是第 51 页。

[50] 见吴如嵩、王兆春:《试谈甲午》,114, 关于"济远"方伯谦、"敏捷"吴敬荣等人在大东沟之役中临阵脱逃问题。

[51] 特别见王承仁、刘铁君:《论洋务派兴建海军的目的和作用》,《武汉大学学报》(社会科学版), 第 3 期(1986), 特别是 109。

[52] 见前注[34]。

第 六 编

结 论 与 书 目

13

李鸿章：一个评价

朱　昌　峻

中国在 1775 年是一个大帝国。在康熙和乾隆皇帝长期生气勃勃的统治下，国家版图向四方八面扩展。中国有悠久灿烂的历史。它的人口几百年来远远超过世界其他各民族，生活水平也比较高。中国强大富庶，是世界上引人瞩目的中心，至少看起来是这样。然而到 1900 年，国家蒙受奇耻大辱，神圣的首都北京在义和团失败之后，被 8 个"夷"国兵靴所践踏。那时世界舆论将中国看成和波斯、罗马、奥斯曼一样，是又一个行将消失的帝国；中国人自己的自信心也严重动摇。19 世纪是中国历史上一个悲剧时期。

　　20 世纪的中国目睹它在命运和声誉上明显的突然变化。尽管中国历史学者，尤其人民共和国的历史学者，仍很难解释上世纪中国的濒临崩溃，但有一种将它归咎于西方帝国主义列强、"封建"制度、清朝满族最高统治者和矢忠支持王朝传统制度的儒家士大夫阶层的趋向。在这些士大夫中，没有一个人投身于中国改革的早期阶段，比李鸿章时间更久，影响更大。然而，正是由于他自 1860 年代至 1901 年去世几十年中在中国政治上的突出地位，他后来便一直受到历史学者严峻的评判。为什么这一主要是否定的评价持续这么久？是什么原因使近代中国历史上这个关键人物受到相对的忽视？

对于任何一个研究李鸿章及其时代的学者来说，一个原因是有关的原始资料汗牛充栋。第二个原因是自他去世以后，中国历史浮沉变迁，不利于对他的一生事业作出更为同情的评价。

有关李鸿章的资料很容易取得，但是使用它们却非易事。所有从事 19 世纪中国历史研究的人都认识到,《李文忠公全集》虽不完整，但它是原始资料庞大的主体。这一基本文集现在正以《李鸿章全集》为名，在中华人民共和国扩编为一部更便阅读的文本。和《李文忠公全集》同样重要的，还有许多李本人和同他有来往的人的其他原始资料。试略举一二，如他同潘鼎新的通信（《李鸿章致潘鼎新书札》），有关海军的通信（《李文忠公海军函稿》），以及李鸿章文献的其他选集，如《李鸿章传记资料》。他还有一部分很有份量的撰著，可见于重要的史料选刊《洋务运动》和《中日战争》。在李鸿章长期事业中同他相互影响的一些人，从他原先的恩师曾国藩到他的门客如盛宣怀和马建忠，也都有大量的文献资料。由于涉及李鸿章的资料浩繁复杂，几乎没有一个学者能够说，他已经全面掌握了有关资料。

有关李鸿章研究的辅助手段依然不足，但是我们的确已有一些基本的研究工具。1977 年雷禄庆出版了按时间顺序排列的《李鸿章年谱》，它补充了、但绝非取代窦宗一前此近 10 年所编远为详细的《李鸿章年（日）谱》。东京于 1955 年根据有限的资料编成《李鸿章奏议目录》，作为利用李的奏折的辅助手段，仍有若干参考用处。

历史学家长期以来对李鸿章持厌恶不满看法的第二个原

266

因,是与他在世以来中国发生重大的变化有关。从 20 世纪的观点来说,是他支持了声名不佳的满族统治者;的确,他在延续清朝寿命中起过作用。他也具有 19 世纪高级官员一些不那么可敬的品格。他参加了同西方帝国主义列强和日本不成功的谈判。为了这些原因,在 1911 年民国建立以来,尤其 1949 年人民共和国建立以来的历史学者中,李鸿章得到是腐败的封建反动派和对帝国主义者卑躬屈节的"投降派"的名声。只是在 1980 年代 10 年中,李的声誉才得到部分恢复。似乎没有一个足以与之比拟的历史人物,像他这样有争议。

我们相信,现在是该用另一种眼光看待李鸿章的时候了。在前几章中,刘广京首先将李鸿章放在中国 19 世纪变革努力这一广阔的背景下,以此开始我们的研究。他然后分析李的早期事业,迄于他成功地镇压捻军起义之时。接着对李直隶总督长久任期的开始阶段,作出他的评价。刘清晰地揭示李鸿章惊人广泛的活动范围,以及他进行这些活动的魄力与决心。李从他的"地方"基础出发,在一个中央政府官员的地位上,日益发挥他的作用。他正是这样,时常同许多有势力的同僚交往。庞百腾考察了李同他们中间的沈葆桢的长期关系,正确地提醒我们,李取得自强运动成就的功劳,也应有沈和其他人的一份。他有一个有利的条件,那就是他在长江下游、亦即他的家乡地区和他早年治辖地区持续不断的影响。李鸿章的影响因素,由梁元生加以分析。司马富则接着指出他最初向西方学习的意愿,首先是学习军事专门知识的意愿。

作为一个外交家,李鸿章虽然介入中国同许多国家的关系,但是他将自己的任务特别集中于处理同日本和朝鲜的关系。金基赫仔细考察 1882 年美朝条约签订以前李的政策和行动,而林明德则从此时起至 1894 年中日战争爆发,进行分析。不过这两

267

位学者在论述李鸿章以及论证李在整个时期面对着变化的环境
(它要求李采取不同的政策选择),如何坚持一贯的政策目标方
面,并不完全一致。梁伯华关于琉球争执的考察,将李鸿章对日
政策放在一个特定的争端中,从而使一些表述更大范围的中日
关系特点的问题具体化了。

　　作为近代化的倡导者,李鸿章深深投身于 1860 年代至
1890 年代自强运动的许多项目。康念德分析了李的第一个重
要企业江南制造局。他的一项持久的成功是轮船招商局。黎
志刚对这家企业的性质,以及李在吸引私人参加经营管理方
面的关键作用,作了仔细的再考察。军事方面与招商局对应
的是北洋海军。王家俭考察李鸿章对创建和维持北洋海军的
贡献,认为近代海军的技术需要,要求李以更加彻底的态度采
用西法。这两个组织,一个民用,一个军事,构成了李鸿章近
代化主要尝试的个案研究。它们的成功和失败,是整个自强
运动成败的象征。它们也勾画出李鸿章的成就及其局限的参
变量。

　　由于我们的研究主要集中于李鸿章作为近代化倡导者和作
为外交家的双重作用,让我们首先就这两方面作用分别对他进
行考察。我然后将李放在他的整个事业这一更广阔的视野内进
行考察,以便同对他的责难作直接对照。

近代化倡导者李鸿章

李鸿章是自强运动中一个最重要的清政府官员。他是这个运动
最早的领袖之一,他的所作所为,远远超过了他同辈中任何一个
人。就自强运动作为中国近代化早期阶段所达到的程度来说,
李完全应当被看作他所处时代中国近代化的领导人。

在社会科学研究中,现代化*的概念经历过接受和忽视整整一个循环。在 1950 年代,它风行一时,政治学家、经济学家和人类学家最初在研究国家建造的进程中受到了鼓舞。那是一个亚洲和非洲许多原先的殖民地在第二次世界大战后获得独立的时代。"现代化"一词最初主要用于那些新出现的独立国家,如缅甸和加纳。它后来推广到对那些业已成立的亚洲国家的研究,如中国,它以前也曾经历过类似的过程。由于这些国家的历史经验包含许多相互联系的不同方面,以诸如"工业增长"这样比较狭窄的用词解释整个历史现象,似嫌不足。当时即使所谓硬社会科学如经济学的学者,也认为现代化是一个有用的概念。

现在,30 多年之后,"现代化"和与它有关的"现代化者"**一词,名声不佳。经济学家和其他社会科学家弃而不用,理由是它们过于模糊不清。许多历史学家也开始避免使用它们。代替它们的如"经济改革"、"工业化"之类更有限定的用词,受到了欢迎。然而,我们发现"现代化"、"现代化者",特别适合于对李鸿章的历史研究。他不仅仅是一个经济变革鼓吹者,一个工业化主张者,或者一个政治改革者。这些身分他都有,但他不止这些。研究像李鸿章这样一个课题,要求作综合性的尝试。李确实是 19 世纪中国出类拔萃的近代化倡导者。他投身于自强努力的诸多方面。自强事业大多由他创办,他向朝廷奏请,筹集早期资金,提供合法的政治保护,引进必需的技术,并且将所有这些方面结合起来。这样,李鸿章作为近代化倡导者,发挥了熊彼得经典意义上的一个企业家所必须具备的催化作用。

---

* "现代化"和"近代化",原书同为 modernization,现按习惯提法,凡特指晚清时期现代化,译作"近代化",泛指时译作"现代化"。——译者

** "现代化者" modernizer),亦译作"近代化倡导者"。——译者

　　正如刘广京所指出,李鸿章的近代化努力包括范围广泛的活动。他和曾国藩、左宗棠共同创建中国早期所有的兵工厂和造船厂。他还使矿山近代化。后来又设立轮船公司、电报局和纺织厂。他越出制造业和交通业,进而兴办教育事业。虽然他信守历代相承的教育制度,但却建议科举考试增加西方技术知识。他和曾国藩共同发起派遣学生留美。尽管这些教育方面的努力远远不够,但是李鸿章在倡导近代制造和交通企业方面确已取得坚实的结果。黎志刚关于轮船招商局的周密研究,表明李在创立政府—私人合办企业官督商办形态中所起有益的作用。李了解吸引私人投资者的投资模式,而几乎没有其他官员注意到这一点。他保护招商局商董,使他们免受官僚主义官员的干涉。招商局随后的衰落,可以直接追溯到李由于专注于其他紧迫的任务而不得不减轻自己在局务中的作用。轮船招商局盛衰的这种格式,在李鸿章创设的其他企业中一再重复出现,这正表明他作为一个近代化倡导者的重要地位。

外交家李鸿章

人们长期以来承认,李鸿章在 19 世纪中国对外政策制定和贯彻执行方面曾经起过巨大的作用。正是在很大程度上由于他的外交活动记录,他受到许多历史学家的尖锐谴责。正如李倡导近代化的作用需要重新考察一样,早就应当对外交家李鸿章作重新评价。

　　我们已经看到,从 1860 年起,中国同外国的关系由一个新的机构总理衙门处理。* 然而总署不是一个独立存在的政府机

---

　　* 总理衙门系 1861 年 1 月由恭亲王奕䜣等人奏准成立。——译者

构,它只是作为军机处的分设办事处而发挥作用。而且,总署从它成立之日起,便从来不具备近代外交部那样完整的权力,沿海省份许多督抚分享了它的权力。一个特别恰当的例子是从1875年至1902年几度出任两江总督的刘坤一。刘用大部分时间处理内政问题,并不特别关心对外事务。然而长江下游沿海地区都属他治辖,这就必然要求他负责处理其地区的对外关系。沿海省份(广东、福建和山东)其他高级地方官员也同样如此。他们就这样在中国对外政策的制定和贯彻执行中,分享了总理衙门的权力。

　　然而不仅这些地方官员,比他们更为重要的是与总理衙门同时创设的两个新官职,即北洋和南洋通商大臣。这两位大臣按规定广泛处理对外贸易关系,他们不仅受专门指派,分享总理衙门特有的权力,而且实际上被认为在实施对外政策中,比总理衙门更为重要。上述刘坤一任两江总督时,也兼任南洋通商大臣。李鸿章将其北洋大臣衙署设在战略城市天津,以发挥他在外交事务中不断增强的关键作用。在与总理衙门协同工作几年以后,他在重要性方面很快就取代了它。李的个人条件和他的官位是同样重要的原因。在能干的文祥(1818—76年)去世、恭亲王(1833—98年)政治上蒙辱去职,总理衙门失去他们两人以后,外国使节感到李鸿章比总署官员更加开放,更为果断。他们在前往北京之前,总要在天津逗留几天去看李鸿章,这已习以为常。他们不仅认识到朝廷在考虑研究阶段,会不可避免地向李征求意见,而且他们同清廷接触最初成功,也端赖他们能够从李的说话实质和思路中了解到中国的观点。地缘、政治和个人条件结合起来,使李鸿章成为中国外交必不可少的人物。

　　由于李鸿章起了这样关键的外交家作用,他的活动应当放

270

在中国在全球地位的整体背景下进行评判。对于中国来说,19世纪下半叶加入"国际家庭",是一个令人望而怯步的任务。正是在中国放弃它的封贡体制(除朝鲜外)的时候,西方步入最富有竞争性的帝国主义时期。一如威廉·兰格的经典著作《帝国主义外交》正确地指出,虽然中国学习西方外交制度还很不够(它到1880年代曾经这样做过),但是中国必须从弱国的地位去对抗强有力的西方敌手。因此,中国同西方国家的关系,不可能是平等的伙伴关系。李鸿章必须在这些严格的限制之内行事。

李鸿章在不同时候,不是作为顾问,便是直接以外交身分履行他的职责。他在中法战争期间同法国打交道中,间接的作用十分明显。正如易劳逸在他的《皇室与官员》一书中所指出,李虽未直接涉足战争,他却试图通过拟议中的《李鸿章—福禄诺协定》结束战争。然而朝廷于1884年拒绝了这种妥协,只是将它看作是1885年最后结束战争的《巴黎条约》的基础。* 李鸿章在对外政策中起顾问作用的另一个例子是,1881年解决伊犁争端时,朝廷利用他的较为和解的政策作为左宗棠好战政策的制衡。不过,李在处理朝鲜和日本的关系中,发挥了更加直接的作用。朝鲜作为中国从前的一个朝贡国,它的事务传统上向由礼部办理。1879年朝廷正式指派李负责朝鲜事务。尽管李极力赞同维持北京同朝鲜封贡形式的意愿,但他已开始认识到此时中朝关系不能不是包括中国、日本和各大国在内的更大范围关系的一部分。李鸿章根据丁日昌等人的建议,力劝朝鲜同美国和欧洲国家订立条约,以对付日本新的侵略政策。他通过派出

---

* 《李鸿章—福禄诺协定》即《中法简明条款》(1884年5月11日),《巴黎条约》指1885年4月4日在巴黎签订的《中法停战条约》。——译者

由中国正式指定为新设朝鲜驻扎官的袁世凯,进一步实现中国对朝政策的这一转变。他还另派一些人去朝鲜,充任朝鲜宫廷新增的顾问。在所有这些决定中,李是首要的决策人。

李鸿章并没有将自己直接的外交作用局限于中国紧邻的国家。他还多次提出同英国、法国、俄国和其他国家的代表商谈。他最令人感兴趣的关系之一是同美国的关系。李早在 1874 年就在寻求美国的斡旋,后来他又数次主动提出这样的倡议。韩德在他的《一种特殊关系的形式》中,强调美国是李在外交方面最喜欢的一个求助对象。在 1880 年至 1894 年间,他 3 次寻求美国斡旋:琉球争执时向前总统格兰忒提出建议,以及中法战争期间和 1894 年战争前夕。不幸的是,所有这些倡议都没有成功。

由于李鸿章受命具体负责对朝鲜和日本的关系,朝中其他高级官员,尤其李的敌手,利用此作为容易抨击他的一个方面。李在朝廷上和地方官员中敌手众多。尤其麻烦的是一批号称"清流派"的年轻的传统主义官员,时发清议,放言高论。他们在那几十年间,在几次危急的时刻,将李置于进退维谷的困境。因此,尽管李对中国对外政策有强大的影响力,在决定具体政策时,他却无法完全自由行事。

从更广阔的视野看李鸿章

如前所述,本书关于李鸿章的讨论,主要限于他作为外交家和近代化倡导者的作用。但是即使对李在这两方面的作用进行评价,我们也必须考虑到他一生事业的许多其他方面。本文研究的集中点,不在于分析李其他方面的细流末节,而是对他的一生作扼要的总结,这将为我们提供一个更为广阔的视野。

271

　　李鸿章生于乾隆大帝去世后 24 年、《南京条约》签订前 19 年,他早年所受教育和其他年轻学者并无重大不同。不过,刘广京提出,李明显地倾向于经世传统———一种脱离纯学术的追求、探究实际问题的传统。正如后来所表明,那个时代对于一个具有像李鸿章这种倾向的人,特别适宜。他在帝国面临前所未有的变化之时臻于成熟。早年科举成功,为他打开了仕途之门,但是太平军起义改变了他稳步缓慢攀登官吏阶梯的前程。内战危机使他成为一个军事指挥官。他发现自己的皖籍世系是一个未曾料到的有利条件,它引起了曾国藩的注意。曾的随从人员中湖南人被吸引到湘军中去。李奉命组成一支由他独自指挥的部队,士兵大多从安徽招募。淮军便是源起于此。李早年的军事经历日后证明有决定性的意义。即使在太平军被平定之后,他也从未将军旅之事置诸脑后。他后来的近代化活动绝大部分都直接或间接同中国的安全问题有关。李尽管主要是一名文官,然而他毕生却都在关心军事。

　　在几次重大的叛乱平定以后,李鸿章充分施展了一个政治家的才干。先是江苏巡抚,然后两江总督,最后是直隶总督,这些职位都要求他同朝廷有广泛的联系。但是由于当时形势迅速变化,这些职位还要求他同全国各地高级官员直接往来。正如庞百腾所指出,这要求李显示出高度的政治专长。

　　对自强运动的倡导,使他同许多外国顾问时常发生联系。他最初在江苏,然后在直隶担任通商大臣,还遇到许多外国官员,并且要同他们打交道。李成为中国最杰出的"洋务"专家,甚至在 1894 年以后,他还在继续充当这个角色,其时已届本书研究实际终止的下限。

　　我们研究的注意点集中在 1894—95 年中日战争以前的时期,这个战争可以看作是李长期为中国对朝鲜和日本政策运筹帷幄的登峰造极的事件。战争也是对自强运动成败的最终考验。因而有关李参与 1894 年战争和战争以外的情况,同我们对他的评价有重大的关系。

他实际上参与了战争的各个方面。当中国同朝鲜和日本的关系处于危机阶段,他仍在负责处理同这两个国家的关系。在公开的战争行动开始前外交活动的最后一分钟,李鸿章代表中国不仅同日本、而且也同主要的西方大国打交道。他深知一旦战争在朝鲜爆发,他驻扎在华北的淮军和北洋舰队——两者都是在他指挥之下——将首当其冲。战争开始时,这些兵力的确成为中国的战斗主力。日本对包括旅顺口和威海卫在内的中国许多要塞的攻击,考验了李鸿章几十年来在这些地方所作设防努力的价值,中国为此付出了重大的代价。像电报线和运输线这样的支援设施,无不通过李的努力而设置,它们对于中国进行战争关系重大。因此,当中国遭到决定性失败时,李的同时代人便断定他应对这一重大的不幸负主要责任。时光流逝,这一评价并没有什么改变。一般认为,李对于日本制造一场战争的决心认识太迟。他过分依赖西方大国的干涉,而未对战争可能发生作充分准备,待战争爆发,为时已晚。战事一开始,他便不能够有效地调动他的部队。日本部队以其协同进攻战胜了联系松散的中国军队。李还作出了其他值得怀疑的决定。王家俭强调,李特别责令中国在公海的机动进攻力量北洋舰队采取守势。其他学者争辩说,北洋舰队即使在黄海之战中为日本舰队击败,它仍然足以成为阻挠日本海外补给线的潜在力量。然而李命令将舰队限制在威海卫,这导致北洋舰队在日本陆海联合围攻这个港口时投降和毁灭。

历史学家自从战争以来就一再重复当时不断推在李鸿章身上的大量诽谤,将中国的恶劣表现主要归罪于他。历史难以

273　抗辩。即使承认 1890 年代中华帝国普遍衰弱，在当时的环境下情有可原，李鸿章对战争的指导，仍有许多方面可以留待批评。不过，李作为一个指挥官的失败，不应掩盖他作为战前中国国防的主要设计师的表现，以及他在中国近代化历史上的作用。1894 年发生的大事证明，李的努力是极其不足的，而他必须全力对付的国内政治局势又是十分棘手的。不论如何归纳概括，事实是，没有李鸿章，中国在中日战争期间甚至会更加脆弱，不堪一击。

　　1895 年屈辱的《马关条约》以后——李鸿章不得不代表中国去谈判这个条约，他的权势急遽下降。他作为中国近代化倡导者的作用已告结束，但是由于他仍然是中国最有经验的外交家，朝廷继续要他去执行一系列困难的任务。这向李的为数众多的批评者和敌手提供了进一步使他窘困难堪的机会。1896 年沙皇尼古拉二世加冕，他被派往圣彼得堡，带了同俄国订约的秘密指示，争取俄国支持以反对其他贪婪的西方大国和复苏中的日本。不论这项政策原来设想的价值如何，它实际上并未奏效。3 年间，德国侵略山东，导致列强对中国势力范围竞争的产生。作为它的结果，义和团起义不久爆发。局面错综纷纭，李鸿章联合南方其他督抚暗中违抗朝廷，他的行动有助于限制义和团活动的地区。尽管这样，1901 年代表中国解决义和团事件的最后不光彩的任务，仍落到了他的身上。李鸿章晚年种种遭际，没有一次带给他美名盛誉。在义和团事件解决后几个月，他终因心力交瘁而去世。

贪污问题

人们曾经含蓄表示，李鸿章的个人廉正值得怀疑。我们现在必

须面对这些问题。他是通过合法的手段取得财富,还是像他的
批评者所指责的那样,他是贪污成性,难以悛改?这显然是评价
李鸿章的一个重要问题。不幸的是,可供我们利用的有关资料
并不具有绝对的说服力。然而,泼在李身上的毁谤中伤如此之
多,使这个问题不应回避。让我们从讨论与李的德行问题有关
的因素开始。

　　一个因素是李鸿章及其同时代人处世行事的价值体系。李
在其早年生涯中就已屈从于当时盛行的制度。1862—63年,他
作出艰巨努力,改革江苏厘金制度,以便他的淮军能有更多的财
政收入。刘广京指出,李觅求廉洁人员征收厘金,但是在这些位
置上已有声誉不佳的人,他们原是资金筹措人,李没有将他们调
走。没有证据表明李曾从贪污的厘金官员中得到私人好处,不
过在他的治下有这样的人,则是无可争议的。

　　李鸿章在他的后来事业中,同样愿意屈从于实际的需要,这
引起历史学家对他个人伦理标准加以非难。李在以后岁月中,
是否亲自有所牵连,这个问题更难解决。然而即使有这样情况,
对于他的个人处境必须加以考虑。李身居高位的时间,比大多
数官员长。例如,与曾国藩(1811—72年)比较,他任职时间几
乎要长30年。他参与军事、海军和工业事业的规模比同时的任
何其他官员都大。为了从事如此范围广泛的活动,他经常需要
大笔的钱款。不论国家拨款、各省税入,还是私人投资,都无法
提供足够的资金。他因而不得不通过非传统的手段,诸如通过
银行*转帐,以筹集资金。经过一段时间以后,他终于习惯于金
融的操纵。李充分了解,他的权力不只是依靠对他的辖区收入
的控制,以及他的门生故旧关系网,甚至也不是依靠他对淮军和

274

---

　　*　此处"银行"包括钱庄等传统金融机构。——译者

北洋海军始终不渝的控制。他的权力还基于他能够保持慈禧太后的天恩眷顾。慈禧好尚虚荣,乐受贿赂,为众所周知。从1860年代至1908年去世,清廷在她实际控制之下,变得更加孱弱腐朽。李鸿章必须在这样一个环境中行事。他必须取悦慈禧太后,*否则就要冒政治失势和无能为力的危险。李鸿章以一个政治上幸存者应付环境的高度意识,成为迎合慈禧图慕虚荣和贪婪无厌的高手。一笔笔钱款由李鸿章之手送到慈禧和她的亲信那里,总数多少有待进一步调查,但是有这种钱款,则殆无疑义。

到1880年代,已经开了一个先例。1887年醇亲王在慈禧默许下,要求李将拨给海军的款项移用于重建圆明园,李轻而易举地利用其财务方面的特长,实现这个目的。最初据说是暂时调拨,但是这些钱款从未归还原来帐上。相反地,追加款项却继续转来。李曾私下向朋友抱怨,这实际上严重削弱了北洋舰队,但是值得指出的是,他直至晚年,从未对此公开表示反对。他在这个臭名昭彰的事件中串通共谋,似乎无可置疑。

另一个谴责李鸿章更严厉的事件,来自有关他曾接受外国政府非法金钱引诱的指控。这件事与据传俄国向他行贿,以便促使他签订对俄有利的密约有关。如果这一说法属实,那么我们将面对着一个最严重的指责,即一个主权国家的全权代表在签署一项棘手的外交协定前夕,竟然接受另一个主权国家的报偿。此事迄今仍有争议。来自俄国资料的指责并未得到中国方面的完全证实,我们只能从这段历史的环境去肯定它。1896年李鸿章74岁。自中日战争以来,他在政治上一直蒙受羞辱。面对着病情屡次发作,他极度关心自己在国外旅行的健康状况。

* 原文作"帝国女庇护人"imperial patroness)。——译者

总之,他肯定处于身体衰颓时期。也许更加重要的是,到那时他已经得出结论,面对着其他欧洲大国和日本不断增强的压力,中国除了依赖俄国的干涉,别无他途。他奉廷命前往圣彼得堡,去签订一份对俄国人有利的条约。如果李的确接受了传闻中的贿赂,此事便无法辩解,但对于他的基本论断,也许并没有影响。

李鸿章仅仅是政治家吗?

批评李鸿章道德缺点的人,无论就政治家一词最好还是最坏的意义上说,至少都承认他是一个熟练的政治家。李早年就显示出他的政治手腕。甚至在他离开安徽以前,就已开始树立自己的政治党援。他有由门生和朋友、尤其他的合肥同乡所形成的圈子,他们日后为他尽力工作。他们随着他的时运日佳而时来运转,许多人成了他的幕友。他还将自己政治联系的圈子从安徽扩大到全国性的层次,但是他最早的那些伙伴仍然是他最密切的支持者。他们经过一段时期以后,在全国政治上形成一个有力的派别,其影响超过了曾国藩、左宗棠和其他高官的幕友所形成的类似的派别。

　　李鸿章在同时担任直隶总督和北洋通商大臣的 25 年间,作为一个政治家,取得了完全成功,在这期间,他将一个关键地区官员和全国性官员的双重作用结合起来。为了成功地进行活动,他必须更多地投身于全国政治。他极其机巧地使自己依附于慈禧和她周围一群阿顺取容的人,而慈禧则施展分而治之的原则实行控制。这一点以及他对革新政策的倡导,使他在朝廷有许多强大的敌人,不仅仅清议派而已。尽管慈禧常常利用清议派的批评申斥那些对她至高无上权力有潜在威胁的官员,李鸿章一直到中日战争,却从未失去直隶总督的职位。他多次遭人批评，但是都能设法对付过去，从而仍能保持这个重要职位长达四分之一世纪之久。李作为一个非凡成功的政治家的证据，几乎俯拾皆是。

将李鸿章看作是才干卓越的政治家，是一回事；怀疑他是否显示品德高尚，又完全是另一回事。正如我们前已述及，李的声誉几经起伏。自 1950 年代至 1970 年代几十年中，在人民共和国，他的名声落到最低点。马克思主义历史学家将太平军看成农民英雄，斥责他帮助镇压太平军。李和他的汉族同僚因为站在满族统治者一边，镇压汉族人民，令人憎恨。李鸿章还因为是以儒家价值体系为基础的旧君主专制主义秩序的捍卫者，而进一步受到谴责。尤有甚者，马克思主义历史学家指斥李是一个最大的"投降派"，经常通过购买西方产品和签订一系列屈辱的条约，向西方帝国主义者献媚奉承。总之，这些批评者将李看成彻头彻尾地同人民的敌人沆瀣一气，从而使 19 世纪中国"半封建半殖民地"状况得以赓续的典型。然而应当指出，对李鸿章的这种严厉的评价近来已有所改变。自从 1980 年代开始，人民共和国的一些历史学家修正了他们先前过激的评判。尽管如此，即使在非马克思主义的历史学家中，对李有重大保留的，仍然大有人在。

那些不愿将李鸿章看成不仅仅是政治家的学者，通常从以下三个方面对他提出批评：一是与两个杰出的同时代人曾国藩和左宗棠相比，他显然逊色；二是他在任上用人唯亲极为严重，偏袒他的亲戚门生；三是清议对李的批评证据确凿，罪无可逭。让我们具体讨论这些指责。

就李的声名来说，他的不幸在于成为曾、左的同时代人。左宗棠的声誉在很大程度上一直最高，而曾国藩在其生前身后都被认为是儒家士大夫的典范。我们已经提出李的私产问题。曾国藩尽管绝非贫困,左宗棠鄙视钱财异乎寻常,两人部分地由于个人操守,都享有高得多的声誉。相反地,李的财产以及他如何取得这些财产的问题,都使他受人怀疑。

除了这个因素,李鸿章和其他两人在伯仲之间。他们3人都以镇压太平军而被公认为对清王朝忠心耿耿。3人都是鼓吹自强的先驱者,3人都学习如何对付外国人。李鸿章恰比他的两个同时代人多活几十年。因此在3人努力西化革新中,他实际上比曾、左所作的贡献更大。但是李不幸生活在整个1880年代和1890年代。在那个时期身负重任的人,没有一个能够逃脱批评。因此李的"投降派"的光环便没有落在其他两个人头上。此外,左还多了有利之处,收复新疆和决心为伊犁问题同俄国作战,都被认为是他的功绩。这些成就从那时起就一直使左赢得了中国人崇慕。李却无此幸运。

关于指责李鸿章重用亲属极其严重,甚至推及他所偏袒的同乡友好,他不能规避这些严厉的批评。他的失败有许多是由于主要靠私人关系而任用不合适或不能胜任的下属所造成。然而,即使这个问题,也有其情有可原的具体情况。梁元生提醒我们注意,高级官员传统上是在三种关系的基础上建立起他们支持者的私人关系网:同乡、同僚和同年。高级官员在荐举时,不但被允许在这些关系的基础上提名他们所偏好的人,而且他们这样做被认为理所当然。因此,李鸿章荐举私人,属于普遍流行的惯常做法范围之内。纯因私人关系而受李推荐的官员违法渎职,遇有这种情况,李自然不能逃避批评。但是他不应成为全盘指责的对象。

清议对李的指责,应当从造成这些指责来龙去脉的背景去评价。正如许多研究所表明,清议派提出的理由,在很大程度上是以建立在经书基础上的僵化的思想意识作为参照框架。他们对"外夷"强大的现实无知得可怜,他们选择的行动方针很少切实可行。由于他们设想中国可以在多种选择中作出抉择,而为了国家尊严和完整,中国必须采取坚定的立场,即使可能带来灾难性的后果也在所不惜,他们就不仅盲目无知,而且是不负责任的了。当李鸿章作出自己那些有争议的决定时,清议的指责并不以具体政策的是非功过作为唯一的根据。这样的指责部分是因清议派坚持正统立场、严格遵循正义方针所引起,部分则是这些较年轻的传统主义者普遍被有权有势、不墨守传统的政治对手激怒的结果。

清议批评者所理解的李鸿章,是一个因缺乏爱国心而不断向中国的外部敌人出卖国家利益的人。本书头几章已经有说服力地说明这是全然错误的。李毕生对外国的意图始终怀疑。他同外国人的所有打交道中,都坚持维护中国的利益。他尽管雇聘许多外国人,却确信他们是受他控制的。他在其卷帙浩繁的撰述中,一直不断公开表示,他一生热情追求的目标是建设中国,使它能够成功地抵御外国的侵略。当清议派以僵化的爱国主义姿态打扮自己时,李鸿章却宁可采取微妙的方式方法,这样一种方式方法要求中国在特殊情况下屈服让步,关于琉球争执便是一个例子。他的最终目的仍然是中国尽快臻于自强,以便能够免遭外国的控制。

归根结底,应当根据李鸿章的全面记录,对他作出评判。他从1860年代初期开始,便投身于清朝几乎所有主要新兴的冒险事业。他和曾国藩、左宗棠、沈葆桢,以及其他许多人一起,殚智竭力于国家革新所面临的紧迫问题。他看到解决中国衰弱,在于采用西方的某些长处。和自强的其他鼓吹者一样,李鸿章并不怀疑渗透于中国人生活方式所有基本方面的儒学价值必须保存。因此,他追求的是 C·E·布莱克所说的防御性的现代化,亦即采取某些革新手段,意在对传统的核心不予改变,而是加以保存。在这方面,李鸿章同日本明治维新的领导人,只有程度上的区别,而非性质上的不同。

278

李鸿章在自强的努力中,感到不可能不同外国发生联系。由于新的技术知识实际上只能来自海外,他不得不依靠外国人,因此他雇聘了外国顾问、教师和技术人员。当他这样做时,中国的安全便只能通过谈判来维持。李于是必然涉足外交。在中国尚未强大到足以采取坚定的立场之时,妥协和让步是不可避免的。事后证明,李鸿章是一个弱国外交的大师,在可能采取坚定立场的少数情况下,他采取了坚定的立场,在不可能的时候,便作出最小的让步。他认为,他能够利用西方大国之间的竞争赢得时间。事实终于证明他错了,但是在他的时代,还有什么别的选择呢?

李鸿章应当得到更为积极的评价,还有其他理由。他一生都显示出个人勇气。他的干劲和执着,在缺乏敢于作为和甘于奉献精神的官场中有如鹤立鸡群。在资金靠不住、批评攻击不断会使一个平庸之人沮丧的时候,李鸿章实现绝大部分自强计划的成就令人瞩目。他为正统的朝廷所驱遣,对它忠贞不渝,然而他将这种忠诚推广到为国家和中国人民整体利益而工作。尽管他有个人的弱点和众所周知的失败,他的全面记录却是一个在他个人和他的国家都十分困难的时刻取得重大成就的记录。他的记录是一个鸦片战争后中国人无所作为 20 多年之后、从1860 年代初开始的革新的记录——这个记录持续了 30 多年。为了这一切的理由,我们认为,李鸿章的声誉应作向上提高的重大修正的问题,值得提出来了。人们尽管仍然可以作各种保留,但是历史学家必须考虑李鸿章能否像许多次要的人物一样,被公正地说成是一个政治家。*

书目论说

根据本章结论的性质不同于以前各章,以下综合性的附篇提供了经过选择的目录学和史学方面的参考论著,以代替注释。

基本资料

正如本书各撰稿人所指出,必不可少的基本资料是《李文忠公全集》(南京,1905),台湾有两家出版社重印。这部著作大陆版书名《李鸿章全集》,前三册已经出版(上海,1985,1986,1987)。这三册(全为电稿)很有价值,随后各册问世后,将使上海图书馆迄未公布的资料便于使用。

其他李的资料书目情况,缕述如下:《李鸿章致潘鼎新书札》(台北版,** 1960);《李文忠公海军函稿》(台北重印,1972);《李鸿章传记资料》(台北,1978)。近来最新发现的李鸿章信件载《李鸿章致丁日昌函》,《丰顺文史》(1989),2 :47—167。

所提到的两部"编年史"是《李鸿章年(日)谱》,窦宗一编(香港,1968),和《李鸿章年谱》,雷禄庆编(台北,1977)。选录奏折有东洋文库发行的《李鸿章奏议目录》(东京,1955)可供查核。

同李鸿章有关的关键人物文献资料很多。我就所择取的关键人物各仅引其基本资料为例:曾国藩,《曾文正公全集》(1876

---

* "政治家",以上原文均作 politician,指一般参加或热衷政治的人,用于贬义时亦指"政客";此处原文作 statesman,指参预国家大计或善于治国的人,常取褒义。——译者

** 原书为中华书局出版(北京,1960),年子敏编著。——译者

年开始印行, 台湾重印, 1974); 左宗棠,《左文襄公全集》(长沙,
1890 年开始印行, 台湾重印, 1964); 郭嵩焘,《养知书屋文集》
(出版处不详, 1892); 沈葆桢,《沈文肃公政书》(苏州, 1880); 刘
坤一,《刘忠诚公遗集》(1909, 台湾重印, 1968), 亦以《刘坤一遗
集》书名出版 (北京, 1959); 翁同龢,《翁同龢日记》(上海, 1925,
台湾重印, 1970)。

近代化与自强运动

历史上现代化概念的使用, C·E·布莱克《现代化的动力: 比较
历史研究》(纽约, 1966) 作过很好的讨论。在书中, 中国和其他
国家一起被放在比较现代化的天平上。这一概念更为集中的使
用, 可见于《日本与土耳其政治现代化》, 罗伯特·沃德和丹夸
特·拉斯托编 (普林斯顿, 1964)。这一概念更为具体地作为一
项有用的分析工具, 主要用于 20 世纪中国, 见于吉尔伯特·罗
兹曼《中国的现代化》(纽约, 1981)。关于中国现代化概念使用
的批评和辩护, 柯文《在中国发现历史》(纽约, 1984) 第 2 章中有
很好的讨论。

　　历史学家在 19 世纪中国近代化的研究中, 感到自强运动时
期特别重要。关于这一时期 (台湾称为"自强运动", 中国大陆称
为"洋务运动") 的文献, 近几年来已有增多。选取若干书目如
下:

　　在台湾, 一册现有研究的早期论文集, 以《自强运动》为名刊
行 (台北, 1956), 列入包遵彭等编《中国近代史论丛》的辑刊中。
在美国, 对这个课题的兴趣受到邓嗣禹和费正清《中国对西方的
反应》一书 (麻省坎布里奇, 1954) 出版的很大的激发。另一部重
要著作芮玛丽《中国保守主义的最后立场: 同治中兴, 1862—
1874 年》(斯坦福, 1957), 将这一运动放在从根本上说是保守主

280

义重新勃兴这样更大的背景之下。在这两部开创性的著作刺激下,出现了少数扎实的专著,其中两种是埃尔斯沃思·C·卡尔森《开平煤矿,1877—1912 年:中国早期工业化的个案研究》(麻省坎布里奇,1957;第 2 版,麻省坎布里奇,1971)和费维恺《中国早期工业化:盛宣怀(1844—1916 年)和官督商办企业》(麻省坎布里奇,1958)。

《中国近代史资料丛刊》的一种、8 卷本的资料选辑《洋务运动》(上海,1961)的出版,使许多罕见分散的基本资料得以方便使用。虽然《洋务运动》选辑系中华人民共和国的马克思主义学者所编,却看不出有政治偏见。相反地,相同书名的《洋务运动》专著,由前书的高级编辑牟安世撰,* 则具有强烈得多的思想意识取向。另一部马克思主义取向的专著是张国辉的《洋务运动与中国近代企业》(北京,1979),但是这是一部分析性很强的书,值得仔细注意。同样值得仔细注意的是夏东元《洋务运动史》(上海,1992)。夏是两部非常有价值的传记的作者,两位传主曾在李鸿章创设的企业工作:《郑观应传》,修订再版(上海,1985)和《盛宣怀传》(上海,1988)。

关于日本学者研究中国早期近代化较早的通常为马克思主义的观点,见金基赫《日本对中国早期近代化的观点:书目概览》(密执安州安阿伯,1974)。

关于自强运动深有见地的权威性的非马克思主义概观,见郭廷以和刘广京《自强运动:寻求西方的技术》,载《剑桥中国史》卷 10(剑桥,1978),第 10 章。另一相关著作为刘广京《清代的中兴》,载同书第 9 章。刘的著作尚见其《经世思想与新兴企业》

---

* 根据《洋务运动》(《中国近代史资料丛刊》)“序例”,牟安世未列为此书编纂者。——译者

（台北，1990）。

对李鸿章所参加企业的研究，专著和论文数量最多的是关于军事方面。一部早年的著作是王尔敏《清季兵工业的兴起》（台北，1963），几年后接着出版了同一作者的权威性著作《淮军志》（台北，1967）。关于海军，一册主要资料是《北洋海军章程》（1888 年版，亦见《洋务运动》第 3 册）。关于中国历史上的海军，公认优秀的概述为包遵彭的《中国海军史》（台北，1951，增订版，1970）。此书后一版本有一部分内容已包含在包的《清季海军教育史》内（台北，1969），但是并没有完全取代《教育史》。不过，关于近代海军，约翰·罗林森《中国发展海军的努力，1839—1895 年》（麻省坎布里奇，1967）胜于包的一些著作。本书第 12 章的作者王家俭对中国海军曾作广泛研究，是目前的主要权威。他的许多有关论文现在编为一书，名《中国近代海军史论集》（台北，1984），可供使用。最近出版的研究著作是胡立人等编《中国近代海军史》（大连，1990）。

其他两部文献资料对研究军事改革特别有用。一部是《海防档》（台北，1957），它提供了拟议或实际施行的官方行动的权威性的参考资料。另一部是《清末海军史料》（北京，1982），它对于研究中国早期近代海军是必不可少的。

关于福州船政局，基本文献见于《船政奏议汇编》（1888 年版，台北重印，1975）。最近能够获得的关于船政局主要外籍专家日意格的材料，为斯蒂文·莱博出版《向中国转移技术：日意格与自强运动》（伯克利，1985）提供了条件。关于福州船政局的最新著作是林庆元《福建船政局史稿》（福州，1986）和林崇墉《沈葆桢与福州船政》（台北，1987）。关于江南制造局，基本文献见于《江南制造局全案》（上海，无出版日期）。关于江南和同时代其他军事企业优秀的分析性记述，见康念德《江南制造局的武器: 中国军事工业的近代化, 1860—1865 年》(科罗拉多州博耳德, 1978)。康念德还写了许多篇论文, 扩展了他在本书中的主题。

282　　关于自强运动这些军事方面,《剑桥中国史》(剑桥, 1978 及以后)若干章十分有用。见前引《自强运动: 寻求西方的技术》。具有同等价值的是刘广京和司马富《西北与沿海的军事挑战》(《剑桥中国史》卷 11, 第 4 章)。后一章部分根据司马富较早的论文, 即著名的《外国训练与中国自强: 凤凰山情况, 1864—1873 年》,《现代亚洲研究》, 卷 10, 第 1 期(1976), 以及《晚清中国军事教育改革, 1842—1895 年》,《亚洲皇家学会香港分会学报》, 卷 18(1978)。

关于非军事方面, 一个最成功的企业是轮船招商局。两部关于招商局早期历史的开创性著作是吕实强《中国早期的轮船经营》(台北, 1962), 和刘广京《中英轮船航运竞争, 1873—1885 年》, 载 C·D·考万编《中国与日本的经济发展》(伦敦, 1964)。一部至 1949 年止的轮船招商局主要概述是张后铨编《招商局史: 近代部分》(上海, 1988)。有关这家企业的最新学术成果体现在黎志刚在本书中所写的一章中。自强企业的一个主要资料来源是连续出版的《盛宣怀档案资料选辑》(上海, 1978 年及以后), 它已分册出版湖北开采煤铁总局、汉冶萍公司、甲午中日战争和辛亥革命各种。不幸的是, 招商局一种预期已久, 却一直延搁, 至 1993 年中尚未问世。

直到最近, 几乎没有关于自强运动全面评价的著作可供使用(除前已述及多半与马克思主义观点相反的著作外)。1970 年代康念德在其《自强: 一项根据近来若干论著的分析》,《清史问题》, 卷 3, 第 1 期(1974 年 11 月), 提出对这个运动的肯定观点。1987 年台湾"中央研究院"近代史研究所举办关于这一课题的研讨会,最后结集为《清季自强运动研讨会论文集》(台北,1988)。这次会议通过一般理论和比较研究的论文,以及关于运动的领导层、财政和私人企业等其他具体问题的论文,为进一步全面评价运动,作出了贡献。*

外交

在中国外交档案公开、可供海外学者利用之前,扎实的著作都是完全根据西方档案写成。两个例子是马士的《中华帝国对外关系史》(伦敦,1910 年及以后)和威廉·L·兰格的《帝国主义外交,1890—1902 年》(纽约,1935;第 2 版,纽约,1951)。它们仍然很有用。档案公开使发表中西关系最重要的资料成为可能:《清代筹办夷务始末》(北平,1930)包括 1875 年以前年份,《清季外交史料》(北平,1932 年及以后)包括 1875 年以后时期。其他两部基本资料是《清光绪朝中日交涉史料》(北平,1932)和《清光绪朝中法交涉史料》(北平,1933)。蒋廷黻根据这些新获得的文献,发表了他的开拓性论文《中日外交关系,1870—1894 年》,《中国社会及政治学报》,第 17 卷(1933),和他编的《中国外交史资料辑要》,2 册(上海,1931,1934)。关于中日关系,一部主要的多卷本著作是王芸生《六十年来中国与日本》(天津,1932 年及以后);此书曾经重大修改,最近一版为 1979 年,使用时必须注意。一部可靠的基本资料是《清季中日韩关系史料》(台北,1972)。

关于中国外交部的先驱总理衙门,见蒙思明《总理衙门的组

---

* 大陆历史学者自 1980 年起每二或三年举行全国洋务运动史研讨会,计长春、上海、兰州、汕头、东营和宜昌六届,最近一次于 1994 年 12 月在福州马尾举行。——译者

283

织与功能》(麻省坎布里奇, 1962)。中国在近代外交中的早期努力, 有两部专著作了很好的探讨: 徐中约《中国进入国际家庭, 1858—1880 年外交阶段》(麻省坎布里奇, 1960) 和坂野正高《中国与西方, 1858—1861 年: 总理衙门的缘起》(麻省坎布里奇, 1964)。

金基赫、梁伯华和林明德在本书第 7 至 9 章曾引用基本资料, 以勾画李鸿章对于中国对日本和朝鲜政策所负的特殊责任。我只须强调其中少数几种。一部主要利用日文资料的早期名著是田保桥洁《近代日鲜关系之研究》(庆应, 1940)。同一作者还撰写了《日清战争外交史之研究》(东京, 1951, 1965 年再版)。两书仍可供参阅, 但应与后来出版的学术著作合用。两个例子是钱复《朝鲜的开放: 中国外交研究, 1876—1885 年》(康州纽黑文, 1967) 和林明德《袁世凯与朝鲜》(台北, 1970)。后者是中国学者除利用中文和日文外, 最先利用韩文资料的一部著作。一部研究袁世凯参与朝鲜事务以前时期同样全面的著作是金基赫《东亚世界秩序的最后阶段: 朝鲜、日本和中华帝国, 1860—1882 年》(伯克利, 1980)。

关于李鸿章亦曾涉及的 1884—85 年中法战争, 除上文已引《清光绪朝中法交涉史料》外, 我还应指出邵循正等编的《中法战争》(上海, 1955), 这是与《洋务运动》姊妹篇的多卷本资料丛刊。一部特别有用的专著是易劳逸《皇室与官员: 中法争端时期中国对一项政策的寻求, 1880—1885 年》(麻省坎布里奇, 1967)。

李鸿章参与 1894—95 年中日战争, 在本书的直接焦点之外, 但是导致战争的外交背景却属研究范围之内。有两种值得特别注意。许多外交资料可在《中日战争》中见到, 该书也是邵循正等编(上海, 1956)。这部多卷本书刊是包括前已提到《洋务运动》和《中法战争》的丛刊中的另一种。第二部著作是王信忠较早发表的开拓性专著《中日甲午战争之外交背景》(北平，1937)。

李鸿章的外交政策特别受到清议派(亦称清流派或清流党)的尖锐攻击。一项关于清议派的最早研究是郝延平的《大公无私的士大夫群体：清流党研究，1874—1884 年》，《哈佛中国论文集》，卷 15(1961)。接着有易劳逸的《清议与 19 世纪中国政策的形成》，《亚洲研究杂志》，卷 24，第 24 期(1965)，它后来扩展并且并入前述的《皇室与官员》一书中。最近一篇关于清议的论文是巴斯蒂《清议与自强运动》，载前引《清季自强运动研讨会论文集》。

李鸿章同外国人的关系，可从许多资料选辑和专著中了解到。当时在中国的一个最重要的外国人便是赫德。有关赫德的杰出研究是斯坦利·F·赖特《赫德与中国海关》(贝尔法斯特，1950)。有价值的原始资料包括费正清等编《总税务司在北京：赫德中国海关信函集，1868—1907 年》(麻省坎布里奇，1975)和凯瑟琳·布鲁纳等编《来华供职：赫德日记，1854—1863 年》(麻省坎布里奇，1986)。尤其有关的是司马富等编《赫德与中国早期近代化：赫德日记，1863—1866 年》(麻省坎布里奇，1991)。最近有关于两名与李鸿章有联系的外国人的著作问世：关于薛斐尔，见德雷克《海上帝国》(火奴鲁鲁，1984)。关于穆麟德，见李约伯(音)《从西徂东》(火奴鲁鲁，1988)。这些以及其他资料表明，外国人对李鸿章有矛盾的情绪。正如 P·D·科兹《驻华领事：英国领事官，1843—1943 年》(香港，1988)所指出，英国人极不喜欢李鸿章。薛斐尔开始也不喜欢李，但是其他美国人对他抱有更多的希望；例如，见科士达《外交回忆录》(波士顿，1909)和杨越翰《个人回忆录》(纽约，1901)。外交史学家韩德认

285

为李处理同美国人的关系,值得在他的《一种特殊关系的形成:1914 年前的美国与中国》(纽约,1983)一书中,用单独一章加以讨论。

关于晚清外交一个很好的观点,见徐中约在《剑桥中国史》中所写的一章:《晚清的对外关系,1866—1905 年》(卷 11,第 2 章)。

贪污问题

这是李鸿章一生较有争议的方面之一。我在此限定自己就两个重要事件提出文献和专著方面的根据:1888 年海军款项移用于颐和园修建和 1896 年所谓俄国向李鸿章贿赂。

海军款项移用一事,包遵彭的《中国海军史》初版和罗林森《中国发展海军的努力》(两书前均引及)都作了讨论,但是这一问题最详细的研究是包遵彭论文《清季海军经费考实》,《中国历史学会集刊》,卷 1(1969),17—55。此文大部分内容并入包遵彭作了大量扩增的《中国海军史》第 2 版中。此事经过的另一篇早期论文由吴相湘 1964 年发表于《近代史实论丛》,即《晚清颐和园的修建与海军用款》,载《中文历史论文选译》,卷 12,第 1 期(1978)。关于此事经过的一个与之相埒的讨论,见于前引《剑桥中国史》中刘广京和司马富所撰《军事挑战》一章(卷 11,第 254—56 页)。

俄国行贿李鸿章的问题,更加有争论,一些资深学者接受了这种说法,认为似乎可信。徐中约在《剑桥中国史》关于晚清对外关系一章中,以较小的保留同意这一点(卷 11,第 112 页)。但是他提出一个附带条件,即俄国有关的主要官员维特伯爵否认有此事。在维特《回忆录》较早的英译本(伦敦,1921)中,维特确实说过他曾付过这样一项贿赂,但是维特原回忆录的这一版本并未为所有学者接受。维特《回忆录》俄文注释 3 卷本(莫斯科, 1960) 重复这一指责,证实维特声称,他批准 50 万卢布专门付给李鸿章。关于此事的最近记述,见于乔治·A·伦森的遗作《阴谋的均势:朝鲜与满洲的国际竞争, 1884—1899 年》(佛罗里达州塔拉哈西, 1982), 卷 2, 第 510—12 页。伦森所提供有关这一贿赂复杂机制的详细情况,是来自 B·A·罗曼诺夫的论文《李鸿章基金》(博巴克拉索弗, 1924)。伦森进一步说,李鸿章从未收到贿款全数。

286

李鸿章研究

第一部对李鸿章的批评性中文著作是梁启超《李鸿章传》(1902年版, 1936 年重版, 1963 年台湾重印)。它定下了此后所有对李鸿章否定评价的调子。自它出版之日至 1949 年,只有韦息予的简短记述《李鸿章》(上海, 1931)。人民共和国成立以来,李被作为自强运动的罪魁祸首而受到彻底的严厉批评,而自强运动则被谴责为反人民群众、亲帝国主义的运动。在像梁思光《李鸿章卖国史》(天津, 1951) 和胡滨《卖国贼李鸿章》(上海, 1955) 之类的书中,李鸿章受到人们的痛斥。一直到 1980 年代初,历史学家胡绳在其影响广泛的著作《从鸦片战争到五四运动》(北京, 1981) 中,仍然以十分否定的态度看待李鸿章(第 10 章)。

正是在胡著问世时(1980—81 年),大陆杂志和报纸上展开了关于李鸿章和整个自强运动的讨论,结果是部分恢复了李的声誉。关于李的争论,《中国历史学年鉴》1983 年版第 693—94页作了很好的简述。最近关于李鸿章的再评价是周军、杨雨润编《李鸿章与中国近代化》(安徽合肥, 1989)。河北师范学院历史教授苑书义是新近出版的《李鸿章传》作者,该书共 421 页(北京, 1991)。

　　与大陆的情况相比,台湾对于李鸿章的再评价是逐步的、渐增的。首先是重印前已指出的关于自强运动的基本资料。然后有李国祁、李守孔、王家俭以及其他人许多扎实的论文和专著问世。李守孔曾撰写关于李鸿章的第一部学术性传记:《李鸿章传》(台北,1978)。李鸿章研究的最近主要贡献,可见于前引《清季自强运动研讨会论文集》(1988)。关于李鸿章生平事业早期阶段的卓越研究,见本书刘广京"导论"注[29]所引李国祁的长篇论文。

　　英文方面,在李鸿章生前和故后不久有几部非批评性的传记出版。它们包括罗伯特·道格拉斯《李鸿章》(伦敦,1895),立德夫人《李鸿章的生平及其时代》(伦敦,无出版日期),和濮兰德《李鸿章》(伦敦、纽约,1917)。一部传说中的《李鸿章回忆录》(波士顿、纽约,1913),系名叫威廉·曼尼克斯的人所编,最后证明是完全伪造的(如 1923 年版所称)。最为可靠的关于李的记述,是恒慕义编《清代名人传略》(华盛顿,1943)中解维廉所写的条目。具有很大价值的是斯坦利·斯佩克特《李鸿章与淮军:19世纪中国地方主义研究》(华盛顿州西雅图,1964)。这部书向我们提供李鸿章成熟年代的大量情况,但是它关于李的记述是放在地方主义的分析框架上,这一框架受到后来研究的质疑。一项更加专门化的研究是肯尼思·福尔森《朋友、宾客和同僚:晚清时期幕府制度》(伯克利,1968),它探讨了李的"私人交往"的网络。一部用西文撰写的合适的李鸿章传记仍有待撰写。

附录一　中英名词对照

二划

卜鲁斯(普鲁斯)　　　　　　Frederick William Bruce

三划

士乃得(斯奈德)　　　　　Snider
大久保利通　　　　　　Ōkubo Toshimichi
马汉　　　　　　　　Alfred Maham
马安(麦克翰)　　　　John Markhan
马格里　　　　　　Samuel Halliday MaCartney
马嘉理　　　　　　A.R.Margary
马提尼−亨利(亨利马梯尼)　　Martini−Henry

四划

井上馨　　　　　　Inoue Kaoru
韦伯　　　　　　　Weber
太古洋行　　　　　Butterfield and Swire
厄普顿, 埃默里　　Emory Upton
《中国时报》　　　*The Chinese Times*
比肯斯菲德(本杰明·迪斯累里)　Beaconsfield (Benjamin Disraeli)
戈登　　　　　Charles George Gordon
日意格　　　　Prosper Giquel
贝蒂, 希拉里　　Hilary Beattie
丹涅特, 泰勒　　Tyler Dennett

| 江藤新平 | Eto Shimpei |
| 买戒勒 | Tardif de Moidrey |

七划

克尔孚	A. N. Korf
克虏伯(克鹿卜)	Krupps
李梅	Gabriel Lemaire
李泰国	Horatio Nelson Lay
李瑄根	Yi Son-gun
李劢协	Lehmayer
李裕元	Yi Yu-won
庞发	Bonnefoy
足利义满	Ashikaga Yoshimitsu
何伯(贺布)	James Hope
伯郎(薄郎)	W. G. Brown
希里哈	Victor E. K. R. von Scheliha
沙德韦尔	Shadwell
沃尔威奇(乌理治)	Woolwich
汤若望	Adam Schall von Bell
宗户玑	Shishido Tamaki
纽卡斯尔工厂	Newcastle Plant
阿思本	Sherard Osborn
阿查立(阿查利)	Chaloner Alabaster
阿姆斯特朗(阿墨斯得郎、阿摩斯庄)	Armstrong

八划

林世功	Lin Shih-kung
杨越翰	John Russell Young
拉德仁	N. F. Ladyzhenskii
花房义质	Hanabusa Yoshimoto
欧格讷	N. R. O'Conor

十一划

堀本礼造	Horimoto Reizo
梅谷	Franz Michael
副岛种臣	Soejima Taneomi
黑田清隆	Kuroda Kiyotaka
俾斯麦	Bismarck
章斯敦	Johnstone
维特(伯爵)	Count S. I. Witte

十二划

韩德森	James Henderson
葛雷森	Clayson
森有礼	Mori Arinori
奥伦(荷兰)	John Y. Holland
傅兰雅	John Fryer
旗昌洋行	Russell & Co.
"谢尔曼将军"号	*General Sherman*

十三划

蒲安臣	Anson Burlingame
雷明顿(林明敦)	Remingtons
福禄诺	F. E. Fournier

十四划

赫德	Sir Robert Hart
榎本武扬	Enomoto Takeaki

十六划以上

薛斐尔(萧佛尔)	Robert W. Shufeldt
旗记铁厂	Hunt & Co.
穆麟德	P. G. von Möllendorff

附录二 参考书目

英文论著

马士:《中华帝国对外关系史》, 3 卷(伦敦, 1910—18)

Hosea B. Morse, *The International Relations of the Chinese Empire*, 3 vols. (London, 1910—18)

王祖绳:《马嘉理案件与〈烟台条约〉》(伦敦, 1940)

S.T. Wang, *The Margary Affair and the Chefoo Convention* (London, 1940)

贝斯, H·丹尼尔:《中国进入 20 世纪: 张之洞与新时期的问题, 1895—1909 年》(安阿伯, 1977)

Daniel H. Bays, *China Enters the Twentieth Century: Chang Chih-tung and the Issues of A New Age, 1895—1909* (Ann Abor, 1977)

贝蒂, 希拉里:《中国土地与宗族: 明清两代安徽桐城的一个研究》(剑桥: 剑桥大学出版社, 1979)

Hilary Beattie, *Land and the Lineage in China: A Study of T'ung-ch'eng Country, Anhwei, in the Ming and Ch'ing Dynasties* (Cambridge: Cambridge University Press, 1979)

贝尔, 马克:《中国》(西姆拉, 中央政府分出版处, 1884)

Mark Bell, *China* (Simla, Government Central Branch Press, 1884)

　　不包括中文论著。按作者中译姓名笔划排列, 先专著, 后论文。
——译者

丹涅特, 泰勒:《美国人在东亚: 19 世纪美国政策的批评研究》(纽约, 1922)

Tyler Dennett, *Americans in Eastern Asia: A Critical Study of the Policy of the United States in Nineteenth Century* (New York,1922)

布莱克, C.E.:《现代化的动力: 比较历史研究》(纽约, 1966)

C.E. Black, *The Dynamics of Modernization: A Study in Comparative History* (New York, 1966)

布鲁纳, 凯瑟琳等编:《来华供职: 赫德日记, 1854—1863 年》(麻省坎布里奇, 1986)

Katherine Bruner et al ed., *Entering China's Service: Robert Hart's Journals, 1854—1863* (Cambridge, Mass., 1986)

卡尔, 卡利布:《鬼子兵》(纽约: 兰登出版社, 1992)

Caleb Carr, *The Devil Soldier* (New York: Random House, 1992)

卡尔森, 埃尔斯沃思·C·:《开平煤矿, 1877—1912 年: 中国早期工业化的个案研究》(麻省坎布里奇: 哈佛大学东亚研究中心, 1957; 第 2 版, 麻省坎布里奇, 1971)

Ellsworth C.Carlson, *The Kaiping Mines, 1877—1912: A Case Study of Early Chinese Industrialization* (Cambridge, Mass., 1957; 2d. ed., Cambridge, Mass, 1971)

立德夫人:《熟悉的中国》(伦敦: 哈钦森, 1890)

Mrs. Archibald Little, *Intimate China* (London: Hutchinson, 1899)

立德夫人:《李鸿章的生平及其时代》(伦敦: 卡塞尔, 1903)

Mrs. Archibald Little, *Li Hung-chang: His Life and Time* (London: Cassell, 1903)

白乐日:《中国文明与官僚政治》(纽黑文: 耶鲁大学出版社, 1964)

Etienne Balazs, *Chinese Civilization and Bureaucracy* (New Haven: Yale University Press, 1964)

兰格, 威廉:《帝国主义外交, 1890—1902 年》(纽约, 1935; 第 2 版, 1951)

William Langer, *The Diplomacy of Imperialism, 1890—1902* (New York, 1935; 2d. ed., New York, 1951)

兰金, 玛丽·B·:《中国上层人士的积极参与精神与政治变革》(斯坦福: 斯坦福大学出版社, 1986)

Mary B. Rankin, *Elite Activism and Political Transformation in China*

(Stanford: Stanford University Press, 1986)

冯友兰:《中国哲学史》, 2 卷(普林斯顿, 1952)

Fung Yu-lan, *A History of Chinese Philosophy*, 2 vols. (Princeton, 1952)

司马富:《雇佣军与官员: 19 世纪中国常胜军》(纽约, 米尔伍德, KTO 出版社, 1978)

Richard Joseph Smith, *Mercenaries and Mandarins: The Ever-Victorious Army in Nineteenth-Century China*(Millwood, N.Y.: Krause-Thomson Ltd., 1978)

司马富等编:《赫德与中国早期近代化: 赫德日记, 1863—1866 年》(麻省坎布里奇: 哈佛大学出版社, 1991)

Richard J. Smith et al., *Robert Hart and China's Early Modernization: His Journal, 1863—1866* (Cambridge, Mass.: Harvard University Press, 1991)

邓嗣禹、费正清编:《中国对西方的反应: 文献概览, 1839—1923 年》(麻省坎布里奇, 1954; 纽约: 雅典娜, 1969)

Ssu-yu Teng and John K. Fairbank eds., *China's Response to the West: A Documentary, 1839—1923* (Cambridge, Mass., 1954; New York: Atheneum, 1969)

毕乃德:《中国最早的近代官办学校》(伊萨卡, 1961)

Knight Biggerstaff, *The Earliest Modern Government Schools in China* (Ithaca, 1961)

伦森, A·乔治:《阴谋的均势: 朝鲜与满洲的国际竞争, 1884—1899 年》(佛罗里达州塔拉哈西, 1982)

George A. Lansen, *Balance of Intrigue: International Rivalry in Korea and Manchuria, 1884—1899* (Tallahassee, Fla., 1982)

麦士尼:《华英会通》(1896)

Mesny, *Chinese Miscellany* (1896)

坂野正高:《中国与西方, 1858—1861 年: 总理衙门的缘起》(麻省坎布里奇, 1964)

Masataka Banno, *China and the West, 1858—1861: The Origins of the Tsungli Yamen* (Cambridge, Mass., 1964)

劳, 威廉·T·:《汉口:一个中国城市的商业与社会: 1706—1889 年》(斯坦福:斯坦福大学出版社, 1984)

William T. Rowe, *Hankow: Commerce and Society in a Chinese City:1706—1889* (Stanford: Stanford Uaiversity Press, 1984)

杜赞奇:《文化、权力与国家: 华北农村, 1900—1942 年》(斯坦福: 斯坦福大学出版社, 1988)

Prasenjit Duara, *Culture, Power, and the State: Rural North China, 1900—1942* (Stanford: Stanford University Press, 1988)

李约伯(音):《从西徂东》(火奴鲁鲁, 1988)

Yur-Bok Lee, *West Goes East* (Honolulu, 1988)

芮玛丽:《中国保守主义的最后立场: 同治中兴, 1862—1874 年》(斯坦福, 1957; 修订本, 纽约, 1965)

Mary C. Wright, *The Last Stand of Chinese Conservatism: the T'ung-chi Restoration, 1862—1874* (Stanford, 1957; rev. ed., New York, 1965)

严, 苏菲亚·素菲(音):《中国对外关系中的台湾, 1836—1874 年》(康涅狄格州汉登, 1965)

Sophia Su-fei Yen, *Taiwan in China's Foreign Relations, 1836—1874* (Hamden, Conn., 1965)

杨联陞:《中国货币与信贷简史》(麻省坎布里奇: 哈佛大学出版社, 1952)

Lien-sheng Yang, *Money and Credit in China: A Short History* (Cambridge, Mass: Harvard University Press, 1952)

杨约翰:《个人回忆录》(纽约, 1901)

John R. Young, *Men and Memoirs: Personal Reminiscences* (New York, 1901)

何炳棣:《中华帝国成功的阶梯: 关于社会流动, 1368—1911 年》(纽约: 哥伦比亚大学出版社, 1962)

Ping-ti Ho, *The Ladder of Success in Imperial China: Aspects of Social Mobility, 1368—1911* (New York: Columbia University Press, 1962)

余英时:《汉代中国贸易与扩张主义: 华夷经济关系研究》(伯克利: 加州大学出版社, 1967)

Yin-shin Yu, *Trade and Expansionism in Han China: A Study of Sino-Barbarian Economic Relations* (Berkeley: The University of California Press, 1967)

沃德,罗伯特、丹夸特·拉斯托编:《日本与土耳其政治现代化》(普林斯顿, 1964)

Robert Ward and Dankwart Rastow ed., *Political Modernization in Japan and Turkey* (Princeton, 1964)

张灏:《梁启超与中国思想的过渡, 1890—1907 年》(麻省坎布里奇, 1971)

Hao Chang, *Liang Ch'i-ch'ao and Intellectual Transition in China, 1890—1907* (Cambridge, Ma., 1971)

张仲礼:《中国士绅收入》(西雅图:华盛顿大学出版社, 1967)

Chung-li Chang, *The Income of the Chinese Gentry* (Seattle: University of Washington Press, 1962)

陈其田:《左宗棠:中国近代船厂与纺织厂的倡导者》(北平, 1938)

Gideon Chen, *Tso Tsung T'ang, Pioneer Promoter of the Modern Dockyard and the Woolen Mill in China* (Peiping, 1938)

陈其田:《曾国藩:中国轮船的最早倡导者》(北平, 1935)

Gideon Chen, *Tseng Kuo-fan: Pioneer Promoter of the Steamship in China* (Peiping, 1935)

陈锦江:《清末现代企业与官商关系》(麻省坎布里奇, 1977)

Wellington K.K. Chan, *Merchants, Mandarins, and Modern Enterprises in Late Ch'ing China* (Cambridge, Mass., 1977)

纳尔逊, 梅尔文·弗雷德里克:《朝鲜与东亚旧秩序》(巴吞鲁日:路易斯安那州立大学出版社, 1945)

Melvin Frederik Nelson, *Korea and the Old Orders in Eastern Asia* (Baton Rouge: Louisiana State University Press, 1945)

拉里, 黛安娜《地方和国家:中国政治中的桂系, 1925—1937 年》(英国剑桥, 1974)

Dianna Lary, *Region and Nation: The Kwangsi Clique in Chinese Politics, 1925—1937* (Cambridge, England, 1974)

易劳逸:《皇室与官员:中法争端时期中国对一项政策的寻求, 1880—1885 年》(麻省坎布里奇:哈佛大学出版社, 1967)

Lloyd Eastman, *Throne and Mandarins: China's Search for a Policy during Sino- French Controversy, 1880— 1885* (Cambridge, Mass.: Harvard University Press, 1967)

迪安, 布列登:《中国与英国: 商务关系的外交, 1860—1864 年》(麻省坎布里奇, 1974)

Britten Dean, *China and Great Britain: The Diplomacy of Commercial Relations, 1860—1864* (Cambridge, Mass., 1974)

罗林森, 约翰·L·:《中国发展海军的努力, 1839—1895 年》(麻省坎布里奇: 哈佛大学出版社, 1967)

John L. Rawlinson, *China's Struggle for Naval Development, 1839— 1895* (Cambridge, Mass.: Harvard University Press, 1967)

罗兹曼, 吉尔伯特:《中国的现代化》(纽约, 1981)

Gilbert Rozman, *The Modernization of China* (New York, 1981)

罗曼诺夫, B.A.:《李鸿章基金》(博巴克拉索弗, 1924)

B.A. Romanov, *Likhunchangskii fond*(Bor'ba klassov, 1924)

金基赫:《日本对中国早期近代化的观点: 书目概览》(密执安州安阿伯, 1974)

Key- Hiuk Kim, *Japanese Perspectives on China's Early Moderni- zation, the Selfstrengthening Movement: A Bibliographical Survey* (Ann Arbor, Michigan, 1974)

金基赫:《东亚世界秩序的最后阶段: 朝鲜、日本和中华帝国, 1860—1882 年》(伯克利与洛杉矶: 加州大学出版社, 1980)

Key- Hiuk Kim, *The Last Phase of the East Asian World Order: Korea, Japan, and the Chinese Empire, 1860— 1882* (Berkeley and Los Angeles: The University of California Press, 1980)

金, C·I·尤金、金汉教:《朝鲜与帝国主义政治, 1876—1910 年》(伯克利: 加州大学出版社, 1968)

C. I. Eugene Kim and Han-kyo Kim, *Korea and the Politics of Imperi- alism, 1876— 1910* (Berkeley: University of California Press, 1968)

柯文:《中国与基督教: 传教运动与中国排外主义的发展》(麻省坎布里奇, 1963)

Paul A. Cohen, *China and Christianity: The Missionary Movement and the Growth of Chinese Antiforeignism* (Cambridge, Mass., 1963)

柯文:《在中国发现历史——中国中心观在美国的兴起》(纽约, 1984)

Paul A. Cohen, *Discovering History in China: American Historical Writing on the Recent Chinese Past* (New York, 1984)

珀金斯, 德怀特·H·:《中国农业的发展, 1368—1968 年》(芝加哥: 奥尔戴因, 1969)

Dwight H. Perkins, *Agricultural Development in China, 1368—1968* (Chicago: Aldine, 1969)

诺思, 道格拉斯·C·:《经济史上的结构与变迁》(纽约: W.W.诺顿, 1981)

Douglas C. North, *Structure and Change in Economic History* (New York: W.W. Norton, 1981)

侯继明:《外国投资与中国经济发展, 1840—1937 年》(麻省坎布里奇: 哈佛大学出版社, 1965)

Hou, Chi-ming, *Foreign Investment and Economic Development in China, 1840—1937* (Cambridge, Mass.: Harvard University Press, 1965)

格兰特文件(缩微胶卷, 国会图书馆)

Grant Papers (in microfilm, Library of Congress)

恒慕义编:《清代名人传略》, 2 卷(华盛顿, 1943)

Arthur W. Hummel ed., *Eminent Chinese of the Ch'ing Period*, 2 vols. (Washington, D.C., 1943)

科兹, P.D.:《驻华领事: 英国领事官, 1843—1943 年》(香港, 1988)

P.D. Coates, *The China Consuls: British Consular Officers, 1843—1943* (Hong Kong, 1988)

科士达:《外交回忆录》(波士顿, 1909)

John W. Foster, *Diplomatic Memoirs* (Boston, 1909)

费正清等编:《总税务司在北京: 赫德中国海关信函集, 1868—1907 年》(麻省坎布里奇: 哈佛大学出版社, 1975)

John K. Fairbank et al., *The I.G. in Peking: Letters of Robert Hart, Chinese Maritime Customs, 1868—1907* (Cambridge, Mass.:

Harvard University Press, 1975)

费正清、赖肖尔、阿伯特·M·克雷格:《东亚,现代的转变》(波士顿, 1965)

John K. Fairbank, Edwin O. Reichauer, and Albert M. Craig, *East Asia, The Modern Transformation* (Boston, 1965)

费维恺:《中国早期工业化: 盛宣怀(1844—1916 年)和官督商办企业》(麻省坎布里奇, 1958)

Albert Feuerwerker, *China's Early Industrialization: Sheng Hsuan-huai (1844— 1916) and Mandarin Enterprise* (Cambridge, Mass., 1958)

费维恺:《19 世纪中国的叛乱》(安阿伯, 1975)

Albert Feuerwerker, *Rebellion in Nineteenth-Century China* (Ann Arbor, 1975)

费维恺等编:《近代中国史研究》(伯克利, 加州大学出版社, 1967)

Albert Feuerwerker et al. , *Approaches to Modern Chinese History* (Berkeley, University of California Press, 1967)

郝延平:《19 世纪的中国买办——东西间桥梁》(麻省坎布里奇: 哈佛大学出版社, 1971)

Yen-p'ing Hao, *The Comprador in Nineteenth Century China: Bridge between East and West* (Cambridge, Mass.: Harvard University Press, 1971)

郝延平:《19 世纪中国商业革命: 中西商业资本主义的兴起》(伯克利: 加州大学出版社, 1986)

Yen-p'ing Hao, *The Commercial Revolution in Nineteenth-Century China: the Rise of Sino-Western Mercantile Capitalism* (Berkeley: University of California Press, 1986)

格琴克朗, 亚历山大:《从历史视角看经济的落后性》(麻省坎布里奇: 哈佛大学出版社, 1962)

Alexander Gerschenkron, *Economic Backwardness in Historical Perspective* (Cambridge, Mass.: Harvard University Press, 1962)

侯继明:《外国投资与中国经济发展, 1840—1937 年》(麻省坎布里奇: 哈佛大学出版社, 1965)

Chi-ming Hou, *Foreign Investment and Economic Develepment in*

China, 1840—1937(Cambridge, Mass.: Harvard University Press, 1965)

钱复:《朝鲜的开放: 中国外交研究, 1876—1885 年》(康州纽黑文, 1967)

Frederick F. Chien, *The Opening of Korea: A Study of Chinese Diplomacy, 1876—1885* (New Haven, Conn. , 1967)

徐中约:《中国进入国际家庭, 1858—1880 年外交阶段》(麻省坎布里奇, 1960)

Immanuel C.Y.Hsu, *China's Entrance into the Family of Nations: The Diplomatic Phase 1858—1880* (Cambridge, Mass., 1960)

徐中约:《伊犁危机: 中俄外交研究, 1871—1881 年》(牛津, 1965)

Immanuel C.Y. Hsu, *The Ili Crisis: A Study of Sino-Russian Diplomacy, 1871—1881* (Oxford, 1965)

容闳:《我在中国和美国的生活》(纽约: 亨利·霍尔特, 1909)

Yung Wing, *My Life in China and America* (New York: Henry Holt, 1909)

莱博, 史蒂文:《向中国转移技术: 日意格与自强运动》(伯克利: 中国研究中心, 1985)

Steven Leibo, *Transferring Technology to China: Prosper Giquel and the Self-strengthening Movement* (Berkeley: Center for Chinese Studies, 1985)

莱博, 史蒂文编:《1864 年中国内战日志》(火奴鲁鲁: 夏威夷大学出版社, 1985)

Steven Leibo ed., *A Journal of the Chinese Civil War 1864* (Honolulu: University of Hawaii Press, 1985)

曼素恩:《地方商人与中国官僚政治, 1750—1950 年》(斯坦福: 斯坦福大学出版社, 1987)

Susan Mann, *Local Merchants and Chinese Bureaucracy, 1750—1950* (Stanford: Stanford University Press, 1987)

曼尼克斯, 威廉编:《李鸿章回忆录》(波士顿、纽约, 1913)

William Mannix ed., *Memoir of Li Hung-chang* (Boston and New York, 1913)

康念德:《江南制造局的武器: 中国军事工业的近代化, 1860—1895 年》(科

罗拉多州博耳德, 1978)

Thomas Larew Kennedy, *The Arms of Kiangnan: Modernization in the Chinese Ordnance Industry, 1860—1895* (Boulder, Colo., 1978)

维特回忆录(伦敦, 1921)[俄文本(莫斯科, 1960)]

Witte's Memoirs (London 1921) [Russian Language (Moscow, 1960)]

斯坦利, C · 约翰:《晚清财政: 举革家胡光墉》(麻省坎布里奇, 1961)

C. John Stanley, *Late Ch'ing Finance: Hu Kuang-yung as an Innovator* (Cambridge, Mass., 1961)

斯佩克特, 斯坦利:《李鸿章与淮军: 19世纪中国地方主义的研究》(西雅图, 1964)

Stanley Spector, *Li Hung-chang and the Huai Army: A Study in Nineteenth-Century Chinese Regionalism* (Seattle, 1964)

蒂利, 查尔斯编:《西欧民族国家的形成》(新泽西州普林斯顿: 普林斯顿大学出版社, 1975)

Charles Tilly ed., *Formation of National States in Western Europe* (Princeton, N.J.: Princeton University Press, 1975)

惠伦, T · S · :《中国当铺》(安阿伯: 密执安大学中国文化研究所, 1979)

T.S. Whelan, *The Pawnshop in China* (Ann Arbor: Center for Chinese Studies, University of Michigan, 1979)

普列森, 恩斯特:《侵略之前: 欧洲人防备日本军队》(土孙: 亚利桑那大学出版社, 1964)

Ernst Presseisen, *Before Aggression: Europeans Prepare the Japanese Army* (Tucson: University of Arizona Press, 1964)

道格拉斯, 罗伯特:《李鸿章》(伦敦, 1895)

Robert Douglas, *Li Hungchang* (London, 1895)

韩德:《一种特殊关系的形成——1914年前的美国与中国》(纽约, 1983)

Michael Hunt, *The Making of A Special Relationship, The United States and China to 1914* (New York, 1983)

赖特, 斯坦利 · F · :《赫德与中国海关》(贝尔法斯特, 1950)

Stanley F. Wright, *Hart and the Chinese Customs* (Belfast, 1950)

奥科, 乔纳森:《中国省级官僚政治改革: 江苏善后中的丁日昌, 1867—1870

年》(麻省坎布里奇和伦敦: 哈佛大学出版社, 1983)

Jonathan Ocko, *Bureaucratic Reform in Provincial China: Ting Jih- ch' ang in Restoration Kiangsu, 1867— 1870* (Cambridge, Mass., and London: Harvard University Press, 1983)

蒙思明:《总理衙门的组织与功能》(麻省坎布里奇, 1962)

Ssu-ming Meng, *The Tsungli Yaman: Its Organization and Functions* (Cambridge, Mass., 1962)

福尔森,肯尼思·E·:《朋友、宾客和同僚: 晚清时期幕府制度》(伯克利, 1968)

Kenneth E. Folsom, *Friends, Guests, and Colleagues: the Mu- fu System in the Late Ch'ing Period* (Berkeley, 1968)

解维廉:《曾国藩与太平叛乱》(纽黑文: 耶鲁大学出版社, 1927)

William J. Hail, *Tsong Kuo- fan and the Taiping Rebellion* (New Haven: Yale University Press, 1927)

德雷克:《海上帝国》(火奴鲁鲁, 1984)

Frederick C. Drake, *The Empire of the Seas* (Honolulu, 1984)

鲍尔格, 德米特里阿斯·C·:《马格里爵士传》(伦敦与纽约: J·莱恩, 1908)

Demetrius C. Boulger, *The Life of Sir Halliday MaCartney, K.C.M.G.* (London and New York: J. Lane, 1908)

鲍威尔, 拉尔夫:《中国军事力量的兴起, 1895—1912 年》(新泽西州普林斯顿: 普林斯顿大学出版社, 1955)

Ralph Powell, *The Rise of Chinese Military Force, 1895— 1912* (Princeton, N. J.: Princeton University Press, 1955)

霍默, 锡德尼:《利率史》(新不伦瑞克: 拉杰斯大学出版社, 1977)

Sidney Homer, *A History of Interest Rates* (New Brunswick: Rutgers University Press, 1977)

濮兰德:《李鸿章》(纽约, 伦敦, 1917 年)

J.O.P.Bland, *Li Hung-chang* (New York, London, 1917)

王尔敏:《中国在长江下游地区对外国军事援助的利用, 1860—1864 年》,《中央研究院近代史研究所集刊》, 2(1971 年 6 月), 535—83

Wang Erh- min, "China's Use of Foreign Military Assistance in the

Lower Yangtze Valley, 1860—1864", *Bulletin of the Institute of Modern History, Academia Sinica* (June 1971): 535—83

巴斯蒂:《清议与自强运动》,《清季自强运动研究讨论论文集》(台湾中央研究院近代史研究所, 1988)

Marianne Bastid, "Ch'ing-i and the Self-strengthening Movement", *Proceedings of the Conference on the Self-strengthening Movement in Late Ch'ing China, 1860—1894* (Taipei: Institute of Modern History, Academia Sinica, 1988)

甘地, 申蒂·S·:《美国对华外交关系, 1869—1882 年》(未发表博士论文, 乔治敦大学, 1954)

Shanti S. Gandhi, "U.S. Diplomatic Relations With China, 1869—1882" (unpublished Ph.D. dissertation, Georgetown University, 1954)

司马富:《晚清中国军事教育改革, 1842—1895 年》,《皇家亚洲文会华北分会学报》, 18 (1978)

Richard J. Smith, "The Reform of Military Education in Late Ch'ing China, 1842—1895", *Journal of the North China of the Royal Asiatic Society*, 18 (1978)

司马富:《中国和日本近代化比较研究的思考》,《皇家亚洲文会香港分会学报》, 16 (1976)

Richard J. Smith, "Reflections on the Comparative Study of Modernization in China and Japan", *Journal of the Hong Kong Branch of the Royal Asiatic Society*, 16 (1976)

司马富:《外国军事人才的雇聘: 中国传统与晚清实践》,《皇家亚洲文会香港分会学报》, 15 (1975)

Richard J. Smith, "The Employment of Foreign Military Talent: Chinese Tradition and Late Ch'ing Practice", *Journal of the Hong Kong Branch of the Royal Asiatic Society*, 15 (1975)

司马富:《外国训练与中国自强: 凤凰山情况, 1864—1873 年》,《现代亚洲研究》, 10.2 (1976)

Richard J. Smith, "Foreign-training and China's Self-strengthening: The Case of Feng-huang-shan, 1864—1873", in *Modern Asian*

Studies, vol.10, no.2(1976)

毕乃德:《1867—1868 年秘密通讯: 中国主要政治家关于中国进一步向西方势力开放的看法》,《现代历史杂志》, 22(1950)

Knight Biggerstaff, "The Secret Correspondence of 1867—1868: The Views of Leading Chinese Statesmen Regarding the Further Opening of China to Western Influence", *Journal of Modern History,* 22 (1950)

朱文长:《左宗棠在收复新疆中的作用》,《清华学报》, 新 1.3, 136—45

Wen- chang Chu, "Tso Tsung- t'ang's Role in the Recovering of Sinkiang", *Tsing Hua Journal of Chinese Studies,* n.s.1.3 , 136—45

刘广京:《19 世纪中国轮船企业》,《亚洲研究杂志》, 18(1959)

Kwang- Ching Liu, "Steamship Enterprise in Nineteenth- Century China", *Journal of Asian Studies,* 18(1959)

刘广京:《中英轮船航运竞争, 1873—1885 年》, 载 C.D.考万编:《中国与日本的经济发展》(伦敦: 艾伦与昂温, 1964)

Kwang-Ching Liu, "British-Chinese Steamship Rivalry in China, 1873—1885", in *Economic Development of China and Japan,* ed C. D. Cowan (London: Allen & Unwin, 1964)

刘广京:《一个中国企业家》, 载玛吉·凯瑟克编:《蓟花与翡翠: 怡和洋行 150 周年纪念》(伦敦: 章鱼书局, 1982)

Kwang-Ching Liu, "A Chinese Entrepreneur", in *The Thistle and the Jade: A Celebration of* 150 *Years of Jardine, Matheson & Co.,* ed. Maggie Keswick (London: Octopus Books, 1982)

刘广京:《清代的中兴》, 载费正清编:《剑桥中国史》, 卷 10, 晚清, 1800—1911 年, 上篇(剑桥, 1978)

Kwang-Ching Liu, "The Ch'ing Restoration", in *The Cambridge History of China,* vol. 10, Late Ch'ing, 1800—1911, Part 1, ed. John K. Fairbank (Cambridge, 1978)

刘广京:《晚清督抚权力问题商榷》,《清华学报》新 10.2(1974), 207—23

Kwang-Ching Liu, "The Limits of Regional Power in the Late Ch'ing Period: A Reappraisal", in *The Tsing Hua Journal of Chinese Studies,* n.s.10.2(1974), 207—23

刘广京、司马富:《西北与沿海的军事挑战》,载费正清、刘广京编:《剑桥中国史》,卷 11,晚清,1800—1911 年,第 4 章(剑桥:剑桥大学出版社,1980)

Kwang-Ching Liu and Richard J. Smith, "The Military Challenge: The Northwest and the Coast", in *The Cambridge History of China*, vol. 11, Chapter 4 (Cambridge: Cambridge University Press, 1980)

芮玛丽:《清代外交的适应性:朝鲜情况》,《亚洲研究杂志》17.3(1958 年 5 月)

Mary C. Wright, "The Adaptability of Ch'ing Diplomacy: The Case of Korea", *Journal of Asian Studies*, 17.3(1958.5)

庞百腾:《太平叛乱最后几年(1860—1864 年)江西省收入与军事支出》,《亚洲研究杂志》,26.1(1966.11)

David P. T. Pong, "The Income and Military Expenditure of Kiangsi Province in the Last Years (1860—1864) of the Taiping Rebellion", *Journal of Asian Studies*, 26.1 (Nov., 1966)

庞百腾:《从沈葆桢(1820—1879 年)事业所见中国近代化与政治》,伦敦大学博士论文,1969

David P.T.Pong, Modernization and Politics in China as seen in the Career of Shen Pao-chen (1820—1879), Ph.D.thesis, University of London, 1969

庞百腾:《儒家爱国主义与吴淞铁路的拆毁,1877 年》,《现代亚洲研究》,7.4 (1973)

David P. T. Pong, "Confucian Patriotism and the Destruction of the Woosung Railway, 1877", *Modern Asian Studies*, 7.4(1973)

庞百腾:《维持福州船政局:政府财政与中国早期近代国防工业,1866—1875 年》,《现代亚洲研究》,21.1(1987)

David P. T. Pong, "Keeping the Foochow Navy Yard Afloat: Government Finance and China's Early Modern Defense Industry, 1866—1875", *Modern Asian Studies*, 21.1(1987)

庞百腾:《沈葆桢与 1874—1875 年政策大论争》,《清季自强运动研讨会论文集》(台湾中央研究院近代史研究所,1988)

David P. T. Pong, "Shen Pao-chen and the Great Policy Debate of 1874—1875", *Proceedings of the Conference on the Self-strengthening Movement in Late Ch'ing China, 1860—1894* (Taipei: Institute of Modern History, Academia Sinica, 1988)

庞百腾:《变易的词汇: 1860 年代和 1870 年代改良派思想》, 载庞百腾、冯兆基编:《理想与现实: 近代中国社会与政治变革, 1860—1949 年》, 第 2 次印刷(兰亨, 1988), 25—61

David P. T. Pong, "The Vocabulary of Change: Reformist Ideas of the 1860s and 1870s", in *Ideal and Reality: Social and Political Change in Modern China, 1860—1949*, 2d. printing, ed. David P. T. Pong and Edmund S. K. Fung (Lanham, 1988), 25—61

佐佐木扬:《中日战争时期(1894—1895 年)的国际环境——英俄远东外交政策与中日战争开端》,《东洋文库研究部回忆录》, 第 42 期(1984)

Yo Sasaki, "The International Environment at the Time of the Sino-Japanese War (1894—1895)——Anglo-Russian Far Eastern Policy and the Beginning of the Sino-Japanese War", *Memoirs of the Research Department of the Toyo Bunko*, no.42 (1984)

陈大端:《清朝琉球国王的封疆》, 载费正清编:《中国世界秩序》(麻省坎布里奇, 1968)

Ta-tuan Ch'en, "Investiture of Liu-ch'iu Kings in the Ch'ing Period", in *The Chinese World Order*, ed. John K. Fairbank (Cambridge, Mass., 1968)

陈锦江:《辛亥革命前的政府、商人和工业》, 载《剑桥中国史》, 费正清、刘广京编, 卷 11, 晚清, 1800—1911 年, 下篇(剑桥: 剑桥大学出版社, 1980)

Wellington K. K. Chan, "Government, Merchants, and Industry to 1911", in *The Cambridge History of China*, ed. John K. Fairbank and Kwang-Ching Liu, vol. 11, Late Ch'ing, 1800—1911, Part 2 (Cambridge: Cambridge University Press, 1980)

吴相湘:《晚清颐和园的修建与海军用款》,《中文历史论文选译》, 12.1 (1978)

Wu Hsian-hsiang, "The Construction of the Summer Palace and Naval Funds in the Late Ch'ing Dynasty", in *Chinese Studies of History*,

12.1 (1978)

沈陈汉英:《曾国藩在北京, 1840—1852 年; 其经世与改革思想》,《亚洲研
究杂志》, 27 (1967)

Han-yin Chen Shen, "Tseng Kuo-fan in Peking, 1840—1852; His Ideas
on Statecraft and Reform", *Journal of Asian Studies*, 27 (1967)

张泰温(音):《格兰忒将军 1879 年的对日访问》,《日本文集》, 24.4 (1969 年
冬季)

Richard T.Chang, "General Grant's 1879 Visit to Japan", *Monumenta
Nipponica*, 24.4 (Winter 1969)

易劳逸:《清议与 19 世纪中国政策的形成》,《亚洲研究杂志》, 24.24 (1965)

Lloyd Eastman, "Ching-i and the Chinese Policy Formation during the
Nineteenth Century", *Journal of Asian Studies*, 24.24 (1965)

罗林森, 约翰·L·:《李泰国-阿思本舰队的发展及其意义》,《中国论文
集》(哈佛大学), 4 (1950)

John L.Rawlinson, "The Lay-Osborn Flotilla, Its Development and
Significance", *Papers on China* (Harvard University), 4 (1954)

柳永益:《袁世凯驻朝与朝鲜启蒙运动(1885—1894 年)》,《朝鲜研究杂
志》, 5 (1984)

Young-ick Lew, "Yuan Shik-k'ai's Residence and the Korean En-
lightenment Movement(1885— 1894) ", *The Journal of Korean
Studies*, 5 (1984)

施坚雅:《城市与地方体系的等级制》, 载施坚雅编:《中华帝国晚期的城
市》, (斯坦福, 1977)

G.William Skinner, "Cities and the Hierarchy of Local System", in *The
City in Late Imperial China*, ed.Skinner (Stanford, 1977)

施坚雅:《19 世纪中国地区城市化》, 载施坚雅编:《中华帝国晚期的城市》
(斯坦福, 1977)

G. William Skinner, "Regional Urbanization in Nineteenth- Century
China", in *The City in Late Imperial China*, ed.Skinner (Stanford,
1977)

郝延平:《大公无私的士大夫群体: 清流党研究, 1875—1884 年》,《哈佛中
国论文集》, 5 (1961)

Yen-P'ing Hao, "A Study of the Ch'ing-liu Tang: the Distinterested Scholar-Official Group, 1875—1884", *Harvard Paper's on China*, 15(1961)

梁元生:《上海道台: 变迁中社会的联系人, 1843—1893 年》(博士论文, 圣巴巴拉加州大学, 1880)

Yuen-sang Leung, "The Shanghai Taotai: The Linkage Man in A Changing Society, 1843—1893" (Ph. D. dissertation, University of California, Santa Barbara, 1980)

梁伯华:《东亚的准战争: 日本出兵台湾与琉球争执》,《现代亚洲研究》, 17.2(1983.4)

Edwin Pak-wah Leung, "The Quasi-war in East Asia: Japan's Expedition to Taiwan and the Ryūkyū Controversy", *Modern Asian Studies*, 17.2(April 1983)

梁伯华:《格兰忒将军与中日琉球争端》,《首届亚洲研究国际讨论会论文集》(香港, 1979), 2

Edwin Pak-wah Leung, "General Ulysses S. Grant and the Sino-Japanese Dispute over the Ryūkyū (Liu-ch'iu) Islands", *Proceedings of the First International Symposium on Asian Studies*(Hong Kong, 1979), II

诺思, 道格拉斯·C·:《历史上政府与交易费用》,《经济史杂志》, 44.2 (1984)

Douglas C. North, "Government and the Cost of Exchange in History", *Journal of Economic History*, 44.2(1984)

徐中约:《戈登在中国, 1880 年》,《太平洋历史评论》, 33.2(1964 年 5 月)

Immanuel C. Y. Hsu, "Gordon in China, 1880", *Pacific Historical Review*, 33.2(May 1964)

徐中约:《中国海防与塞防政策的大争论, 1874 年》,《哈佛亚洲研究杂志》, 25(1965)

Immanuel C. Y. Hsu, "The Great Policy Debate in China, 1874: Maritime Defense vs. Frontier Defense", *Harvard Journal of Asiatic Studies*, 25(1965)

徐中约:《晚清的对外关系, 1866—1905 年》, 载《剑桥中国史》, 卷 11, 第 2

章(剑桥: 剑桥大学出版社, 1980)

Immanuel C. Y. Hsu, "Late Ch'ing Foreign Relations, 1866—1905", in *The Cambridge History of China*, Vol.11, Chapter 2 (Cambridge: Cambridge University Press, 1980)

郭廷以、刘广京:《自强运动: 寻求西方的技术》,载费正清编:《剑桥中国史》,卷 10, 晚清, 1800—1911 年, 上篇(剑桥, 1978)

Ting-yee Kuo and Kwang-Ching Liu, "Self-strengthening: the Pursuit of Western Technology", in *The Cambridge History of China*, vol. 10, Late Ch'ing, 1800—1911, Part 1, ed. John K. Fairbank (Cambridge, 1978)

梅溪升:《近代化年代受雇日本的外国公民》,《东亚文化研究》, 10.1 (1971 年 3 月)

Noboru Umetani, "Foreign Nationals Employed in Japan during the Years of Modernization", *East Asian Cultural Studies*, 10.1 (March 1971)

康念德:《自强: 根据近来若干论著的分析》,《清史问题》, 3.1 (1974 年 11 月)

Thomas L.Kennedy, "Self-strengthening: An Analysis Based on Some Recent Writings", *Ch'ing-shih Wen-t'i*, 3.1 (Nov.1974)

康念德:《自强运动中的工业变态: 李鸿章与江南造船计划》,《香港中文大学中国文化研究所学报》, 4.1 (1971)

Thomas L.Kennedy, "Industrial Metamorphosis in the Self-strengthening Movement: Li Hung-chang and the Kiangnan Shipbuilding Program", *Journal of the Institute of Chinese Studies of the Chinese University of Hong Kong*, 4.1 (1971)

蒂利, 查尔斯:《争取资本的空间, 争取国家的空间》,《理论与社会》, 15 (1986)

Charles Tilly, "Space for Capital, Space for States", *Theory and Society*, 15 (1986)

蒋廷黻:《中日外交关系, 1870—1894 年》,《中国社会及政治学报》, 17 (1933)

Tsiang Ting-fu, "Sino-Japanese Diplomatic Relations, 1870—1894",

Chinese Social and Political Science Review, 17 (1933)

境显次郎:《萨摩藩封地的琉球群岛》, 载费正清编:《中国世界秩序》(麻省坎布里奇, 1968)

Robert K. Sakai, "The Ryūkyū(Liu- ch' iu) Islands as A Fief of Satsuma", in *The China World Order,* ed. John K. Fairbank (Cambridge, Mass., 1968)

日 文 论 著

《大久保利通文书》, 10 卷 (东京, 1967—69)
Ōkubo Toshimichi bunsho, 10 vols. (Tokyo, 1967—69)

《大久保利通日记》
Ōkubo Toshimishi nikki, last part.

小竺原长生:《帝国海军史论》(第 2 版, 东京, 1899)
Ogasawara Nasei, *Teikoku kaigun shiron* (2d.printing, Tokyo, 1899)

太田朝敷:《冲绳县政五十年》(东京, 1932)
Ota Chofu: *Okinawa Kensei gojunen* (Tokyo, 1932)

《日本外交文书》(日本: 外务省编, 东京: 日本国际协会, 1936—　)
Nihon gaikō bunsho (Japan: Gaimusho, Comp., Tokyo: Nihon kokusai kyōkai, 1936—　)

《日本外交文书: 明治年间追补》(东京, 1964)
Nihon gaikō bunsho: Meiji nenkan tsuibo (Tokyo, 1964)

《日本外交年表与主要文书》(东京, 1955)
Nihon gaiko nenpyō narabi shuyo bunsho (Tokyo, 1955)

平笃:《伊藤博文秘录》(东京, 1930)
Hiratsuka Atsushi, *Zoku Ito Hirobumi hiroke* (Supplement to the confidential records of Ito Hirobumi)

田保桥洁:《近代日鲜关系之研究》(庆应, 1940)
Tabohashi Kiyoshi, *Kindai Nissen kankei no kenkyū* (Keijo, 1940)

田保桥洁:《日清战争外交史之研究》(东京, 1951, 1965)
Tabohashi Kiyoshi, *Nissin Seneki gaikoshi no kenkyū* (Tokyo, 1951, reprinted in 1965)

田中直吉:《日鲜关系之一断面》,《日本外交史研究》, 1957 年 8 月。

Tanaka Naokichi, "Nissen Kansei no ichidanmen", *Kokusai seiji*, August 1957

玄洋社社史编纂委员会:《玄洋社史》(东京, 1927)

Genyūsha shashi hensankai, *Genyūsha shi* (Tokyo, 1927)

吉野作造编:《明治文化全集》(东京: 日本评论社, 1928)

Yoshida Sakuzo, comp., *Meiji bunka zenshū* (Tokyo, 1928)

伊藤博文编:《朝鲜交涉史料》(东京, 1936)

Ito Hirobumi, comp., *Chosen kosho shiryo* (Tokyo, 1936)

多田好问编:《岩仓公实记》(东京, 1968)

Tada komon, ed., *Iwakura kojikka* (Tokyo, 1968)

《宍户矶关系文书》, 东京国会图书馆。

Shishidō Tamaki kankei bunsho in the National Diet Library at Tokyo.

金正明:《日韩外交关系资料集成》(东京, 1963)

Kin Seimei, *Nikkan gaikō shiryō shūsei* (Tokyo, 1963)

金荣作:《李朝末期朝鲜民族主义研究》(东京, 1975)

Kin Eisaku, *Kanmatsu nationalism no kenkyu* (Tokyo, 1975)

清泽洌:《外交家—政治家大久保利通》(东京, 1942)

Kiyosawa kiyoshi, *Gaiseika toshite no Ōkubo Toshimishi* (Tokyo, 1942)

彭泽周:《明治初期日韩清关系之研究》(东京, 1969)

P'eng Tse-chou (Hō Takushu), *Meiji shoki Nik- Kan- Shin kanke ino kenkyu* (Tokyo, 1969)

奥平武彦:《朝鲜开国交涉始末》(东京, 1935; 再版, 刀江书院, 1969)

Okudaira Takehiko, *Chōsen kaikoku kōshō shimatsu* (Tokyo, 1935; reprint, Toko shoin, 1969)

小野信尔:《李鸿章的登台——淮军的成立》,《东洋史研究》, 16.2(1957), 1—28

Ono Shiniji, " Ri Ko- sho no tojo- waigun no seiritsu o megutte", *Toyoshi Kenkyu*, 16.2(1957), 1—28

小野信尔:《淮军的基本性格》,《历史学研究》, 第 245 期(1964), 22—28

Ono Shinji, " waigun no kihonteki seikaku o megutte", *Rekishigaku kenkyu*, no.245(1960), 22—28

朴宗根:《朝鲜近代改革之演进》,《历史学研究》,第 300 期。

Pak Chong-gun, "Chosen ni okeru kindaiteki kaikaku no suii",
    Rekishigaku kenkyu, no.300, 51

远藤达与后藤敬臣编:《琉球处置提纲》(1879, 重印载《明治文化全书》, 卷
    25)

Endo Tatsu and Goto Keishin, eds., *Ryūkyū shobun teion* (1879;
    reprinted in *Meiji bunka zenshu*, vol.25)

韩 文 论 著

李瑄根:《韩国史最近世篇》(汉城, 1961, 林秋山译《韩国近代史》, 台北,
    1967)

Yi Son-gun, Han'guksa: *ch'oegunse p'yon*(Seoul, 1961, tran. by Lin
    ch'iu-shan, *Han-kuo chin-tai-shih*, Taipei, 1967)

金允植:《云养集》(汉城, 1913)

Kim Yun-sik, *Unyangjip*(Seoul, 1913)

金弘集:《修信使日记》, 载[韩国]国史编纂委员会编:《修信使记录》(汉城,
    探究堂, 1971)

Kim Hong-jip, *Susinsa ilgi*, in Kuksa p'yŏnch'an wiwŏnhoe, ed.,
    Susinsa Kirok (Seoul: T'amgudang, 1971)

索 引

A

根据原著, 次序按英文字母、原书页码, 略有增订。——译者

M

N

T

Y

Z

译 后 记

　　刘广京、朱昌崚两位教授合编的这部书,原名《李鸿章与中国早期近代化》,1994 年由美国以出版有关中国图书著称的 M·E·夏普出版社出版,这是海外关于李鸿章研究的最新著作,也是 30 年来用西文出版这方面研究的第一部著作,我欣幸将它译成中文,呈献读者。

　　全书围绕李鸿章与中国早期近代化这一中国近代史上内容广泛复杂而意义重大深远的课题展开深入论述。它虽然是论文结集,但在编者精心设计下,各章构成了一个有机的整体,展现李鸿章在中日甲午战争以前的主要面貌:从回溯他的早期经历,进而讨论他在直隶总督任内对近代化的追求,接着探讨他作为有全国性影响的官员(也可以说是一个半中央官员)所处的地位和所起的作用,然后在外交方面集中分析他对中日韩关系的政策与主张,最后对江南制造局和轮船招商局这两个晚清最重要的官办军事工业和官督商办民用企业以及被看作洋务运动基干的北洋海军作个案研究。全书阐述李鸿章对中国近代化事业的倡导作用,借以勾勒出他的成就和局限的参变量。这部著作以刘广京教授的论文《中国近代化的开始》作为导论,殿以朱昌崚教授所作的结论《李鸿章:一个评价》。刘文将李鸿章所倡导的近代化事业放在 19 世纪中国广阔的历史背景下,指出晚清的

"自强"思想、亦即近代化的努力是儒家经世传统的继承,但是它超越了 19 世纪初叶的经世思想,增添了采用西学的深一层含义,肯定李鸿章不惜"以夷变夏",使他的事业充满了开拓者的精神,同时指出他的努力所受到的制约,这篇导论对全书有提纲挈领的作用。朱文则不但对各章作了概括性的评论,而且根据各撰稿者的研究所得,就李鸿章作为外交家和作为近代化倡导者两方面的作用分别加以考察,论证李鸿章所追求的近代化,是力图保存传统的核心而不加改变的 C·E·布莱克所说的"防御性的现代化",指出李鸿章在这方面同日本明治维新的领导人只有程度上的区别,而非性质上的不同。

两位编者是著名的美籍中国近代史专家、《剑桥中国晚清史》的撰稿人,刘广京教授还与费正清教授同为该书下卷的主编。本书各章作者也都对所论述的专题有过长时期的精湛的研究,充分运用了有关的丰富史料和已有的研究成果。《李鸿章与沈葆桢》的作者庞百腾 1969 年在伦敦大学提交的博士论文便是《从沈葆桢事业所见中国的近代化与政治》,此后他又发表多篇与沈葆桢有关的论文,其新著《沈葆桢与 19 世纪中国近代化》去年由英国剑桥大学出版社印行,他是对李鸿章和沈葆桢作比较研究的最合适的人选。《津沪联系》作者梁元生的博士论文是《上海道台:变迁中社会的联系人,1843—1893 年》(圣巴巴拉加州大学,1980 年),同名专著 1990 年由夏威夷大学出版社出版,无怪乎他研究李鸿章在上海和天津的社会关系如此驾轻就熟。司马富在写作《李鸿章对外国军事人才的使用》一章之前,不但已有关于常胜军的专著问世(《雇佣军与官员:19 世纪中国常胜军》,1978 年),而且还发表过多篇清政府雇聘外国军事人员和晚清军事教育改革方面的论文。《作为外交家的李鸿章》共收三篇论文,作者中,金基赫著有《东亚世界秩序的最后阶段:朝鲜、日本和中华帝国,1860—1882年》;梁伯华本来就是以中日琉球交涉为题撰写博士论文;林明德则有《袁世凯与朝鲜》和《近代中日关系史》等有关著作。三篇关于李鸿章倡导近代化事业个案研究的作者,康念德曾在其博士论文的基础上撰著《江南制造局的武器:中国军事工业的近代化,1860—1895年》,于1978年出版,西方学者对江南制造局的研究用力最勤、成果最为丰富的当推康氏;轮船招商局原是现在澳洲任教的黎志刚在戴维斯加州大学师从刘广京教授攻读博士学位的研究课题,他曾为收集研究招商局史料数度专程前来中国,部分成果已在台湾《近代史研究所研究集刊》发表;王家俭研究晚清海军史的卓越成就,为大陆许多治近代军事史的学者所熟谙,他在这方面的论文曾结集为《中国近代海军史论集》刊行(台北,1984年)。本书的一位评论者说:"在某种意义上,本书多篇论文可说是作者多年研究成果的摘要",* 信非虚言。不过,它们与其说是这些作者多年研究成果的"摘要",毋宁说是这些研究的进一步发展,这样也许更为准确。这使全书保持了高度的学术水平,各个专题在当前海外中国研究的园地中居于前沿或开拓的地位。

李鸿章是最值得研究、也最有争议的一个近代历史人物。他在生前就已毁誉不一,死后人们的评论更轩轾高下,大有径庭。随着时代的进展,对他的认识也日益深化。晚近十余年,李鸿章研究正渐成为国内史学界的一个热点。许多历史人物盖棺而难以一时论定,李鸿章尤其如此。这部书所涉及虽然只限于中日甲午战争前的李鸿章,但是撰稿者从不同的角度、不同的方面所作的研究和提出许多值得注意的看法,不仅对李鸿章个人

---

* 何汉威:书评,[香港]《中国文化研究所学报》,新第3期,第222页。

的研究,而且对于晚清近代化、乃至中国近代历史的研究,相信
会提供十分有价值的参考资料和重要的或新的解释。

正基于此,当上海古籍出版社张晓敏先生过舍谈及绍介海
外学者关于中国近代历史人物研究的创意时,我乃推荐这部论
集,建议将它译成中文出版。幸蒙编者刘广京和朱昌崚教授的
宝贵支持,并且即向出版者夏普出版社 D·默文先生联系,承
其慨允授权翻译出版。译事甫经商定,刘广京教授就为中译本
写了序言寄下。际兹译稿付梓之时,我谨向他们致以由衷的谢
忱。我还感谢上海古籍出版社在商潮汹涌、严肃的学术著作出
版维艰之秋,将这部译稿列入选题,感谢张晓敏先生和李云小姐
为编辑出版热心操劳和细致工作。1994 年秋冬,朱昌崚教授、
黎志刚副教授先后来华,访问上海,因请他们各就所撰两章的译
稿审读一过,此书付印时,还请刘广京教授审阅他所撰写的三
章,解答疑难,并作若干增订。他们所提宝贵的意见和帮助,使
我受益匪浅。现在日本一桥大学法学部的鹿锡俊博士代为查检
若干日文著作的作者原名;台湾学者陈存恭、林明德教授也费神
指教,我的同事、现在美国访问的陈匡时教授在译作伊始就给予
热情鼓励和关心,也在此遥致谢意。

在翻译中,为了使文意连贯通晓,回译原书引用中文史料
时,个别地方增引原书所未引入的一二前后文句;也有地方直接
引用原来所根据的史料原文,以代替书中的间接复述;此外,由
于排印等原因出现个别的明显舛误,译者径作更正,不一一注
明。这些是要向读者说明的。原书中一些用词等,大抵据原文
直译。书末附录中英名词对照和参考书目两种,系译者编制。
原书所附索引也略加增补。两位编者于原书出版前有约,英文
本署名朱昌崚、刘广京合编,将来出版中文版时,署名作刘广京、
朱昌崚合编。这是要附带向读者申明的。

译文谬误或不妥之处,译者恳切地期待读者批评指正。

陈　绛

1995 年 5 月于上海复旦大学

Li Hung—chang and China's Early Modernization
edited by Samuel C. Chu and Kwang—Ching Liu
East Gate Book
Copyright © 1994 by M.E. Sharpe, Inc.
Printed in the United States of America

李鸿章评传

[美] 刘广京
朱昌峻　合编

陈　绛　译校

上海古籍出版社出版
（上海瑞金二路 272 号）

新华书店上海发行所发行　上海古籍印刷厂印刷
开本 850×1156　1/32　印张 13.25　插页 6　字数 311,000
1995 年 12 月第 1 版　1995 年 12 月第 1 次印刷
印数：1—5,000

ISBN　7—5325—2002—1

K·216　定价：23.00 元